황무지가
장미꽃같이

황무지가 장미꽃같이

김진홍목사 자전소설

1 내 영혼의 지진

한길사

황무지가 장미꽃같이

1 내 영혼의 지진

하늘님, 좀 내려오시라요

독자 여러분께 드리는 말

성서도 하나의 이야기책입니다.

이야기책이되 여느 책과 다르게

인간 구원의 이야기라고 생각합니다.

그래서 나도

살아온 세월을 이야기로 써봅니다.

첫째, 정직하고 '솔직하게' 쓰고 싶습니다.

둘째, 쉽고 '재미있게' 쓰고 싶습니다.

셋째, 재미있되 '깊이 있게' 쓰고 싶습니다.

넷째, 읽는 이의 가슴에 울림을 주고 싶습니다.

세상살이에서 지지리 쌓인

아픔과 상처가 치유되는

그런 글을 쓰고 싶습니다.

이제 저도 예순을 바라봅니다.

서른두 살 때 쓴 『새벽을 깨우리로다』는

너무 짧은 기간의 이야기였습니다.

이제 아예 다시 씁니다.

원고지 4천 장 정도 될는지요.

제가 만난 사람들

바보들, 천민들, 고아들, 꼴찌들……

돈이든 권력이든, 뭔가에 미친 사람들……

밑바닥 사람의 기도는 한결같았습니다.

"하늘님, 좀 내려오시라요.

같이 한잔 합시다래."

그런 갈급함 속에

하늘님께서 어떻게 함께하셨는지

어떻게 함께 뒹굴며 함께 우셨는지

그리고 함께 웃으셨는지

이제 쓰기를 시작합니다.

1999년 10월 3일

남양만에서   김진홍

내 마음의 고향

내가 태어난 곳은 경상북도 청송(青松)땅이다. 청송이라면 이름 그대로 산 깊고 골 깊기로 유명한 곳이다. 청송에서도 안덕면 사부실이라는 산골 중의 산골이 내가 나서 자란 마을이다.

1941년 온 마을이 보리베기, 모내기에 한창이던 초여름 6월 열여드렛날에 나는 태어났다. 네 살 위의 형과 두 살 위인 누나에 이어 셋째였다.

당시 아버지는 일본 도쿄에서 택시 운전사로 일했다. 요즘으로 말하면 모범운전사쯤 되셨던 것 같다. 일본에 사시던 어머니는 나를 낳으러 고향에 오셨다가 산후조리가 끝난 후 다시 일본으로 가셨다. 나는 태어나서 며칠 뒤 곧바로 도쿄로 갔고, 다섯 살까지 도쿄 신주쿠에서 낫토나 우메보시 같은 일본음식을 먹으며 자라났다. 신주쿠에서 자라났다고는 하지만 내 기억에는 집 앞에 작은 언덕이 있던 희부연 풍경밖에는 기억이 없다. 아무튼 내게 고향이란 한국의 청송과 일본의 도쿄가 되어버린 셈이다.

우리 가족이 귀국선을 탄 것은 1945년 해방되던 해 가을이었다. 그때 아버지는 일본에 남고, 어머니만 우리들 사남매(형, 누나, 나, 세 살 아래 남동생)를 데리고 귀국하셨다.

그때 헤어진 아버지는 다시 뵐 수 없었다. 몇 년 후 일본땅에서 병사하여 한줌의 재로 돌아오셨다. 비가 주룩주룩 내리던 날 우리 가족은 아버지의 유골을 산에 묻었다. 마침 비가 그치고 무덤 아래 골짜기에서 무지개가 일어 하늘로 뻗치는 것을 보고 어머니는 "아버지는 저 무지개 타고 천국으로 가셨다" 하시며 눈물지으셨다.

나는 아버지에 대한 기억이 전혀 없다. 다섯 살 때 헤어졌으니 어렴풋이라도 기억에 남아 있을 법하건만 전혀 그렇지 못하다. 어머니 말씀에 의하면 아버지는 비록 학력이 없었지만 독서를 즐기셔서 식견이 넓었다고 한다.

우리가 어렸을 때 어머니는 가끔 톨스토이, 레닌, 가가와 도요히코(賀川豊彦), 우치무라 간조(內村鑑三) 같은 위인들의 이야기를 들려주시곤 했다. 그런 사람들 이야기를 언제 알게 되었느냐고 물을라치면 어머니는 "너의 아버지한테서 배웠제. 아버지는 수시로 책을 사다주며 읽으라 권했고, 읽은 후에는 독후감을 써서 서로 나누었다"고 하셨다.

그 영향 때문이었던지 어머니는 우리들이 어렸을 적부터 책 읽는 습관을 강조하셨다. 우리 형제들이 잡담으로 시간을 보내면 심하게 꾸중하시는 어머니였다.

"사람이 그렇게 시간을 헛되게 보내면 장래성이 없다. 한국이 일본에 뒤지는 것도 국민들이 책을 읽지 않기 때문이제. 책읽기를 게을리해서는 안 된다"고 늘상 강조하셨다.

그래서인지 나는 어린 시절부터 책읽기가 습관이 되었다. 습관을 넘어 아예 체질이 되었다. 지금도 손에 책이 들려 있지 않으면 왠지 허전한 기분이 들고 몸에 균형이 맞지 않는 것 같아 거북함을 느낀다. 그런 점에서 나는 어머니께 감사드린다.

내친 김에 우리 집안 내력도 이야기하는 것이 좋을 듯하다. 할아버지 대는 삼형제였다. 처음에는 경주에 살았으나 부모를 잃은 뒤 경주천변에 살다가 그만 홍수에 움막집이 떠내려가버렸다. 집도 절도 없어진 삼형제는 걸어서 걸어서 청송땅까지 와 한마을에서 머슴살이를 시작했다.

그런데 문제는 삼형제가 모두 나이가 들어가는데도 결혼하여 가정을 이룰 수가 없었다. 의지가지없는 형제들에게 딸을 줄 사람이 있을 리 없었기 때문이다. 그래서 형제들은 비정상적인 방법으로 가정을 이룰 수밖에 없었다.

별수없이 맨 위 할아버지는 과부보쌈을 했다. 평소에 눈여겨 봐두었던 과부 집에 한밤중에 들이닥쳐서는 잠든 과부를 이부자리째로 큰 자루에 담아왔다. 우격다짐으로 첫날밤을 지내고는 다음날 아침 무릎을 꿇고 정중히 사과했다.

"죽을 죄를 지었수다. 허나 방법은 나빴어도 내 진심은 간절하외다. 그러니 이제 댁이 결정하시라요. 어젯밤 일은 없었던 걸로 하고 이 길로 가시겠다면 고이 보내드리겠고, 아니면 이 몸의 아내가 되어주시오. 재물은 없어도 마음은 넉넉하니 평생을 함께 누려봅시다."

머슴살이에 이골이 난 사람이 무슨 말인들 순서대로 했을까마는 떠듬거리며 사정을 말하니 과부댁은 뜻밖에도 순순히 할아버지를 받아들였다.

"이왕지사 이렇게 되었으니 아내가 되겠습니다. 모자라지만 아껴만 주세요."

이렇게 그 과부는 우리 집안의 큰할머니가 되셨다. 시작은 그러했지만 두 분은 평생을 금실 좋게 잘사셨다.

둘째 할아버지는 더 거친 방법을 썼다. 이웃 마을에 외딸만 데리고 사는 노인 부부가 있었다. 둘째 할아버지는 날이면 날마다 그 집에 가서 말했다.

"딸을 주시면 평생 두 어른을 편히 모시겠고, 아니면 이 집에 불 싸지르고 나도 같이 죽겠수다."

이같이 협박조로 사정을 하니 처음에는 두 노인이 펄쩍 뛰었다.

"이런 날강도 같은 놈이 있나! 어찌 너 같은 녀석에게 귀한 딸을 줄 수 있겠노. 우리집에 발도 들여놓지 말거라!"

그러나 애당초 쉽게 물러설 할아버지가 아니었다. 날만 새면 그 집에 가서 딸을 달라, 아니면 불을 지르겠다고 하기를 여섯 달을 계속하니 두 노인은 수심이 짙어져 한숨만 느는 처지에 이르렀다.

그러자 딸이 부모님께 말했다.

"아버지, 어머니, 그 머슴한테 시집가겠습니다. 저 하나만 마음을 다져먹으면 두 분을 편히 모시는 길이 되겠습니다."

노인 부부는 어림없는 소리 말라고 길길이 뛰었으나 딸이 차분차분히 설득하여 결국 혼인이 이루어졌다. 신기하게도 그렇게 맺어진 인연이었으나 두 분은 복되게 잘사셨다.

그런데 우리 가정의 직계가 되는 셋째 할아버지의 경우는 이와 좀 달랐다. 역시 어느 집에서 머슴살이하고 있던 할아버지는 어느 날 논에서 논매기를 하고 있었다. 한낮에 순회전도 중이던 한 미국 선교사가 논매기하고 있는 일꾼을 불렀다.

　"여보쇼, 젊은 양반, 그렇게 일만 하지 말고 잠시 이리 나와보시라요. 내 긴히 드릴 말이 있소이다."

　그 말에 논둑으로 나온 젊은 머슴은 눈이 파란 선교사에게서 복음(福音)을 듣게 되었다. 그리고 예수 믿기로 작정했다.

　그러나 머슴살이하는 처지에 신앙생활하기가 쉽지 않았다. 주인댁 농사일을 맡은 머슴으로서 주일에는 일하지 말고 안식(安息)하라는 성경의 가르침을 지켜나가기가 어려웠다.

　그는 토요일에는 밤을 새워 나무 두 짐을 해놓고 다음날 교회에 갔다. 모내기철에는 달빛에 밤새 모를 심으면서 주일을 지켰다. 그렇게 머슴살이와 신앙생활을 성실히 해나갔더니 주인집에서 감명을 받아 데릴사위를 삼았다. 요즘 식으로 말하자면 부르주아 유산계급과 프롤레타리아 무산계급의 결합인 셈이다.

　그렇게 맺어진 내외분에게서 삼형제가 태어났고 삼형제 중 막내아들이 나의 아버지다. 나는 조상들의 내력을 떠올릴 때면, 그래서 내 속에 양반 기질과 깡패 기질이 함께 깃들여 있구나 하고 느낀다. 모범생 기질과 문제아 기질, 이 둘 사이를 왔다갔다하는 습성을 할아버지로부터 물려받은 게 아닌가 생각한다.

　그런데 아버지는 모범생 기질만 타고났던 분인 것 같다. 어려서부터 착실하여 칭찬을 들으며 자라셨다고 한다. 그래서 우리 형제들이 자랄 때 어긋난 짓을 하면 어머니는 아버지의 어린 시절에 견주어 꾸중하시곤 했다.

"아버지는 자랄 때 그렇게 착하셨다던데 너희는 와 아버지를 안 닮고 빗나가노?"

그럴 때면 나는 "아버지가 아무리 착하셨어도 일찍 돌아가셨으니 착한 것이 무슨 소용 있습니까? 우린 덜 착하고 오래 살랍니다" 하며 어머니 속을 썩이곤 했다.

아버지가 결혼하실 때는 그 착한 성품이 한몫했던 것 같다. 우리 집안은 경주 김씨지만 워낙 근본이 없는 머슴 집안이었던지라 안동 권씨인 외갓집에서 딸을 쉽게 주려 하지 않았다. 아버지와 어머니 사이에 혼삿말이 나왔을 때 외할머니는 그런 근본 없는 집에 딸을 시집보낼 수 없다고 반대하셨다. 그러나 시집갈 당사자인 어머니가 직접 나서서 말했다.

"나는 그 사람이면 시집가겠습니다. 집안 좋고 나쁘고가 무슨 상관 있습니까? 본인만 신실하면 되지요."

당시의 시골 풍속으로는 처녀가 그렇게 당차게 나서기가 쉽지 않던 시절이었다. 어머니 말씀인즉, 초등학교 때부터 아버지와 같은 학교를 다니며 생각하기를 워낙 신실하고 자상해서 속으로만 좋아하다가 청혼이 들어오기에 기뻐했는데, 부모들이 반대하기에 혹시 일이 그릇될까 조바심이 나서 직접 나섰다고 하셨다.

우리 집안으로는 어머니가 식구로 들어오신 것이 큰 축복이었다. 아버지 본인은 성실하였다지만 사남매를 남기고 일본땅에서 돌아가셨다. 어머니는 삯바느질로 연명하면서 사남매를 모두 대학까지 나오도록 뒷바라지하셨다. 말하자면 어머니의 교육열이 우리들을 사람 구실 하게 한 셈이다.

아버지는 일본땅에서 숨을 거두면서 친구에게 부탁하기를, "아내에게 자녀들 교육을 부탁한다고 전해주게" 하셨다고 한다. 아버지가 남긴 유일한 재산은 재봉틀 한 대였다. 그것이 우리 가족의 호구지책이 되었다.

어머니는 밤낮을 가리지 않고 재봉틀을 밟았다. 어린 우리들은 잠결에도 늘 재봉틀 돌아가는 소리를 들으며 자랐다. 명절을 앞둔 때에는 바느질감이 밀렸다.

밤새워 재봉틀을 밟던 어머니는 가끔 한밤중에 나를 깨웠다.

"홍아, 니 찬송 한 곡 불러주려무나."

"어머니, 왜 맨날 나만 깨워요? 누나나 동생도 골고루 깨우시지요."

"그렇잖다. 니 목소리가 젤 은혜가 된다. 그라고 넌 앞으로 목사 될 사람 아이가. 목사 될 사람이 찬송을 불러야제."

어머니는 내가 어려서부터 장래에 목사가 되기를 바라셨다. 하루도 빠짐없이 어머니는 자식들의 장래를 위해 기도하셨다. 우리 형제들은 새벽마다 우리들을 위해 기도하시는 어머니의 기도 소리를 들으며 자랐다. 어머니는 내 차례가 되면 으레 "셋째 홍이는 장차 하나님의 종이 되어 나라에 쓰임받게 해주시옵소서" 하고 기도하셨다.

나는 그런 기도가 마음에 들지 않았다. 시골 교회에서 고생하시는 목사님의 형편을 보고 '목사 되면 가난하고 가족 고생만 시킨다'고 생각했기 때문이다. 하루는 어머니 심부름으로 목사님 사택에 갔다가 사모님이 부엌에서 울고 있는 모습을 보았다. 그 때 목사란 자리는 마누라 눈에 눈물나게 하는 자리로구나 하는 생각이 들었다. 그래서 목사 되게 해달라고 기도하는 어머니에게 이의를 제기했다.

"어머니는 왜 맨날 나를 목사 되게 해달라고 기도하십니까?"

"애야, 목사가 얼마나 영광스러운 자리인지 아느냐?"

"아뇨. 그렇게 영광스러우면 형이나 동생한테 목사 되라고 하세요. 나는 장군이나 변호사 될랍니다."

"나는 니가 목사 될 자질이 있다고 본다. 에미는 니가 목사 되는 걸 보는 것이 소원이다. 니가 지금은 목사 되는 걸 싫어하지만서도, 니는 꼭 목사 될 끼다. 이 에미 기도가 꼭 응답받을 끼다."

나는 대학시절 한때 신앙을 잃고 무절제한 생활에 빠졌던 적이 있었다. 친구들과 어울려 술을 마시고 밤늦게 집에 들어와 화장실에다가 웩, 웩, 토하면 어머니는 등을 치시면서 말했다.

"야, 이 목사야, 정신차려라!"

"어머니, 술 깹니다. 이 판에 웬 목삽니까?"

"아이다. 니가 뭔 짓을 하고 다닌다 캐도 니는 결국은 목사가 될 끼다."

대학을 졸업하고도 2년여 방황하다가 목사가 되려고 신학교에 입학했다. 내가 신학교에 들어가겠다고 말씀드리자 어머니는 기뻐서 춤까지 추셨다. 그리고 신학교 2학년 때 빈민선교 하러 빈민촌으로 들어간다니까 주위 사람들은 그런 무모한 짓 말라고 한결같이 만류했으나 어머니만은 달랐다.

"암, 잘하는 일이다. 이왕 목사 되려면 편한 목사 되려 말고 그렇게 해야지. 가난한 사람들을 돌보라고 예수님이 말씀하셨으니 빈민촌에 가는 것은 크게 잘하는 기다. 네 아버지도 그런 분이셨다. 니가 아버지를 닮았는갑다."

글을 돌이켜, 밤새워 재봉틀을 밟던 어머니가 나를 깨워 찬송 한 곡 부르라고 하실 때면 나는 묻곤 했다.

"무슨 찬송 부를까요?"

"늘 부르던 찬송 「내 주를 가까이」 있잖나. 시원하게 한번 불러라."

잠결에나마 목청을 가다듬고 찬송가 364장을 부르면 어머니는 눈을 지그시 감은 채 들으시고는 "시원하다. 너 참 은혜스럽게 부르는구나" 하고 만족해하셨다.

덕분에 나는 364장 찬송만은 어려서부터 4절까지 다 암송할 수 있게 되었다. 그렇게 익힌 찬송이 훗날 나 자신에게 큰 위로와 힘이 될 줄은 그때는 짐작조차 못했다. 나이 들어가면서 세상 풍파에 시달리며 어려운 처지에 이를 때마다 나는 무심결에 "내 주를 가까이 하려 함은" 찬송을 부르게 되었다. 이 찬송을 마지막까지 부르는 동안에 마음이 차분히 가라앉고 여유가 생겨나곤 했다.

1974년 정치범으로 옥중에 있을 때였다. 그때 나는 박정희 대통령의 긴급조치 위반으로 15년형을 살고 있었다. 매섭게 추운 어느 겨울, 나는 독방을 서성거리며 찬송을 불렀다. 어머니 덕분에 어린 시절부터 익숙히 부르게 된 "내 주를 가까이 하려 함은 십자가 짐 같은 고생이나……"를 흥얼거리며 부르고 있었다. 그런데 옆방에서 누가 벽을 쾅쾅 치며 부르는 소리가 들렸다.

"옆방에 찬송 부르는 선생님, 찬송 부르는 선생님……."

처음에는 나를 부르는 소리인 줄 모르고 있다가 벽을 두드리는 소리가 거듭되자 나는 긴가민가하여 대답했다.

"예? 절 부르십니까?"

"예, 선생님."

"누구신데요?"

"예, 저는 미결숩니다. 폭행으로 들어왔습니다."

"아, 그러세요. 그런데 왜 저를 부르십니까?"

"선생님, 죄송스럽습니다만 지금 부르시던 찬송을 좀 소리 높여 불러주십시오. 가사를 적고 싶은데 잘 들리지 않습니다."

20대 초반쯤 되었음직한 젊은이의 음성이었다.

나는 의아해하며 되물었다.

"찬송가는 소리 높여 부르겠습니다만 어인 일로 그러시는지요?"

내 물음에 젊은이는 자기의 사연을 말해주었다.

그는 시골 목사의 아들로서 아버지가 가족을 너무 고생만 시키는 것이 큰 불만이었다. 아버지는 어쩐 셈인지 도시 교회는 마다하고 농촌 교회만 찾아다니셨다. 어느 한 골짜기에서 교회를 세우고 고생고생하시다가 자리잡힐 만하면 후임자에게 물려주고는 교회가 없는 다른 골짜기로 옮기시기를 거듭하는 것이었다. 그렇게 하는 것이 아버지로서는 사명이니까 좋을지 몰라도 따라다니는 가족들에게는 여간 고생스러운 일이 아니었다. 또 그렇게 한다고 교인들이 알아주느냐 하면, 그렇지도 않았다. 이따금 아버지가 교회 장로나 교인들에게 구박받고 몰리는 것을 볼 때는 미칠 것 같았고 그렇게 살아가는 아버지가 원망스럽기까지 했다.

그래서 그런 아버지에 대한 반발로 자기는 깡패가 되었노라 했다. 나가서 싸움질을 일삼고 때로는 교인 자녀들을 때려주는 일로 말썽을 일으켰다. 그런 젊은이를 어머니가 울면서 달래고, 붙들고 기도하고, 때로는 손잡고 찬송을 부르기도 했다. 그때 어머니가 즐겨 부르던 찬송이 바로 내가 부르고 있던 찬송이었다.

이번에 폭행으로 들어와 재판을 기다리고 있는데, 옆방에서 찬송 소리를 들으니 눈물이 쏟아지고 어머니에 대한 죄스러움에 가슴이 찢어지는 것 같고 그렇게도 밉기만 하던 아버지가 그리워 견딜 수가 없다는 것이었다. 그래서 나를 따라 찬송을 함께 부르며 가사를 적으려고 애쓰고 있는데 목소리가 너무 낮아 잘 들리지 않으니 좀더 높은 목소리로 불러달라는 부탁이었다.

나는 그런 사연을 듣고는 가슴이 찡해 한 구절 한 구절을 일러주며 젊은이와 함께 찬송을 불렀다. 서로 얼굴도 모른 채 벽을 가운데 두고 소리로만 통하는 처지였지만 나도 그도 울면서 불렀다.

내 주를 가까이 하려 함은
십자가 짐 같은 고생이나
내 일생 소원은 늘 찬송하면서
주께 더 나가기 원합니다

내 고생하는 것 옛 야곱이
돌베개 베고 잠 같습니다
꿈에도 소원이 늘 찬송하면서

주께 더 나가기 원합니다······

젊은이는 흐느껴 울었고, 우리의 대화는 그것으로 끝났다.

그런 일이 있은 지 두어 달이 지난 어느 날 한낮, 낯모르는 부인이 면회를 왔다. 50대 초반의 부인이었다. 면회장에서 만난 나는 의아스러워 물었다.

"처음 뵙는 분인 것 같은데요. 나를 찾아오신 게 맞습니까?"

"예, 선생님. 저를 모르시겠지요. 두 달 전 선생님께서 옆방에 있는 청년에게 찬송가를 가르쳐주신 일 기억나세요?"

"예, 기억납니다. 목사 아들이라던 청년 말이지요?"

"예, 맞습니다. 제가 그애 에밉니다."

"아! 그럼 목사님 사모님 되십니까?"

"예, 제가 목사 사모이자 그애 에밉니다. 선생님이 찬송 가르쳐주신 그애가 제 맏아들입니다."

"아, 그러세요! 사모님, 반갑습니다. 그런데 웬일로 여기까지 오셨습니까?"

"예, 자세히 말씀드리지요. 아들이 얼마 전 집행유예를 받고 출감했습니다. 그런데 감옥에서 나온 후로 사람이 새 사람으로 변했습니다. 속썩이던 옛날 모습은 씻은 듯이 사라지고 착실한 사람으로 변했기에 제가 '얘야, 감옥에서 무슨 일이 있었니? 감옥 갔다오더니 그렇게 변할 수가 없구나. 감옥 가서 그렇게 변하는 걸 보니 너 감옥엘 자주 가야겠구나' 하고 물었습니다. 그랬더니 감옥에 있을 때 옆방에 계시던 선생님이 가르쳐주신 찬송을 따라 부르면서 흐느꼈던 이야기를 들려주었습니다. 그때 이제 출감하면 목숨 걸고 사람답게 살아야겠다고 맹세했다 합니다. 선생님을 통하여 아들이 변하게 된 내력을 들은 남편이 그렇게 고마운 분을 얼른 가서 뵙고 인사라도 드리라고 저를 보냈습니다. 선생님은 우리 아들의 은인이시고 저희 가정의 은인이십니다. 선생님, 고맙습니다."

사모님은 손수건으로 흐르는 눈물을 닦아가면서 차근차근 말해주었다. 이야기를 듣던 나도 가슴이 찡해졌다. 그래서 나도 어머니의 이야기를 들려드렸다.

"저도 지금 이 찬송을 부를 때마다 어머니 생각을 합니다. 제가 자랄 때 고달플 적마다 이 찬송을 불러달라시던 어머니를 생각하며 감옥생활을 이겨나가고 있습니다."

나중에 알게 된 일이지만 사모님은 어려운 처지에도 나를 위해 영치금까지 넣어주고 가셨다. 그렇게나마 자신들의 고마움을 표하고 싶었던가 보다.

다시 어머니 이야기로 돌아가자. 아버지의 유언이 자녀 교육이었음은 이미 말한 대로다. 그래서인지 어머니는 우리 교육에 관한 한 거의 절대적이었다. 어떤 희생을 치르더라도 우리 교육만큼은 계속하셨고 자녀들 교육에는 양보가 없었다.

어머니는 우리들에게 책읽기를 말로만 권하신 것이 아니라 읽을거리를 열심히 구해다 주셨다. 당시는 책이 귀하던 시절이었다. 어머니는 친척집이나 친지들을 찾아다니며 온갖 책을 구하여 우리들에게 읽으라고 하셨다. 그 책들 중에는 『법학통론』이 있는가 하면 『심리학개론』도 있었고 소설, 수필집에 이르기까지 다양

한 읽을거리들이 있었다.

그렇게 빌려온 책 중에 만화책이 있었다. 만화책이 거의 없었던 그 시절에 어떤 경로를 거쳤는지 몇 권의 만화책이 내 손에까지 오게 되었다. 그 만화책이 내게 준 영향은 실로 지대했다.『밀림의 왕자』란 만화였다. 인쇄도 조잡하고 내용도 엉성했다. 그러나 나에게는 신기하기만 한 내용이었다. 나는 그 만화책을 읽고 또 읽었다. 나중에는 몇 페이지에 어떤 그림이 있는지 훤히 알 정도였다. 그 내용은 대략 이러했다.

한 한국인 가족이 아프리카 하늘을 비행기로 날아가고 있었다. 그런데 그만 비행기가 고장이 나서 아프리카 밀림 한가운데에 불시착했다. 비행기에 탔던 사람들은 모두 죽고 한 아이만 살아남았다. 철민이란 아이였다. 졸지에 부모를 잃고 밀림에 혼자 살아남게 된 철민이를 밀림의 동물들이 돌봐주었다. 여러 동물들의 도움을 받으며 자란 철민이는 어느새 밀림의 왕자로 성장해갔다. 밀림에 정의를 세워나가는 왕자가 된 그는 친구인 동물들을 보호해주는 지도자 자리에까지 올라 원주민들을 괴롭히는 침략자들을 물리쳤다.

나는 만화를 읽는 동안 아프리카 밀림 속을 누비고 다니는 철민이가 되었다. 맹수들이 울부짖는 소리, 토인들이 둥둥 울리는 북소리, 지축을 흔드는 코끼리 발소리, 그런 한가운데를 질주하는 철민이의 용감무쌍한 모습…….

이런저런 모습들과 소리들을 연상하며 내 상상력은 자라갔다. 나는 꿈을 꿔도 아프리카 밀림 꿈을 꾸었고, 꿈 속에서 철민이가 되어 밀림을 주름잡았다.

우리 어린 시절 농촌에서는 아이들에게 소 먹이는 일을 시켰다. 집집마다 소 한 마리씩은 있던 때였는지라 학교가 파하면 마을 아이들은 집에 가서 식은 보리밥을 후닥닥 먹고는 소를 몰고 마을 뒷산으로들 갔다. 산골짜기에 소들을 풀어놓고 난 뒤부터는 우리들만의 시간이었다. 골짜기 개울물에서 멱을 감거나 땅뺏기, 닭싸움, 술래잡기 등의 놀이가 이어졌다. 그러다가 놀이에도 싫증나면 둘러앉아 이야기판이 벌어졌다. 이쯤 되면 이야깃거리가 많은 아이가 스타로 등장해 으스대게 마련이었다. 나는 어느새 마을 동무들 사이에 이야기꾼으로 떠올랐다. 『밀림의 왕자』 덕분이었다.

나는 읽은 내용에다 상상력을 동원하여 산기슭 확 트인 빈터에서 신나게 이야기를 풀어나갔다. 줄거리가 잡히고 열이 오르면 나는 철민이가 되어 온갖 동작을 실연해 보이며 이야기를 계속했다. 밀림 속에서 토인들이 북을 울리는 장면이 나올 때는 입술로 침을 튀기며 두두둥 북소리를 냈고, 적이 공격해 오는 장면에서는 입에 거품을 뿜으며 전투를 지휘하는 모습을 흉내냈다. 그렇게 이야기에 열중하다 보면 듣는 아이들도 감정이 하나가 되어 함께 탄식하기도 하고 신음하기도 하는 분위기로 변해갔다.

그런데 문제는 이야기 소재는 한정되어 있는데 소 먹이기는 날마다 계속해야 하는 일이었다. 아이들은 이야기를 계속하라고 졸라대기만 하니 나는 어쩔 수 없이 전보다 더 많은 상상력을 발휘하여 창작을 하는 수밖에 없었다. 어떻게 하면 이야기 줄거리를 바꿔가면서 동무들을 즐겁게 하느냐에 관심을 집중해야 했다. 그 덕분에 내 상상력은 하루가 다르게 발전해나갔다.

내 이야기에 중독되다시피 한 마을 동무들은 소 먹이기를 끝내고 집으로 돌아온 저녁에도 우리집으로 모였다. 그러고는 다시 이야기를 해달라고 졸랐다. 그래서 나는 그냥 이야기만 할 것이 아니라 실리를 챙겨야겠다고 생각했다. 나는 궁리 끝에 내 이야기를 계속 들으려면 집에서 굵은 감자 한 알씩을 가지고 와라, 그것이 입장료다, 감자를 가져온 사람만 회원이 되어 이야기판을 벌이자고 일렀다.

우리집은 가난했다. 농촌에서 논도 밭도 없는 터에 어머니의 삯바느질로만 살아가려니 궁색하기만 했다. 양식도 채소도 늘 부족했다. 집안의 부족한 반찬 조달을 위해 동무들에게 감자를 가져오라고 했더니 마을 아이들은 두말없이 내 제안을 따랐다. 저녁마다 감자가 한 바가지씩 모였다. 상상력을 동원한 이야기 덕분에 살림에 보탬이 되었던 셈이다. 그러자 하루는 어머니가 내게 이르셨다.

"진홍아, 넌 참 신통한 데가 있구나. 어떻게 땅도 없이 감자 농사를 잘 짓냐. 자식이 여럿 되니 별난 애가 다 있구면."

나는 지금도 아이들에게 만화를 많이 읽혀야 한다고 강조한다. 만화책 읽고, 동화 듣고, 서로가 이야기를 나누는 동안에 아이들의 상상력은 발전한다. 그리고 그러한 상상력을 바탕으로 하여 창조력이 자란다. 그 상상력과 창조력은 일생을 살아가면서 중요한 활력소가 되고 재산이 된다. 그러니 국력을 기울여 좋은 만화책을 많이 발간하여 어린이들에게 읽혀야 한다.

세계적으로 영화산업은 미국이 잡고 있지만 만화와 애니메이션 산업은 일본이 잡고 있다. 일본은 이 분야에 투자하고 사람을 길러 막대한 부가가치를 높이고 있다. 그러나 기질상으로 이 분야는 우리 한국인들에게 아주 적합한 분야다. 우리는 이 분야에 국가적으로 과감한 투자를 하여 발전시켜나갈 필요가 있다.

한국전쟁, 아이들의 전쟁놀이

초등학교 시절 내게 첫사랑이 있었다. 그럴듯하게 들릴지 몰라도 실은 보잘것없는 이야기다. 첫사랑이라지만 혼자 가슴앓이하다가 끝나버렸으니 사랑이랄 것도 없다.

우리 가족과 비슷한 시기에 일본에서 귀국선을 타고 온 이웃 중에 옥수라는 소녀가 있었다. 예쁘장한 얼굴에 총명했다. 부모들끼리 가까운 사이인데다 교회를 함께 다녀 우리는 친하게 지냈다. 내가 옥수와 나란히 걷노라면 동무들이 놀려댔다.

"얼레덜레요. 홍이하고 옥수하고 붙었다네."

"얼레덜레요. 둘이 붙었다네."

옥수는 놀림받을 때마다 얼굴을 붉히며 싫어했지만 나는 그리 싫지만은 않았다.

학예회 연극에서 우리는 주인공으로 뽑혔다. 옥수는 낙랑공주가 되고 나는 호동왕자가 되었다. 연극이 끝났을 때 우리는 큰 박수를 받았다. 나는 옥수 옆에 있으면 즐거웠다. 옥수의 몸에서 향기로운 내음이 나는 듯했다. 그 나이에 나는 옥수와 입맞춤하는 꿈을 꾸곤 했다.

그런데 갑자기 옥수가 일본으로 가게 되었다. 옥수의 아버지가 가족을 다시 일본으로 데려간다는 것이었다. 그 소식을 듣는 순간 하늘이 깜깜해졌다. 낙심이 되어 학교에 가기조차 싫어졌다. 풀이 죽어 하루하루를 보냈다.

옥수가 떠나는 날이 왔다. 옥수는 교실에서 작별인사를 하고 떠났다. 나는 이렇게 헤어질 수는 없다는 생각에 지름길로 달려가 옥수가 지나는 길목을 지켰다. 길가 나무 뒤에 몸을 숨기고 있다가 옥수가 보이자 앞으로 불쑥 나갔다.

"옥수야, 너 정말 가니?"

"그럼, 가는 거지."

나의 안타까운 물음에 옥수의 반응은 너무나 시큰둥했다.

옥수가 무심한 얼굴로 내 앞을 지나쳐버리자 나는 더욱 슬프고 비참해졌다. 옥수가 내 곁을 떠나는 슬픔에다 무심한 얼굴로 내 마음을 너무나도 몰라준다는 섭섭함이 겹쳐 나는 세상에서 가장 불행한 사람이 된 것 같은 느낌이었다. 나는 보리밭으로 들어가 밭이랑 사이에 엎드려 하염없이 울었다. 그리고 다짐했다.

훌륭한 사람이 되어 옥수 앞에 나타나야지. 그래서는 청혼을 해야지! 그렇다! 옥수를 각시로 삼으려면 성공해야 한다. 기필코 성공해야 한다!

그 후 나이가 들어갔어도 옥수에 대한 그리움은 지워지지 않았다. 서른이 넘어 일본을 방문했을 때 나는 옥수의 행방을 찾았다. 간신히 옥수가 있는 곳을 찾았으나 이미 결혼한 뒤였다. 그래도 나는 어린 시절 옥수의 얼굴을 떠올리며 한번 만나나 보고 싶었으나 그녀 어머니의 말을 듣고는 그냥 한국으로 돌아와버렸다.

"이 사람아, 지금 그 나이에 결혼하여 잘사는 사람을 만나서는 뭘 어쩌겠다는 건가?"

초등학교 3학년 여름에 갑자기 폭풍이 불어닥쳤다. 6·25전쟁이 일어난 것이다. 인민군들이 우리 마을에 처음 들어오던 날에는 마을 강아지들조차 겁먹은 듯 꼬리를 사렸다.

6·25는 순경들의 허둥지둥하는 모습부터 시작되었다. 겁먹은 얼굴을 한 순경들이 남쪽 길로 사라지자 마을은 쥐죽은듯 고요해졌다. 그리고 얼마 안 되어 군가를 부르며 인민군들이 밀어닥쳤다. 그때부터 전쟁이 끝날 때까지 자그마한 시골 마을에 날마다 사건들이 이어졌다. 울음 소리, 총소리, 비행기 폭격 소리 그리고 사람들과 짐승들의 죽음이 계속되었다.

인민군들이 들어오고 나서 얼마 후부터 마을 머슴들의 눈빛이 달라지기 시작했다. 해방의 시대가 왔다고 눈을 빛내면서 밤낮으로 움직이는 것이었다.

어느 날 밤, 나는 잠결에 외갓집 머슴과 어머니가 두런두런 나누는 이야기를 듣게 되었다. 어머니를 설득하려는 머슴의 입에서는 '평등 세상' '새 세상' '머슴과 주인이 없어지는 세상' 같은 말이 계속 나왔고 어머니는 차분한 음성으로 대답하고 있었다.

"우리 예수 믿는 사람들은 공산당과 맞지 않아요. 하늘나라에 가면 주인도 머슴도 없어지겠지만 이 세상엔 아직 주인 있고 머슴 있지요."

나는 공산주의가 무엇인지도 모르면서 예수님께 기도했다.

'예수님, 우리 어머니가 공산당 꾐에 넘어가지 않도록 지켜주세요.'

인민군들이 마을에 머물고 있는 동안에는 미군 비행기들의 폭격이 그칠 새가 없었다. 마을 사람들은 폭격을 피해 산골짜기로 피난을 갔다. 골짜기 깊숙이 들어가 굴이나 바위 밑에 몸을 숨기고 비행기 폭격을 피했다.

그런데 이상하게도 미군 비행기의 폭격은 피난민들이 모이는 곳으로만 쫓아왔다. 정작 인민군들이 있는 곳은 폭격을 하지 않고 애꿎게 피난민들 있는 곳만 골라 폭탄을 떨어뜨리고 기관총을 드륵드륵 퍼붓는 것이었다. 폭격이 유난히 심할 때에는 하늘에서 연방 불덩이가 떨어지면서 땅이 갈라지는 듯한 소리가 골짜기에 울려 퍼졌다.

마을 사람들은 골짜기 땅바닥에 엎드려 숨도 제대로 쉬지 못한 채 떨고 있었다. 나도 어른들 사이에 끼인 채 비행기 소리, 폭탄 터지는 소리를 듣고 있다가 슬그머니 짜증이 나길래 목을 들고 하늘을 올려다보면서 말했다.

"젠장, 맞아 죽는 게 아니라 놀래 죽겠네."

그 말에 마을 사람들이 와 하고 웃었다. 그렇게 웃고 나자 모두들 긴장이 풀린 듯 분위기가 바뀌었다. 마을 어른들은 나를 보면서 "그래, 니 말이 맞다. 폭탄에 맞아 죽는 기 아니라 소리에 놀래 죽겠다" 하고는 서로 웃으며 이야기들을 나누는 것이었다. 하늘을 쳐다보며 비행기가 내리꽂히는 모양을 구경하며 여유 있게 잡담을 나누게끔 분위기가 바뀌었다. 유머가 가지는 힘을 실감한 경우였다.

전쟁이 계속되면서 마을 젊은이들이 군인으로 뽑혀 나갔다.

어느 집이든 그 집 아들에게 징집영장이 나오면 울음바다가
되었다. 전쟁터에 나간다는 것은 바로 죽음을 뜻하던 때였기 때
문이다.

전쟁이 길어지면서 전쟁터에 갔던 사람들의 잿봉지가 배달되
는 횟수도 늘어갔다. 어느 집이든 잿봉지가 도착할 때마다 마을
에는 한 차례씩 울음판이 벌어졌다. 마을 공동묘지에는 새 무덤
이 늘어나갔다.

어른들의 전쟁판이 계속되는 중에도 아이들의 놀이판은 멈추
지 않았다. 다만 아이들의 놀이판이 어른들의 전쟁판을 닮아가는
것이 다를 따름이었다. 그때나 지금이나 아이들의 놀이세계는 어
른들 세계에서 배운 대로 되풀이한다.

전쟁이 깊어지면서 아이들의 욕설도 행동도 변해갔다. 전쟁
전에는 서로 기분이 상하면 기껏 "니, 증말 그라기가. 그라지 마
라" 정도였는데, 전쟁이 시작된 후에는 "너, 그러면 죽―어"로 변
했다. 전쟁이 계속되어 여기저기 시체들이 뒹굴게 되자 아이들의
욕도 변했다. "야! 이 새끼야, 당장 죽여버린다!" 하더니, 얼마 뒤
에는 "이 새끼, 찢어 죽인다" "각을 떠버린다"로 거칠어져 갔다.

본래 착하기만 하던 우리 백성들은 동족간에 전쟁을 치르며
거칠어지고 살벌해지면서 불신사회로 변질되어갔다. 그래서 전
쟁 피해 중에 인명 피해 못지않은 피해는 다름 아니라 착했던 국
민성이 난폭한 국민성으로 바뀌게 된 것이라 하겠다. 그런 피해
는 눈에 보이지 않기에 모두가 인식하지 못하고 있을 따름이다.

마을에 아직 인민군들이 머물고 있던 어느 날, 마루에 계시던 외할아버지께서 느닷없이 고함을 질렀다.

"야들아! 다들 나와서 저기 하늘 좀 봐라!"

우리는 모두 깜짝 놀라 할아버지가 가리키는 대로 하늘을 보았다. 하늘 저 멀리 유엔군 비행기들이 편대를 지어 북쪽으로 날아가는 모습이 보였다. 비행기들의 꽁무니에서 나온 흰줄이 하늘을 가로질렀다.

외할아버지는 그날 이후 얼굴이 밝아지며 유엔군이 참전했으니 이제 전쟁에서 이기게 되었다, 참고 견디기만 하면 인민군은 물러가게 돼 있다고 가족들을 격려하셨다. 독실한 크리스천이셨던 외할아버지는 공산주의가 정말 싫었던 것이다. 빈농들과 머슴들이 인민군들과 어울려 마을을 휘젓고 다니는 동안에도 할아버지는 입을 굳게 다문 채 인민군이 퇴각할 때만 기다리고 계셨다.

얼마 후 비행기에서 삐라가 뿌려졌다. 유엔군이 인천에 상륙하여 전세가 뒤집어졌으니 애국시민들은 적 치하에서 참고 기다리라는 내용이었다.

그러던 어느 날 한밤중에 어머니가 우리를 깨웠다. 어머니는 쉬, 하시면서 마당을 가리켰다. 달이 대낮같이 밝고 사방은 조용한데 어머니는 마당 한가운데만 지켜보고 계셨다. 우리 형제들은 영문을 몰라 숨을 죽이며 같이 바라보았다.

마당 한가운데 놓인 풀더미가 천천히 움직이고 있었다. 풀더미는 마치 살아 있는 것처럼 서서히 이동하고 있었다. 하나, 둘, 셋, 움직이는 풀더미는 열 개가 넘었다. 풀더미들은 넓은 마당을 가로질러 인민군 지휘부가 있는 곳으로 움직여 갔다.

어머니가 나지막한 목소리로 말씀하셨다.

"얘들아, 국군이다. 국군 아저씨들이 들어오고 있다. 조용히 해라. 인민군들이 눈치채면 안 된다."

풀더미들은 나뭇가지나 풀들로 위장한 국군들이었다. 국군 선발대가 인민군들이 점령하고 있는 마을로 한밤중에 침투해 들어오고 있는 중이었다.

얼마 후 고함 소리며 총소리가 고막을 찢을 듯 소란스럽더니 곧 이어 조용해졌다. 총 맞은 부상병들의 신음 소리가 여기저기서 들려왔다. 인민군들 중에는 어린 소년들도 있었다. 10대 소년들이 총에 맞아 창자를 마당에 흘리며 어머니ー, 어머니ー 를 애타게 부르고 있었다.

다음날부터 세상이 달라졌다. 마을에 들어온 국군들은 외갓집에 본부를 정했다. 온 집안에 국군들이 가득하고 왁자지껄했다. 피난갔던 사람들이 하나둘 돌아오자 마을 분위기가 되살아났다. 죽은 인민군들의 시체를 감나무 아래 묻고 마을 사람들은 다시 농사일을 시작했다.

아이들도 다시 놀이를 시작했다. 우리는 어른들의 전쟁판에서 배운 대로 놀이판을 벌였다. 처음에는 옥수숫대에 새끼줄을 묶어 총이랍시고 어깨에 메고는 우리끼리 편을 갈라 전쟁놀이를 하는 정도였다. 그러나 시간이 흐르면서 우리들의 전쟁놀이는 차츰 판이 커져갔다. 옥수숫대 총은 목총으로 바뀌고, 목총은 다시 진짜 총으로 바뀌었다. 전쟁터에서 주워모은 여러 종류의 총들로 무장을 하게 된 것이다. 총알이 없을 따름이었지 총은 진짜였다.

한 마을 안에서 골목싸움으로 시작되었던 놀이는 점차 이웃 마을과의 전투로 발전해갔다. 마을 아이들은 편을 나누어 포병대, 돌격대, 특공대 등으로 이름을 붙인 다음 군사훈련도 하고 작전회의도 열었다. 포병대 아이들의 주력 무기는 박격포였다. 박격포탄 탄피에 총알을 분해하여 뽑아낸 화약가루와 불붙은 숯덩이를 넣는다. 그리고 기관총탄의 탄피를 뒤집어 박격포탄 탄피 속에 꽂은 다음, 막대로 위에서 탁 쳐서 안으로 박아넣는다. 그러면 속에 넣은 숯불 때문에 화약이 폭발하면서 기관총 탄알 탄피가 슝— 하고 날아간다. 이것이 포병대의 주력 무기였다.

이웃 마을 아이들과 전투가 벌어지면 먼저 포병대가 수십 발의 포탄을 상대방 진지 쪽으로 날린다. 뒤이어 특공대가 앞장서서 진격해 들어간다. 그 뒤를 이어 돌격대가 와— 함성을 지르며 뒤따랐다. 기세에 눌린 마을 쪽이 후퇴하게 마련이었고 미처 못 따라가 뒤처진 아이들은 포로로 잡혔다. 그렇게 잡혀온 아이들은 비행기 폭격으로 불타버린 창고 건물에 가두었다. 마을 어른들이 뒤늦게 알고 와서 데려가거나 얼마쯤 가둬두었다가 돌려보내기도 했다.

나는 마을 형들이 용감하다고 부추기는 통에 우쭐하여 특공대 중대장이 되었다. 우리 또래 마을 아이들 중에 가장 용감하고 영리하다고 해서 맡겨진 직책이었다. 그러나 얼마 후 지금도 그때 일을 생각하면 얼굴이 화끈 달아오를 만큼 부끄러운 일을 당하고 말았다.

어느 가을날 오후, 우리 마을 군사들은 보무도 당당하게 이웃 마을로 진격해 들어갔다. 우리 부대 선두에는 당연히 특공대가 섰고, 특공대 앞장은 당연히 중대장인 내가 섰다.

윗마을 입구는 내리막길이었다. 앞장서서 내리막길 좌우를 살피며 들어가는 내 속마음은 몹시 두렵고 떨렸다. 그러나 물러설 처지도 못 되는지라 두려움을 고함 소리로 감추며 나아갔다.

그런데 전방 감나무숲에서 난데없이 돌멩이들이 날아왔다. 주춤하는 순간 내 옆에 있던 대원이 악! 하고 이마를 감싸며 고꾸라지는데 그의 손가락 사이로 피가 뿜어져 나왔다.

나는 두려움에 휩싸여 뒤도 돌아보지 않고 도망쳤다. 도망치는 내 앞뒤로 돌멩이들이 슛, 슛 날아와 박혔다. 불행히도 되돌아오는 오르막길은 어찌나 길고 길던지…….

죽을 힘을 다해 도망쳐 집에 오니 바느질을 하고 계시던 어머니가 땀과 흙먼지에 뒤범벅이 된 채 헉헉대는 나를 물끄러미 보시며 물었다.

"어디서 뭐 하다 왔길래 그리 숨차 하노?"

"아니라요. 놀다 왔심더."

"놀다 오는데 와 그리 요란스럽노?"

"아무것도 아니라니까예……."

나는 정말 아무렇지도 않다는 듯이 방으로 들어갔다.

그 뒤 나는 이틀 동안 문 밖 출입을 하지 않았다. 이틀 뒤 큰마음먹고 용기를 내어 골목으로 나갔더니 세상이 바뀌어 있었다. 마을 아이들이 입을 삐쭉대며 놀렸다.

"특공대 중대장 김진홍, 도망대 중대장 김진홍, 특공대 중대장 김진홍, 도망대 중대장 김진홍……."

나는 괴로운 심사를 달랠 길이 없어 집으로 돌아와 누워버렸다. 돌멩이에 맞아 이마가 터진 옆집 아이는 상처에 된장을 바르고 헝겊으로 친친 감은 채 한동안을 지냈다. 골목에서 그 아이 모습이 언뜻 보이기만 해도 나는 얼른 몸을 숨기곤 했다.

지금은 그도 오십줄의 사나이가 되어 처자식을 거느리고 있을 것이다. 어디에서 어떤 삶을 살고 있을는지, 돌 맞은 자리에 흉터는 남지 않았는지…….

그 즈음 어머니는 밤낮으로 재봉틀 앞에 앉아 계시고 형은 삼촌 댁에 가 있었던지라 밥짓기는 누나 몫이었고 땔감 구하는 것은 내 일이었다. 나는 초등학교에 들어가면서부터 산으로 땔감을 구하러 다녔다. 나보다 더 큰 지게를 지고 이 산 저 산 다니며 땔감을 구해 왔다. 외갓집 행랑채의 한 칸 방에 살고 있던 우리는 여러 가지로 외갓집 신세를 질 수밖에 없었다.

나는 나무하러 갈 때마다 외갓집에서 낫이며 톱을 빌려 썼다. 가끔은 망가뜨리기도 하고 잃어버리기도 했는데, 그런 일이 잦으니 외할머니는 나를 볼 때마다 핀잔을 주셨다. 나는 외할머니의 핀잔이 못마땅했다.

그날 오후에도 지게를 지고 집을 나서는데 마루에 앉아 있던 할머니가 소리를 지르셨다.

"홍아, 이눔아. 연장이란 연장은 다 가져다 버리고는 또 연장을 가져가나? 지금껏 갖다 버린 연장 다 내놓아라!"

나는 화가 나서 외할머니 쪽으로 돌아서며 바지를 내렸다. 그리고 바지춤에서 고추를 끄집어내어 한 손으로 들고는 소리쳤다.

"할메요, 연장 여기 있심더! 이 연장이면 다른 연장 다 갚고도 남겠지예?"

할머니는 맨발로 마당으로 내려와 내 쪽으로 달려오면서 소리 지르셨다.

"그래, 이놈아. 그 연장 이리 내놔라!"

질겁을 한 나는 얼른 고추를 바지춤 안에 넣어 간직하고는 바짓자락을 움켜쥔 채 골목 밖으로 냅다 뛰었다. 그 뒤로 할머니는 나를 장래성 있는 외손자로 인정하시고는 연장 때문에 닦달하기를 멈추셨다. 그리고 어머니께 말씀하셨다.

"너, 진홍이 놈 잘 길러라. 장래성 있는 녀석이다. 녀석이 연장 내놓으라니까 바지를 내리고 물건을 썩 내놓는 게 아니겠나. 아무나 그렇게 못하는 기다. 그 녀석, 장차 크게 될 끼다."

그런가 하면 학교에서 내가 졸지에 신동이란 소문이 나게 되는 사건이 일어났다. 국어시간이었는데 선생님이 나를 지명하며 교과서를 읽으라고 했다. 그날 따라 나는 국어책을 가져오지 않았다. 하지만 전날 저녁에 그날 배울 내용을 읽었던 터라 옆자리 아이의 책을 빌릴 것 없이 그냥 서서 기억나는 대로 읽어나갔다. 선생님이 나를 가만히 지켜보더니 물으셨다.

"진홍아, 너 지금 책도 안 보고 읽고 있는 거냐?"

"예. 국어책을 집에 두고 왔습니다. 그래도 어제 저녁에 미리 읽어본 내용이라 그냥 읽습니다."

"야, 너 신동이구나. 우리 학교에 신동이 나왔구나!"

그래서 나는 졸지에 신동이 되었다. 그 후 사람들이 나를 보고 신동이다! 하는지라 나도 내가 신동인 줄 착각하게 되었다. 그러나 그것은 산골의 좁은 골짜기 안에서나 통할 수 있는 일이었다. 중학교 때 대구로 나와 보니 신동은 골목마다 있는 것 같았다. 그리고 대구에서 대학을 마치고 서울에 와보니 나 같은 사람은 수재 정도도 아니고 보통 사람밖에 되지 않음을 절감했다. 아니, 나는 오히려 둔재에다 게으르기까지 하여 그냥 하루하루를 지내다간 아무 쓸모 없는 사람이 되기 십상임을 절실히 느끼게 되었다. 그러니 유일한 길은 자신을 갈고 닦아 스스로 자기 발전을 꾀하는 길밖에 없음을 절감했다.

내 어린 시절 이야기에서 빠뜨릴 수 없는 부분이 있다. 교회 이야기다.

우리 가족이 다닌 교회는 복동교회(福洞教會)다. 두메산골에 있었지만 일찍이 기독교를 받아들여 교회 전통이 깊고 많은 인재를 배출한 교회다. 오랜 느티나무가 서 있는 마당에 기와집인 교회당이 서 있었다.

복동교회는 내가 나이가 들어갈수록 더욱 그리워지는 마음의 고향 같은 교회다. 나이 들어 고향을 떠난 후 삶에 지칠 때면 나는 곧잘 고향 교회를 꿈꾸곤 했다. 고달픈 감옥살이를 할 때, 세상살이가 벅차 좌절감을 느꼈을 때, 몸이 아파 누웠을 때면 나는 복동교회를 꿈꾸곤 했다.

성탄절이나 추수감사절, 부활절 같은 교회 명절이 왔을 때는 유년주일학교 학생들의 발표회가 있곤 했다. 나는 행사 때마다 개회 인사말을 맡았고 독창을 하거나 연극에 출연했다. 해마다 5월 어린이 주일이 되면 온 교인들이 푸짐하게 음식을 장만하여 야외예배를 갔다. 밤나무숲이나 사과나무숲에 터를 잡고 온종일 즐겁게 보냈다. 그런 날이면 나는 으레 뽑혀 나가 독창을 불렀다.

보리밭에 종달새 노래부르고

나물 캐는 처녀가 하늘을 보면

어디서 오라는지 보이지 않고

호랑나비 한 마리 날아갑니다

5월의 아지랭이를 뒤로 하고 들녘에 앉아 있는 모든 교인들 앞에서 이 노래를 부르면 그들은 박수를 보내며 칭찬해주었다.

"아이고, 그 집 아들 창가 한번 잘하네."

이런 따사로운 추억들이 내 영혼 속에 쌓여 훗날 방황에서 좌절하지 않고 다시 교회로 돌아오게 한 밑거름이 되었으리라.

어느 해였다. 추수감사절을 맞아 나는 교회 다니지 않는 마을 친구 셋을 인도하여 교회로 갔다. 그날은 감이니 사과니 떡 같은 음식들을 각 가정에서 잔뜩 장만해 와 감사절 예배 후에 잔치가 벌어졌다. 너나 할것없이 생활이 어려운 시절이었던지라 그날 주는 음식들이 아이들에게는 큰 선물이었다. 그래서 추수감사절이 되면 교회가 차고 넘칠 만큼 아이들이 모여들었다.

그런데 하필이면 그날 음식이 모자랐던지 여전도사님이 앞장서서 큰 소리로 말했다.

"교인 집 아닌 아이들에겐 떡을 주지 마라. 떡만 얻어먹으러 왔지 교회 온 아이들이 아니다."

그러고는 그날 처음 온 아이들을 떡 타는 줄에서 골라냈다. 나는 내가 데리고 간 아이들에게 너무나 미안했다. 그리고 교회가 이렇게 하는 것은 잘못된 처사라 생각되었다. 만일 음식이 모자란다면 교인 집 아이들보다 아닌 집 아이들과 처음 온 아이들에게 먼저 나눠주는 것이 옳은 처사라는 생각이 들었다. 그래서 나는 줄에서 빠져나와 떡을 받지 않았다.

그날 저녁 누구에게서 들었는지 어머니가 물었다.

"홍아, 니 오늘 떡을 타 먹지 않았다면서?"

"예. 오늘 아무것도 안 먹었심더."

"와 속이 안 좋더나?"

"그기 아입니더. 속은 말짱했심더."

"그럼 와 그랬노? 무슨 속상한 일이라도 있었나?"

"딴기 아니고요, 오늘 교회 갈 때 춘이하고 영일이하고 태식이 셋을 전도해서 갔거든예."

"그거 참 잘했구나. 근데?"

"예배 후에 음식 줄 때요, 예배당 안 다니는 애들은 주지 말라고 해서 걔들이 줄에서 밀려났어예. 그래서 나도 안 받았심더."

"아이고, 그런 일이 있었구나. 근데 걔들이 못 타 먹어도 니는 타먹지 와 하루 종일 생으로 굶었노?"

"아니지요. 그럼 안 되지요. 내가 전도해 간 친구들이 못 먹는데 내 혼자 먹을 수는 없지요. 그라고 예배당에서 그러카몬 안 되지요. 그렇게 할 수 없지요. 예수님은 주라 하셨는데 예배당은 예수 믿는 사람들만 주고 예배당 안 다니는 애들에겐 주지 않으면 예수님 생각하고 다르잖습니꺼?"

"그래, 니 말이 백번 옳구마. 오늘은 예배당에서 잘못했다. 내 다음 제직회 때 따지꾸마. 근데 니 배고프제? 감자라도 삶아주까?"

어머니는 다음달 교회 제직회 때 추수감사절에 있었던 일을
꺼내며 교회가 그날 한 처사가 잘못되지 않았느냐고 말씀하셨다.
제직회는 한참 논란을 거듭한 끝에 그 일은 확실히 교회가 잘못
했으며, 앞으로는 절대로 그런 일이 없도록 하겠다는 결론에 이
르렀다. 내 한 끼 단식이 효과를 본 셈이었다 할까…….

하늘이 무너져도 솟아날 구멍이 있다

세월은 흘러 초등학교를 졸업할 때가 되자 내 중학교 진학 문제가 집안에서 가장 큰 근심거리가 되었다. 집안이 워낙 가난하여 중학교에 들어갈 처지가 못 되었기 때문이다.

그런 형편을 살피신 외할아버지는 한 대장간에 나를 심부름꾼으로 들여보내기로 부탁해두고는 어머니에게 권했다.

"혼잣몸으로 아이들 공부시킨다고 골빠지게 고생하지 말고 진홍이는 대장간에 보내거라. 내가 이야기해두었다. 풀무질 잘 배워두면 앞으로 제 앞은 추스려나갈 게다."

"아입니더, 아버지, 홍이는 그렇게 썩을 애가 아닙니더. 그런 길로 나가기에는 재주가 너무 아까운 아입니더. 그라고 홍이 아버지 유언이 뭐였는데예. 다른 애들은 몰라도 셋째는 꼭 공부시키라고 당부하고 숨을 거두었다 캅니더. 제가 굶더라도 홍이는 학교 보낼 낍니더."

"그 왜 죽은 사람은 자꾸 들먹거리는 게냐? 그렇게 자식 교육에 열성이거든 죽질 말고 감당했어야지. 아무튼 죽은 사람 말에 매여 살지 말고 산 사람은 산 사람대로 살아갈 도리를 찾아야 하는 게야."

할아버지는 그렇게 말하고는 역정을 내며 가버리셨다. 나는 두 분의 대화를 곁에서 들으며 어머니께 고마운 생각이 들었다. 꼭 훌륭한 사람이 되어 어머니를 기쁘게 해드려야지, 어머니께 효자 노릇 하려면 열심히 공부해야지 하고 다짐했다.

그 후 나는 새벽마다 교회에 가서 예수님께 기도드렸다. 기도 제목은 중학교에 들어갈 길을 열어달라는 것이었다. 중학교에 들어가지 못하면 장차 아무것도 이룰 수 없을 것 같은 위기감이 느껴졌기 때문이다.

"예수님, 제가 꼭 중학교에 들어가도록 허락해주시옵소서. 그래야 큰 일꾼이 되어 나라일도 하고, 가문도 빛내고, 어머니도 모실 것 아닙니까? 제가 대장간에 머슴으로 들어가버리면 아무것도 이룰 수가 없습니다. 예수님, 중학교만큼은 꼭 들어가야겠습니다."

우리 마을에서 교회가 있는 마을까지는 4킬로미터가 넘는 거리였다. 그 길을 새벽에 혼자 걸어 교회로 가는 일은 쉽지 않았다. 때로는 머리카락이 쭈뼛 설 만큼 무서운 적도 있었다. 그 길은 호랑이가 나타난 것을 보았다는 소문까지 난 길이었다. 나는 무서움을 이기느라고 "믿는 사람들은 군병 같으니……" 하고 찬송가를 소리 높여 부르며 달리다가 걷다가 했다.

그런데 어느 날 새벽 진짜 호랑이가 나타났다. 제법 커보이는 호랑이가 마을 끝나는 곳쯤에서부터 나를 따라오고 있었다. 가슴이 두근거리고 공포심에 몸이 오그라들 지경이었다. 나는 안 되겠다 싶어 하늘을 우러러 소리 높이 도움을 청했다.

"예수님, 도와주세요. 제가 지금 재난에 빠져 있습니다."

그러나 호랑이는 사라지지 않고 줄곧 내 뒤를 따라오더니 급기야 내 주위를 빙글빙글 돌기 시작했다. 내 혼을 빼려는 것 같았다. 나는 젖 먹던 힘까지 다하여 소리질렀다.

"사탄아, 물러가라! 여호와의 백성을 해치려 하지 말라!"

그러나 사탄은 물러갈 기색은커녕 점점 더 내게로 다가왔다. 그제야 나는 좀 이상하다는 생각이 들었다. 꼬리를 살랑거리며 껑충껑충 뛰는 모습이 나를 해치려는 것 같지는 않았다. 의아한 마음이 들어 자세히 살펴보니 호랑이가 아니라 우리집에서 기르는 개 '바둑이'였다. 바둑이가 새벽에 교회 가는 나를 따라온 것이었다. 나는 반가운 마음에 바둑이를 끌어안고 등을 토닥거려주며 말했다.

"옳아! 바둑이로구나. 어째서 나를 그렇게 놀라게 할 수 있니? 아무튼 반갑다. 너, 나하고 교회까지 같이 가련?"

드디어 나는 중학교에 들어갔다. 친척들의 만류와 빈정거림을 무릅쓴 어머니의 열성이 나를 안덕중학교에 입학할 수 있게 했다. 하지만 입학은 했어도 학교 생활이 순탄치 못했다. 입학금도 못 내고 학교에 들어갔던 것이다. 입학 후 한 달 가량은 아무 말 없더니 두 달째부터는 문제가 생기기 시작했다. 담임선생님이 나를 불렀다. 그러고는 집에 가서 입학금을 가져와 서무실에 내고 교실로 들어오라는 것이었다. 나는 하는 수 없이 책가방을 싸들고 교실 밖으로 나왔다.

하지만 갈 곳이 없었다. 나와 같은 처지의 급우가 셋 있었다. 우리는 냇가로 가서 아카시아나무 그늘에 앉아 놀다가 학교가 파할 즈음에 집으로 갔다. 그런 생활이 계속되었다.

그 즈음 어머니는 시골에 계속 있다가는 아이들을 제대로 교육시킬 수 없겠다는 걸 깨닫고 누나와 함께 대구로 가신 후 소식조차 없던 때였다.

아침에 나는 여느 아이들처럼 가방 들고 학교 가서 교실에 앉기는 했지만, 으레 선생님이 불러세워 공납금 가져오라고 내보냈다. 그러면 우리는 다시 냇가로 가서 노닥거리며 놀다가 집으로 가곤 했다. 그런 생활이 반복되는 중에도 나는 개교기념일에 뽑혀서 독창을 했다. 그런데 부른 곡이 개교기념식 분위기에는 전혀 맞지 않는 노래였다.

"황성 옛터에 밤이 되니 월색만 푸르러⋯⋯."

기억나기로는 기념식 전에 교장실에 불려가 무슨 곡을 부를 수 있겠느냐, 아는 노래 한 곡 불러보라기에 「황성 옛터」를 불렀다. 교장선생님이 마음에 들었던지 개교기념식장에서 그 곡을 그대로 부르라고 하였다.

어린 시절에 나는 노래를 곧잘 불렀다. 초등학교 5학년 때, 하루는 음악시간이 끝난 후 선생님이 나를 교무실로 불러 정색을 하며 이르셨다.

"진홍아, 너는 음악에 소질이 있으니 앞으로 베토벤 같은 음악가가 되거라. 너에겐 훌륭한 성악가가 될 소질이 있어. 그러니 잘 갈고 닦도록 해라."

느닷없는 말씀에 나는 엉겁결에 "네, 열심히 해보겠심더" 하고 씩씩하게 대답했다. 그러나 선생님도 나도 어떻게 해야 베토벤 같은 음악가가 될 수 있는지는 알지 못했다.

초등학교를 졸업하기까지 악보를 읽을 수 있는 선생님이 부임해 온 적이 한 번도 없었다. 그러니 음악교육이 제대로 될 턱이 없었다. 그냥 목소리가 좋은 편이어서 중학교 1학년 때 「황성 옛터」를 부르기는 했으나 그것으로 끝이었다.

그 후 대구에서 중학생이라는 어린 나이에 유리공장에 취직하여 하루 종일 뜨거운 불가마 앞에서 일하는 동안에 목소리가 달라지고 말았다. 그 바람에 음악적 재능이 쇠퇴할 대로 쇠퇴하여 지금은 고작해야 「두만강 푸른 물에」나 「연분홍 치마가 봄바람에」 같은 대중가요를 흥얼거릴 정도다.

안덕중학교에서 첫 학기를 그렇게 보내다가 여름방학을 맞았다. 방학이 되면서 결국 대구 어머니께 호소문을 보냈다. "그리운 어머님 보시옵소서"로 시작되는 편지는 셋째아들이 처한 곤궁한 처지를 그림으로 그려가며 호소한 내용이었다. 엄지발가락이 삐져나온 운동화, 무릎이 드러난 바지, 너덜너덜거리는 소맷자락 등을 편지에 그렸다. 신문팔이든 담배팔이든 해서 내가 먹을 것은 해결할 터이니 제발 어머니 곁으로 불러만 달라는 호소였다.

어머니는 편지를 보고 마음이 움직이셨던지 9월 초순에 나를 데리러 오셨다. 그리고 그때까지도 못 낸 입학금과 밀린 공납금을 치르고 전학증을 떼어 나를 대구로 데려가셨다.

대구에서 우리는 신암동 산 위 빈민촌에서 살았다. 어머니는 방직공장에 나가시고 형은 인쇄소 직공으로 일했으며 누나는 식모살이였다.

나도 신문팔이를 시작했다. 학교는 영신중학교 야간부에 적을 두게 되었다. 얼마 후 나는 신문팔이를 그만두고 한국일보 신문배달로 바꿨다. 새벽 네시에 일어나 신문지국으로 가서 1백여 부되는 신문을 받아들고는 맡은 구역을 돌았다. 신암동, 신천동을 지나 산격동의 경북대 뒤편까지 도는 먼 거리였다. 구역이 넓다보니 배달이 끝날 무렵에는 몸은 지칠 대로 지치고 배도 고파 현기증이 날 정도였다. 어느 때는 해장국집 앞에 서서 구수한 음식 냄새를 한참이나 맡다가 발걸음을 옮기는 적도 있었다.

아침나절에 신문을 팔에 안고 골목길을 다니다 보면 지나던 사람 중에 나를 불러세워 "야, 신문 팔 것 있니?" 하고 묻는 경우가 있었다. 당연히 팔 것은 없다고 대답이 나와야 하는데 내 입에서는 차마 "없습니다"라는 말이 나오지 않았다.

내가 쭈뼛거리는 동안 손님은 신문값 20원을 내놓고는 신문한 장을 뽑아가버렸다. 나는 20원을 들고 가게로 가서 호빵 하나를 사서 먹었다. 그 순간만큼은 뱃속이 심히 행복함을 느꼈다.

그러나 그런 행복감도 잠깐으로 끝나고 고민에 빠지게 된다. 한 부 모자라게 된 신문 때문에 어느 집을 빠뜨려야 할지 고민이 되었다. 가장 뒤탈이 적을 듯한 집을 건너뛰고는 배달을 끝낸다. 그러나 아침신문을 기다리던 그 집에서는 신문지국 사무실로 전화를 건다.

그런 일이 자꾸 생기자 지국장이 배달사고가 너무 잦으니 확실히 해라, 계속 그런 일이 있으면 그만두게 하겠다고 주의를 주었다. 나는 앞으로는 그런 일 없도록 하겠다고 다짐하지만 다음 날에도 배달이 끝날 즈음 "어이, 신문배달, 신문 한 장 사자" 하고 20원을 내밀면 나는 이래서는 안 되지 하면서도 어느새 손은 이미 돈을 받아쥐고 있다. 그리고 다시 가게로 가서 호빵 하나를 집어든다.

그러기를 얼마 동안 계속했더니 하루는 한국일보 지국장이 나를 부르더니 눈을 부라리며 말했다.

"그동안 많이 봐줬는데 이젠 안 되겠다. 배달사고가 너무 잦으니 후임자에게 구역을 물려줘. 마음 같아선 후들겨패주고 싶지만 참는다."

호빵의 유혹을 이기지 못한 나는 결국 쫓겨나고 말았다.

그 즈음 어느 날 어머니는 우리 사남매를 불러 앉히셨다.

"얘들아, 너희들과 의논할 것이 있다. 식구는 많은데 수입은 없어서 어려움이 많구나. 무슨 해결책이 있어야겠다. 내가 아는 분이 고아원 총무로 있는데, 진홍이와 철웅이를 고아원으로 보내면 거기서 공부를 시켜준다는구나. 내 생각으로는 둘이 그리로 가면 집에서 제대로 못 먹고 고생만 하는 것보다는 나을 것 같은데, 너희 생각은 어떠냐?"

어머니의 제안에 형과 나는 그렇게 하는 게 좋겠다고 했으나 누나와 동생은 막무가내로 흩어지면 안 된다는 주장을 폈다. 특히 동생은 못 먹고 고생해도 좋으니 어머니와 같이 있겠다며 완강히 버텼다. 또 누나는 지금 우리 가족이 고생스러워도 착하게 살고 있는데, 만약 두 동생이 고아원에 갔다가 거기서 못된 아이들이라도 만나 나쁜 물이라도 들면 어떻게 하느냐, 동생들 버룻이 나빠진 뒤에는 돈이 있어도 못 고친다며 설득력 있게 반대했다.

그러자 어머니는 "그래, 네 말이 옳다. 고생스러워도 함께 살자. 하늘이 무너져도 솟아날 구멍이 있다 안 카더나. 설마 굶어죽기야 하겠나" 하시며 그냥 함께 고생하기로 결론을 내리고 가족회의를 끝냈다.

형편이 이러했던지라 나도 살림에 보탬이 되고자 공장에 들어갔다. 그런데 하필이면 가장 힘든 유리공장이었다. 첫날부터 내게 맡겨진 일은 신천 냇가로 내려가 둑 위의 공장으로 물을 길어 나르는 일이었다. 애시당초 내 체력으로는 감당하기 어려운 일이었다. 힘에 부치는 일이니 자연히 느릴 수밖에 없었고, 조금만 느려도 공장 안에서는 물, 물 하며 고함을 질러댔다.

나는 조바심이 일어 부지런히 애썼지만 역부족이었다. 석 달쯤은 그럭저럭 버텨나갔다. 나중에는 목이 잠겨 말이 잘 나오지 않았고, 작업을 마칠 때쯤에는 어지럼증이 나고 다리가 후들거렸다. 그렇게 일을 마치고 저녁에 야간학교에 가서 의자에 앉으면 잠만 자게 되었다.

그런 사정을 모르는 선생님은 "너는 학교에 잠자러 왔나" 하며 머리를 쥐어박았다. 그러나 쏟아지는 졸음을 막을 길이 없었다. 그래도 '여기서 못 이기면 고아원으로 가는 거다. 고아원 신세가 되지 않으려면 참고 이겨내야 해!' 하고 속으로 다짐하며 하루하루를 지냈다.

그러나 그런 다짐도 보람없이 유리공장을 그만두게 될 일이 일어났다. 석 달째 접어드는 어느 날 물 공급이 자꾸 늦어져 작업에 지장을 주자 화가 난 조장이 나를 무지막지하게 때렸다. 차고 때리고 넘어뜨리고…….

나는 끽소리도 못하고 맞기만 했다. 주위의 다른 일꾼들이 말리는 바람에 겨우 구타가 끝났다. 나는 입술이 터지고 코피를 쏟으며 집으로 돌아왔다. 누나가 나를 보곤 "이게 웬일이냐?"고 놀라며 물수건으로 닦아주었다. 설명을 들은 누나는 눈물을 글썽이며 말했다.

"홍아, 그렇게 힘든 공장이라면 그만둬라. 너는 공부로 성공해야 할 사람이다. 그런 데서 일하고 살 사람이 아니다. 어디 일하면서 공부할 수 있는 일자리가 있는지 찾아보자."

"그런 일자리가 어디 있어? 아무튼 유리공장은 내게 너무 벅차. 그만두었으면 좋겠는데, 그러면 어머니가 너무 힘드실 것 같아서……."

누나와 나는 울먹이다가 마침내 울음을 터뜨렸다.

결국 유리공장은 그간에 일한 품삯도 받지 못한 채 끝나고 말았다. 힘에 부쳐 더 다니지 못하겠으니 그동안 일한 삯이나마 달라고 했더니, 견습기간도 제대로 못 채운 주제에 무슨 돈 받을 생각을 하느냐고 핀잔만 들었다. 그래도 몇 차례나 찾아가 졸라댄 끝에 쥐꼬리만큼 받은 돈을 어머니께 갖다드렸다. 유리공장에서 석 달여를 고생한 뒤로는 좋았던 목소리가 잠겨 그 후로는 노래를 제대로 부를 수 없게 되었다.

집에서 쉬고 있다가 나는 문화서점에서 일하는 형 친구를 찾아갔다. 그리고 형 친구에게 서점 서가대에 꽂혀 있는 소설들을 하루씩만 빌려주면 흠집 내지 않고 본 다음에 돌려주겠다. 책 사서 읽을 돈은 없고 그렇게 해서라도 책을 읽고 싶으니 도와달라고 부탁했다. 형 친구는 내 열성에 마음이 움직였던지 그러라고 했다. 다만 책에 손때를 묻히거나 책장을 접어서는 안 된다고 당부했다.

나는 굶주렸던 사람이 푸짐한 식탁을 만난 듯이 책을 읽어나갔다. 나의 '독서시대' 가 시작되었다. 나는 무작정 읽고 또 읽었다. 어떤 날은 두 권, 또 어떤 날은 세 권도 읽었다. 『레 미제라블』에서 시작하여 『죄와 벌』『삼국지』『여자의 일생』『한국문학전집』에 이르기까지 정신없이 읽어나갔다.

방에 틀어박혀 소설만 읽고 있으니 친척들 사이에 흉거리가 되었다.

"참 소견머리없는 녀석이야. 어머니가 그렇게 고생하고 있는데 도울 생각은 않고 허구한 날 소설 나부랭이만 읽고 있으니, 원……."

그런 말을 들으면 어머니는 그들에게 말씀하셨다.

"무엇이든 읽어두면 남겠지요. 예로부터 책 읽는 자식 그릇되는 법 없다고 하잖아요. 밖에 나가서 못된 짓 하는 아이들에 비하면 얼마나 고마운 일이에요."

이런저런 말을 들으면서도 막상 당사자인 나에게는 실로 행복한 나날들이었다. 그때나 지금이나 나는 책을 잡으면 그 속에 푹 빠져버린다. 책 읽는 동안에는 나 자신이 책 속의 주인공이 되어버리는 것이다. 『삼국지』를 읽을 때는 제갈공명이 되고 이광수의 『흙』을 읽을 때면 동혁이가 되었다. 책을 읽다 잠이 들면 꿈에서

까지 읽던 책의 주인공 노릇을 했다.

학교에 가서도 소설만 읽었다. 도스토예프스키의 무게 있는 글들이 좋았고 헤르만 헤세의 『데미안』도 좋았다. 선생님들에게서도 여러 차례 주의를 들었으나 보던 책에서 손놓고 관심을 딴 곳으로 돌릴 수가 없었다. 나는 책을 한번 들면 그 책읽기가 끝난 후에야 관심을 다른 곳으로 돌릴 수 있다.

얼마 전까지 수업시간에 잠만 자던 녀석이 이제는 소설만 읽고 있으니 좀 이상한 데가 있는 학생이라고 선생님들 사이에서 말이 돌았다. 한번은 읽고 있던 책을 선생님께 압수당한 적도 있었다. 나는 교무실까지 따라가 빌린 책이니 제발 돌려달라고 애걸했다. 다음부터 주의하겠노라고 빌고 빌어서 겨우 책을 되돌려받기도 했다. 그렇게 열중했던 책읽기는 서점 형이 다른 곳으로 이사를 가게 되어 일단 끝나고 말았다.

그동안 누나는 식모살이를 하면서도 열심히 공부해 대구사범학교에 입학했다. 어머니는 기뻐서 춤을 추셨다. 나는 누나의 합격에 기뻐하시는 어머니를 보고 생각했다.

나도 어머니를 춤추게 할 만한 일을 할 수 없을까?

그때 나보다 세 살 아래인 동생은 신암초등학교 학생이었다. 하루는 학교에서 돌아온 동생이 몹시 풀이 죽어 있었다. 나는 걱정스러워 물었다.

"니 학교에서 무슨 일 있었나? 와 그렇게 풀이 죽어 있노?"

동생은 교과서가 없어서 숙제를 못했는데 선생님이 벌을 세워 학교 갈 기분이 나지 않는다고 했다. 그 말을 들은 나는 동생에게 필요한 교과서를 어떻게 하면 구해줄 수 있을까 골똘히 생각했다. 며칠을 생각한 끝에 헌 책방에 가서 슬쩍 책을 가져오기로 작정했다. 책방 주인이 한눈파는 사이에 재치 있게 슬쩍하면 쉽사리 될 것만 같았다.

대구 시청 부근에는 헌 책방들이 많았다. 나는 책방 골목을 걸으며 책방 안을 살폈다. 그리고 사람들이 가장 많이 들락거리는 책방을 골라 들어가서 동생이 원하던 책 세 권을 골랐다.

주인의 시선이 다른 곳에 머문다고 여겨지는 순간을 틈타 얼른 책들을 품속에 감춘 채 슬며시 책방을 나왔다. 생전 안해본 짓을 하려니 가슴은 방망이질치듯 쿵닥거리고 등줄기는 누군가가 곧 뒤에서 낚아채기라도 할 듯이 뻣뻣해졌다.

나는 뒤도 돌아보지 못한 채 앞만 보고 걸었다. 책방에서 제법 멀리 걸어나왔기에 이제 안심해도 되겠구나 생각하는 순간 갑자기 억센 손이 내 목덜미를 잡아챘다.

"야, 이 도둑놈아! 어디 오늘 내 손에 맞아봐라!"

책방 주인은 뺨부터 후려쳤다. 눈앞에 번쩍 불꽃이 일었다.

나는 책 세 권을 주인에게 돌려주고는 "아저씨, 잘못했어요. 잘못했어요. 제발 한 번만 용서해주세요" 하고 두 손바닥을 부비며 싹싹 빌었다.

그때의 그 참담하고 슬픈 심정이야 세월이 흐른다고 어찌 잊혀질 수 있겠는가. 그래서 그런지 나는 지금도 세상살이란 참으로 슬픈 거라는 인식이 마음 바탕에 깔려 있다. 다만 이 서글픈 세월에 어떻게 의미를 부여하고 사느냐에 따라 각자의 삶의 값어치가 달라질 뿐이라 생각한다.

참담한 심정으로 집으로 돌아오니 사정을 모르는 동생이 놀란 얼굴로 물었다.

"성아, 얼굴이 와 그렇노. 누구하고 쌈했나? 얼굴이 벌에게 쏘인 것처럼 벌겋게 부어 있구마?"

"아이다, 어디 조금 부딪힌 기다."

"어디에 그렇게 세게 부딪혔는데? 아이다, 어디 부딪힌 것 같지는 않다."

나는 자꾸만 눈물이 나오려고 해서 얼른 동생을 피해 방으로 들어갈 수밖에 없었다.

나에게 책을 읽게 해주던 형 친구가 이사간 후 나는 읽을거리를 찾아 시립도서관으로 갔다. 하루 종일 도서관에서 책을 읽다가 배가 고파지면 집으로 돌아오곤 했다.

약장수 방랑기

　세월이 흘러 중학교를 졸업하고 고등학교에 진학하게 되었다. 영신고등학교 야간부였다. 고등학생이 된 후로는 책읽기에서 영화보기로 취미가 바뀌었다. 대구역 앞에 공회당 건물이 있었고 공회당 높은 층에 육군극장이 있었다. 이른바 걸벵이(거지) 극장이라 불리던 곳이다.

　걸벵이 극장은 서부영화가 전문이었다. 나는 서부영화에 중독되어갔다. 밥은 거르더라도 영화는 봐야 했고, 학교는 결석해도 영화는 빠뜨릴 수 없었다. 어느 때는 교과서까지 팔아 영화관에 가기도 했다.

　그런데 말이 영화관이지 시설이나 환경은 엉망이었다. 영화관 안에까지 오줌 냄새가 코를 찔렀고 화면은 항상 비 내리는 날씨였다. 게다가 필름마저 연방 끊어졌다.

　그러나 그런 여건들은 나에겐 아무 문제도 되지 않았다. 지금은 전설쯤으로 여겨지는 무성영화 시절이었다. 걸걸한 목소리의 변사가 화면에 맞추어 해설을 해나가면, 우리는 영화 내용보다 그 해설이 더 좋았다.

"악당들에게 쫓기고 있는 존 웨인, 그의 앞을 가로막는 저 낭떠러지. 존 웨인, 어드르케 할 거인가! 뒤로 돌아서는 존 웨인. 돌아서며 쌍권총을 빼려는 찰나……."

때맞춰 극장에 전기가 나간다. 탁, 소리와 함께 전깃불이 나가면 화면은 슝 하는 소리를 내며 꺼진다. 깜깜한 객석에 앉아 있던 관람객들은 휘파람을 불며 고함을 질러댄다.

"돈 내 도고! 집에 갈란다!"

휘파람 소리, 고함 소리가 여기저기서 시끌벅적하다 보면 다시 전기가 들어오고 화면이 움직이기 시작한다. 그러나 총을 뽑으려던 존 웨인은 간 데 없고 다른 장면이 진행되고 있다.

그래도 우리는 좋았다. 변사의 구성진 목소리가 우리 가슴을 떨리게 했고 악당들을 쓰러뜨리는 총잡이들 모습이 우리 마음을 뜨겁게 했다.

유리공장에 다니다가 고생한 후로 나는 장사 쪽으로 관심을 돌렸다. 힘도 덜 들고 자유로울 것 같아서였다. 처음에는 은단장사로 시작했다가 나중에 볼펜장사로 바꾸었다. 볼펜이 처음 나오던 시절이어서 무척 귀한 물건이었다. 도매상에서 볼펜을 사서는 다방으로 사무실로 다니며 팔았다. 기차 타고 청도까지 가서 군청 사무실에서도 팔고, 휴일에는 유원지를 돌며 팔았다.

고등학교 1학년, 겨울에 들자 나는 화장품장사를 시작했다. 말이 화장품이지 품질은 형편없는 수준이었다. 화장품 담은 통을 등에 메고 골목골목 다니면서 북을 동동 울리며 판다고 해서 '동동 구리무'라고 불렀다.

화공약품가게에서 원료를 사다가 집에서 화장품을 빚었다. 그리고 고물상에 가서 화장품병들을 사와 솥에 담고 물을 붓는다. 다음은 양잿물을 풀어넣고 불을 땐다. 달궈진 병들을 식힌 후 칫솔로 깨끗이 닦아낸 다음 말린다. 그 병에 화장품을 담는다.

그렇게 만든 화장품을 등에 메고 서민들이 살고 있는 골목을 찾아다니며 북을 둥둥 울리고 소리 높이 알린다.

"화장품이요—. 얼굴 트고 손 트는 데 바르는 고급 화장품이요—. 지나가면 살 수 없는 고급 화장품이요!"

그렇게 골목을 다니다가 때로는 목 좋은 자리에 판을 벌이고 앉아 팔기도 한다.

"자, 여러분, 고급 크림이 왔습니다. 잘 보면 횡재, 못 보면 손해. 산에 가야 뱀을 잡고 개울에 가야 가재 잡고— 고급 크림이 절반 값, 한 병에 단돈 ○○ 원!"

장사는 제법 짭짤하게 잘 되었다. 어떤 날은 영천장까지 가서 팔기도 하고, 왜관이니 김천이니 대구에서 가까운 지방 도시들을 찾아다니며 팔기도 했다. 5일마다 장이 열리던 시절이었다. 시골 장터마다 찾아가 장바닥에 좌판을 벌이고는 크림병들을 쌓아놓는다. 같은 내용물이지만 깔끔하게 보이는 병들은 따로 골라 한 켠에 모아둔다.

가끔 그 바닥에서 제법 고급스레 차린 부인들이 찾아와 "화장품 고급으로 하나 주세요" 할 때도 있다. 나는 얼른 잘생긴 병을 골라주며 "예, 이게 최고급입니다" 하고 뚜껑을 열고는 손가락에 크림을 찍어 부인의 손등에 문질러주며 분위기를 잡는다.

"다른 화장품과는 질이 다릅니다. 화장품도 수준 따라 쓰지요. 부인 같으신 귀부인은 이 정도는 쓰셔야 합니다."

그렇게 너스레를 떨며 세 배 값을 부른다. 귀부인이란 말에 흐뭇해진 부인은 "확실히 질이 좋네요" 하고는 기분 좋게 사간다.

하루는 영천장에 동생을 데려갔다. 이런 모습을 옆에서 지켜보던 동생이 불안해서 물었다.

"형, 그렇게 해도 되는 거야? 나중에 탈이 없을까?"

"괜찮다, 이런 걸 장사라고 하는 기다. 사업은 이렇게 하는 기다!"

나는 인생을 달관한 대선배라도 되는 양 대답해주었다.

고등학교 2학년이 될 즈음 나는 염세주의에 젖어들었다. 독일의 염세주의자 쇼펜하우어의 제자가 되어 그가 쓴 『자살론』을 들고 다니며 읽고 또 읽었다. 시골 장터로 화장품을 팔러 다니면서도 손님이 없어 한가할 때면 『자살론』을 펴서 한 줄 한 줄 음미하며 읽었다.

"생(生)이란 무엇인가? 어떤 곳인지 전혀 알지도 못하고 들어온 이 험난한 곳이 곧 우리의 생이다."

"일체의 고뇌를 지옥으로 가지고 가버린 후에는 천국으로 가져갈 것은 권태밖에는 아무것도 남아 있지 않게 된다. 이것이 바로 우리 인생을 이루고 있는 것이 고뇌와 권태뿐이라는 사실에 대한 증거다."

"인생이란 굳이 애착을 가질 만한 것이 아니다. 자연이 인간에게 주는 가장 큰 혜택은 적당한 때에 죽는 것이다. 그 중에서도 가장 훌륭한 혜택은 자신이 죽을 때를 선택할 수 있다는 것, 즉 자살할 수 있다는 것이다. 신조차도 전능할 수 없다. 왜냐하면 신은 자살하기를 원한다 해도 자살할 수 없기 때문이다. 그러나 인간은 원하는 때에 자살할 수 있다. 이것이야말로 고난에 찬 인생이 신으로부터 받은 최고의 선물이다.”

“인생은 태어난 것보다는 태어나지 않은 것이 좋고, 태어난 이상에는 빨리 죽는 것이 좋다.”

세상만사 도무지 살 만한 가치가 없다는 생각에 젖어 있던 내게 쇼펜하우어의 글은 마치 모닥불에 기름을 붓는 것과 같았다. 염세주의는 내 혼 깊은 곳까지 뿌리를 내려 급기야 용기 있게 자살할 것이냐, 아니면 소심하게 살아갈 것이냐를 고민하는 지경에까지 이르렀다.

나는 ‘용기 있게 자살하겠다’고 결론내리고 약국을 다니며 수면제를 사모으기 시작했다. 수면제 양이 치사량에 이르면 자살하는 용기를 발휘할 심산이었다.

그러던 어느 날 어머니가 주머니를 뒤지다가 수면제 봉지를 발견하고는 깜짝 놀라 추궁하셨다.

“진홍아, 니 주머니에 있는 이 알약들이 무슨 약이고? 수면제 같구마. 니 혹시 엉뚱한 생각 하는 건 아니제?”

“어머니, 그건 와 끄집어내서 그럽니꺼. 신경쓰실 것 없습니더. 어쩌다가 주머니에 들어 있었던 것뿐입니더.”

“어쩌다가 주머니에 들어 있었다니, 그게 말이 되나? 니 바른 대로 말하그라. 안 그래도 니 행동이 요즘 수상터라. 니 인생이니 니가 알아서 해라만은, 너희 사남매 키우느라 잠 못 자고 먹을것 못 먹으며 고생하는 이 에미 생각도 좀 해도고. 니는 겁이 없는 아라 걱정시럽다."

어머니는 애써 모은 수면제를 쓰레기더미에 던져버리셨다. 어머니의 말씀 중에 다른 말은 몰라도 먹을것 못 먹고 잠 못 자고 애써 키웠다는 말에는 거역할 수 없는 힘이 있었다. 나는 자살로써 모순에 찬 인생살이를 마감하겠다던 생각을 버리고, 권태롭더라도 소심하게 살아가기로 마음을 돌렸다.

그렇게 마음을 바꾸긴 했어도 집에 머물며 학교에 다니는 생활은 따분하기 이를 데 없었다. 수업시간에 피타고라스 정리를 열심히 설명하는 선생님을 보며 나는 다른 생각을 했다.

피타고라스 정리라. 정말 피통터질고라스구먼. 저런 이야기만 듣고 살다간 채 나이도 들기 전에 말라죽겠는걸.

그래서 나는 무전여행을 떠나기로 마음먹었다. 칫솔 하나만 달랑 윗주머니에 꽂고 헤르만 헤세 시집 한 권을 손에 든 채 여행을 떠났다.

김삿갓이 따로 있겠냐, 나는 삿갓만 안 쓴 현대판 김삿갓이란 마음으로 집을 나섰다.

그렇게 시작된 무전여행이 무려 2년여나 계속되었다. 그 2년 동안에 학교는 퇴학, 복학, 퇴학, 복학을 거듭했다. 그래서 내 고등학교 시절은 네 번의 퇴학 기록을 남기게 되었다. 무슨 나쁜 짓을 한 비행청소년이어서가 아니라 장기결석 때문이었다. 결국은 입학했던 영신고등학교를 졸업하지 못하고 성광고등학교로 옮겨 졸업하게 되었다.

무전여행은 '동동 구리무' 장사로 시작되었다. 화장품상자를 등에 메고 자그마한 북을 구해 멜빵으로 가슴에 안고는 둥둥둥 북소리를 울리며 시골 마을에서 마을로 돌았다. 시골 골목길을 지나노라면 마을 아낙네들이 불러세운다.

"총각, 화장품 총각, 그 화장품 바를 만한 기요?"

"아무렴요. 고급 화장품인뎁쇼."

"그럼, 한 병 주고 가소."

"예, 아줌마, 화장품병 주시라요. 그 병에 담아드리겠심더."

쓰던 화장품병을 가져오면 나는 상자에서 크림을 퍼내 마치 아이스크림을 담아주듯 한다. 어떤 때는 화장품값으로 밥 한 끼를 대신하기도 하고, 어떤 마을에서는 문간방에 하룻밤 묵어가는 것으로 대신하기도 한다. 그렇게 마을과 마을로 다니던 중에 다리가 아프면 마을이 내려다보이는 언덕빼기에 앉아 헤르만 헤세의 시를 읽곤 했다.

보라, 오늘도 흰구름은 간다
잊혀진 아름다운 노래의
가느다란 멜로디같이
푸른 하늘 저편으로 떠 흘러간다
오랜 나그네길에 올라
방랑의 슬픔과 기쁨을
모조리 맛본 사람이 아니면
저 구름의 마음을 어찌 짐작이나 하리요
나는 태양과 바다와 바람같이
하이얀 것, 정처없는 것을 사랑하나니

그것은 고향 잃은 나그네의
누이이며 천사이기에……
• 「흰구름」

하늘을 건너서 구름은 가고
들을 건너서 바람은 간다
들을 건너가는 길손은
내 어머니의 길 잃은 아들
갈림길을 건너 나뭇잎은 굴러가고
나뭇가지 위에서 새는 운다
산 너머 어딘가에
내 머나먼 고향은 있으리라
• 「들을 건너서」

동동 구리무 장사는 겨울 한철은 좋았으나 봄이 지나 여름이
가까워지자 계속할 수가 없었다. 무덥고 바쁜 농사철에는 시골
아낙네들이 몸치장에 신경쓸 겨를이 없었기 때문이다.

나는 바늘장사, 실장사로 바꾸었다. 바늘은 짐도 가벼웠거니
와 어느 가정에서나 필요한 것이어서 여행길에는 안성맞춤이었
다. 바늘 한 쌈지로 한 끼를 해결하고 실 한 타래로 하룻밤 신세
지는 식이었다.

어느 마을에서는 이 집 저 집 농사일을 거들어주며 보름을 보
낸 적도 있었고, 어느 농가에서는 며칠씩 머물며 일을 거들다가
가족처럼 허물없는 사이가 되기도 했다. 그러나 정이 들었다 하

여 한곳에만 머물러 있으면 김삿갓이 될 수 없는지라, 사연을 남기며 정을 남기며 마을에서 마을로, 도시에서 도시로 옮겨갔다.

그렇게 떠돌던 어느 날, 경남 밀양에서 마산으로 내려가던 중에 낙동강 강변 길을 걷고 있었다. 여름 장마철이었다.

며칠 사이 쉬엄쉬엄 오던 빗줄기가 오후 들어 장대비가 되어 쏟아졌다. 나는 비를 피하려고 강변 모래펄에 지어놓은 헛간을 찾아들었다. 헛간 문짝이 제대로 달려 있고 안에 갓 추수를 끝낸 밀짚이 쌓여 있어 능히 비를 피할 만했다. 나는 젖은 옷을 벗어 밀짚더미에 널어놓고는 비가 그치기를 기다렸다.

그러나 빗줄기는 더욱 세차지고 천둥번개가 우르릉 쾅쾅 기세를 올렸다. 어느덧 해는 지고 어둠이 깃들였으나 빗줄기는 멈출 줄 몰랐다. 나는 속절없이 헛간에서 하룻밤 묵을 생각으로 밀짚단을 쌓아 침상을 꾸미고는 잠자리에 들었다.

잠이 들어 얼마나 지났을까, 갑자기 섬뜩한 기운이 느껴져 잠에서 깼다. 사방은 칠흑같이 어두운데 헛간 안은 물로 가득 차 있었다.

갑작스러운 변화에 공포심으로 가슴이 짓눌리며 머리칼이 쭈뼛했다. 숨을 죽인 채 귀를 기울이니 헛간 안으로 물줄기가 밀려들어오는 소리가 들렸다.

나는 어떻게 해야 할지 갈피를 잡을 수 없었다. 허겁지겁 헛간 안을 걸어보니 물이 이미 무릎 높이까지 차올라 있었다. 사방은 어두워 지척을 분간할 수 없는 터에 물속에 갇혔으니, 여기서 죽게 되나 하는 두려움이 밀려왔다. 나는 쌓여 있는 밀짚 위로 올라갔다. 밀짚단 꼭대기까지 올라갈 수 있을 만큼 올라간 나는 무릎을 끓고 기도했다.

"예수님, 살려주세요. 제가 여기서 물에 빠져 죽어서야 되겠습니까? 오늘밤 이 물구덩이에서 건져만 주시면 좋은 일꾼 되겠습니다. 제발, 제발, 살려만 주세요."

열심히 빌고 또 빌었으나 헛간으로 밀려드는 물소리는 더욱 세차지기만 했다. 짚단 꼭대기에 앉은 채 두 발을 아래로 내려뜨려보았다. 불어나는 물이 발바닥에 닿으면 죽은 목숨이라고 생각했다. 그렇게 되면 밀짚단을 끌어안고 헤엄을 쳐야 할까? 지붕 위로 올라가야 할까? 온갖 궁리를 하며 기도했다.

그러나 간절한 기도에도 아랑곳없이 발바닥에 물이 닿는 것이 느껴졌다. 나는 숨이 턱 막혀 더욱 간절히 기도했다.

"아이고, 예수님, 지가 여기서 죽는 겁니까? 제발 손길을 펴시어서 저를 건져주세요. 이스라엘 백성들을 홍해에서 건져주셨듯이, 모세를 나일 강에서 건져주셨듯이 저를 이 낙동강에서 건져주시옵소서."

그렇게 기도드리는 중에도 연이어 번개가 치고 천둥이 우르르 쾅쾅 울리고 있었다. 그런데 번갯불이 번쩍 하는 사이에 언뜻 헛간 안을 살펴보니 물이 줄어들고 있는 느낌이 들었다. 의아해서 발을 흔들어보니 발바닥에 물이 닿지 않았다. 헛간 안의 물이 분명 줄어들고 있었다. 아직도 바깥에서 빗줄기 쏟아지는 소리는 여전한데 안에서는 물이 줄어들고 있었다. 나는 영문을 모른 채 그대로 앉아서 밤을 지새웠다.

다음날 아침이 되자 햇빛이 비쳐들고 있었다. 나는 활기차게 헛간문을 열고 밖으로 나섰다.

"참 아름다워라 주님의 세계는……."

찬송 소리가 절로 나왔다.

강둑을 거닐던 중 어젯밤에 살아날 수 있었던 이유를 알게 되었다. 헛간이 있는 곳에서 겨우 2, 3킬로미터 떨어진 상류 쪽 강둑이 터져 있었다. 밀려들던 물길이 그쪽으로 쏠린 덕분에 살아날 수 있었던 것이다.

강둑이 터진 쪽의 논밭들은 엉망이 되어 있었다. 하지만 나는 살아났으니 기쁠 수밖에 없었다. 콧노래를 부르며 강둑을 거슬러 올라가다가 물에 잠긴 논밭을 보고 상심해하는 농민들을 발견하고는 애써 심각한 표정을 지으며 지나쳤다. 그들이 보는 앞에서 기쁜 표정을 짓기에는 죄송스러웠기 때문이다.

그들을 한참 지나친 후에야 다시 기쁨의 콧노래를 불렀다. 그러다가 아무리 생각해도 그냥 넘어갈 일이 아닌 것 같아 낙동강 강둑에 무릎 꿇고 앉아 예수님께 감사기도를 드렸다.

어젯밤 그 시간에 어찌 된 연유로 강둑이 터졌는지는 상관없었다. 예수님이 내 기도를 들으시고 그 응답으로 강둑이 터진 것이란 확신이 들 뿐이었다.

예수님께 어젯밤 살려주셔서 감사하다는 기도를 드리고 나니 이제 그만 돌아다니고 집으로 돌아가 공부해야겠다, 무언가에 쓰임받는 사람이 되려면 공부를 해야 할 거라는 생각이 들었다.

예수님이 나를 살려주신 이유는 앞으로 일하라는 거다. 일하려면 이렇게 돌아다니기만 해서는 안 된다. 집으로 돌아가 열심히 공부해서 일꾼이 될 준비를 해야겠다.

귀향길에 오른 나는 대구로 가는 버스에 올라 운전기사 아저씨에게 정중히 인사드리고는 사정을 설명했다. 그간 가출하여 무전여행을 다니다가 이제 마음잡고 집으로 돌아가려는 터인데 차비가 없어서 못 내는 사정을 양해해달라고 했다. 그때만 해도 무전여행 중인 청소년들에게 어른들이 아량을 베풀어주던 좋은 시절이었다.

운전기사의 허락을 받은 나는 이래저래 기분이 최고인 상태였다. 그래서 버스 뒤켠에 앉아 계속 노래를 불러댔다.「신라의 달밤」에서 시작하여「오동추야 달이 밝아」를 거쳐「바우고개 언덕」으로, 유행가에 가요에 찬송가까지 계속 불렀다. 거의 한 시간 가량 노래를 불러댔더니 옆자리에 계시던 할아버지가 점잖게 말씀하셨다.

"여보게, 젊은이. 노랠랑 집에 가서 부르시게. 듣는 사람 사정도 좀 생각해줘야지."

나는 그 말에 어찌나 부끄러웠던지 홍당무가 된 얼굴을 창밖으로 돌릴 수밖에 없었다.

대구 집에 돌아가서 이제 마음잡고 공부하겠다고 하니 어머니는 진지하게 말씀하셨다.

"나 혼자 너희 사남매 수발하려니 무척 힘이 드는구나. 그래서 너희가 공부하지 않겠다면 우선은 나도 편하다. 그러나 너희 장래를 생각해 공부하겠다면 밀어주마. 그러니 너도 알아서 해라. 네가 공부하겠다면 힘들어도 끝까지 밀어줄 것이고, 공부하지 않겠다면 그런대로 나도 편하고 좋다. 어디까지나 너 자신이 알아서 할 일이다."

다니던 영신고등학교를 찾아가니 이미 제적된 상태였다. 담임 선생님께 사정사정하여 다시 복학을 했다. 그러나 공부하겠다고 다짐한 것은 잠시뿐, 수업시간에 잡념만 들고 집중이 되지 않았다. 간신히 한 달을 견디고 두 달째로 접어드니 도저히 견딜 수 없는 지경이 되었다.

나는 같은 마을에 사는 윤형수란 친구를 설득하여 다시 무전여행에 나섰다.

이번에는 '김철광고연구소'란 단체에 들어가 약을 선전하는 선전원 신분으로 다니게 되었다. 김철광고연구소란 이름은 거창해도 실속은 별게 아니었다. 쥐약과 회충약을 판매하는 회사였다. 말하자면 선전원들을 시골 장터로 보내 약을 팔게 하는 약장수 단체였다.

나는 형수와 짝을 이뤄 시골 5일장을 찾아다니며 쥐약과 회충약을 선전했다. 우리가 취급하는 쥐약은 사람은 먹어도 상하지 않지만 쥐는 먹으면 죽는다는 약이었다.

나는 시골 장터에서 목 좋은 곳에 터를 잡고는 입에 침을 튀기며 약 선전을 해댔다. 내가 열변을 토하는 동안에 형수는 쥐약을 입에 넣었다 뺐다 하며 모인 장꾼들에게 시범을 보였다. 사람은 먹어도 지장이 없고 쥐만 죽는다는 것을 보여주려는 동작이었다. 숱한 농민들이 그 약을 샀지만, 그들의 집에서 쥐들이 실제로 죽었는지 안 죽었는지는 한 번도 확인하지 못했다.

나는 이미 영천 장터에서 화장품 팔던 때에 익힌 솜씨대로 열심히 떠들었다.

"여러분, 살림살이는 눈이 보배. 산에 가야 뱀을 잡고 개울에 가야 가재 잡고 장터에 와야 약을 삽니다. 국민 건강을 해치는 회충을 박멸합시다. 이 약 한 알이면 여러분 뱃속의 불청객 회충이 일시에 사망신고를 냅니다. 여러분! 사서 잡수시면 건강, 안 사시면 손해!

오늘 이렇게 좋은 약 만난 것도 모두가 조상 제사 잘 모신 음덕인 줄 아세요. 저희 김철광고연구소에서는 이 신발명 기막힌 약을 얼마를 받느냐. 단돈 천원! 그 천원을 다 받느냐. 꺾어, 오백 원!

예, 그렇습니다! 국민 여러분을 돕자는 뜻으로 금년 말까지 선전 기간으로 정하고, 이 기간에는 단돈 오백 원 봉사 가격으로 여러분께 드리기로 했습니다."

내가 이렇게 열을 내어 선전하는 동안에 형수는 청중 주위를 돌며 약을 팔아 오백 원씩을 받았다.

그러나 약장사도 쉽지만은 않았다. 시골 장터에서 판을 벌일 터 잡기가 어려웠고, 또 비 오는 날은 공칠 수밖에 없었다. 거기에다 농사철에는 장꾼들이 모이지도 않았다.

경남 남지장까지 갔을 때는 돈도 떨어진데다 기력도 다 떨어져 있었다. 땡전 한푼 남지 않은 우리는 국밥집 앞에 앉아 주린 배를 쓸고 있었다.

그때 형수가 불쑥 말했다.

"진홍아, 무슨 방도를 찾아야제. 이래서는 안 되겠다."

"글쎄 말이다. 무슨 방도가 있을 것 같지 않다."

"아니다, 찾으면 와 없겠노? 내게 한 가지 생각이 있는데, 네가 따를지 모르겠다."

"무슨 생각인데? 니가 좋다는 것을 내가 와 반대하겠노? 내게 좋은 생각이 있는 것도 아닌데."

"아니다. 니는 내랑 다른 점이 있어서 그렇다."

"아니, 그기 무슨 말이고. 너와 내가 다른 점이 뭐 있겠노?"

"있지. 니는 예수 믿고 난 안 믿잖나?"

"그것 참, 이 판에 예수 믿고 안 믿고가 무슨 상관이고? 믿든 안 믿든 배고프기는 마찬가진데."

"그런 기 아니고, 내가 지금 생각해낸 방법이 예수 믿는 사람들은 못할 거니까 그러는 거지."

"아니, 그기 뭔데 그렇게 거창하게 나오는 기고?"

"딴기 아니라, 쓰리하자는 기다!"

"뭐라꼬? 야가 정신이 있나 없나? 돈 훔치는 쓰리 말이가? 말도 안 되는 소리 하지 말그라!"

"그거 봐라. 니는 안 된다고 하잖나. 니가 예수 믿기 땜에 그런 기다."

"아니다. 예수 믿고 안 믿고 간에 도둑질은 안 되는 기다!"

우리 둘은 몇 시간을 더 버텼다. 그러나 도무지 고픈 배를 다스릴 방도가 없었다. 별수없이 나도 형수의 제안에 따르기로 했다.

"그래, 딱 한 번만 해보자. 옛말에 사나이는 지랄병 외엔 다 해보라 안 카더나."

우리는 딱 한 번만 해보기로 하였다. 나는 바람잡이가 되고 형수가 쓰리를 하기로 했다. 마침 어수룩해 보이는 할머니 한 분이 오시는데, 웃옷 주머니에 든 돈이 삐죽이 드러나 보였다. 형수는 내게 눈을 찡긋하고는 귓속말로 일렀다.

"니가 할머니 몸에 부딪치면서 바람을 잡아라. 내가 돈을 빼낼게."

나는 두근거리는 가슴을 진정시키며 할머니에게 다가가 먼 산을 보는 척하며 부딪쳤다. 그러고는 할머니 어깨를 감싸안으며 "아이고, 할머니, 죄송합니데이. 할머니, 장바닥에서는 정신 똑바로 차리고 다니소" 하고 시간을 끌었다.

그때 형수가 할머니 곁에 다가서며 약간 손을 움직이는 듯하더니 지나쳐 갔다. 우리는 장터가 끝나는 골목 옹기점 앞에서 만났다.

"성공했나?"

"못했다. 손을 내밀려니 뒤에서 누가 목덜미를 잡아당기는 것 같더라."

우리는 기왕 마음먹은 일이니 한 번 더 시도해보기로 했다. 이번에는 형수가 바람잡이가 되고 돈을 뽑는 일은 내가 하기로 했다. 마침 한 중년부인이 장바구니에 지갑을 담은 채 지나가고 있었다. 형수가 장바구니에 담긴 지갑을 눈으로 가리키며 고개를 끄덕였다. 나도 알았다는 표시로 고개를 끄덕이고는 아주머니의 뒤를 밟았다.

형수는 아주머니를 앞질러 갔다가 얼마 후 되돌아오면서 아주머니와 부딪쳤다. 나는 이때다 싶어 장바구니 곁으로 갔다. 그러나 손을 내미는 순간 모든 사람들이 나를 보고 있는 것만 같아 가슴이 떨려서 도저히 지갑을 집을 수가 없었다. 별수없이 그냥 지나쳤다. 약속한 옹기점 앞에서 다시 만난 형수가 물었다.

"니는 했나?"

"못했다. 도무지 떨려서 안 되겠더라."

"그래, 우린 안 된다. 그런 일을 할 수 있는 사람들은 따로 있는 것 같다. 우리는 굶어죽어도 훔치지 못할 끼다."

"그러나저러나 무얼 좀 먹어야겠는데, 어쩌면 좋노?"

"좋다! 진홍아, 따라와라!"

"어딜 가는데?"

앞장서서 걷던 형수는 남지장터 뒷골목에 있는 여인숙으로 들어갔다. 주머니에 돈이 들어 있는 사람처럼 당당히 들어갔다. 나는 어쩌려고 저러나 하는 의아한 마음을 품은 채 그를 따라 들어갔다.

여인숙에 들어선 형수는 호기 있게 말했다.

"아줌마, 깨끗한 방 하나 주고 밥 두 상 채려주이소."

"예, 건넌방으로 들어가요, 총각. 상은 금방 채려드릴게."

"근데요, 아줌마. 이 가방 좀 맡깁시더. 우리 전 재산이 들어 있는 가방이니 야물게 맡아주소."

"걱정 말고 맡기라요. 잘 간수해드릴게."

나는 형수가 하는 대로 지켜만 보다가 겸상으로 차려준 상에서 식사를 하며 물었다.

"야, 걱정시럽다. 니 어쩌려고 그러노?"

"걱정 마라, 니는 무조건 잘 먹고 잘 자고 내 하라는 대로만 하면 되는 기다!"

형수는 먼저 잠자리에 들더니 코를 골며 잠들었다. 다음날 아침밥을 잘 먹은 뒤에 그가 말했다.

"진홍아! 니 먼저 나가서 고개 너머 정자나무 아래에서 기다리

그라."

"니는 어쩌려고?"

"내 일은 내가 알아서 할 테니 걱정 말고 니 먼저 가서 기다리 거라."

나는 장터를 빠져나가 고개 너머 정자나무 아래에서 형수를 기다렸다.

한참 후에 형수가 왔다. 그의 손에는 가방이 들려 있지 않았다. 그는 히죽 웃으며 말했다.

"그 가방이 낡긴 했어도 밥값은 될 끼다."

우리의 무전여행은 계속되었다. 충무, 삼천포를 돌아 진주, 진해, 부산을 거친 뒤 포항에서 경주로 가는 길을 따라 걸으며 형수는 내게 진지하게 말했다.

"진홍아, 니는 집으로 돌아가는 기 좋겠다."

"갑자기 그기 무슨 말이고?"

"니하고 내는 친구이긴 하지만 가는 길은 다른 것 같다. 내는 장돌뱅이로 다녀도 상관없는 사람이지만 니는 다른 것 같다. 넌 공부해야 될 사람이다."

"아니다, 지난번에 이렇게 다니다가 공부할 맘이 들어 집으로 들어갔었는데, 학교 다니는 것이 따분해서 다시 나와버렸다. 도둑질 석 달만 하면 딴일 못한다는 말이 있듯이, 나도 이젠 공부하긴 글른 것 같다. 이렇게 돌아다니는 것이 인이 박여서 김삿갓처럼 떠도는 기다."

"아이다, 니는 집에 가서 공부하는 기 좋겠다. 니는 지금도 짬만 나면 책을 안 읽나. 아무나 그렇게 되는 기 아니다. 그게 니가 공부할 팔자란 증거다. 이만큼 세상 경험 했으니 이제 집으로 돌아가자. 그래서 니는 공부하고 내는 나한테 맞는 다른 길을 찾구마."

그날 밤 잠들기 전에 나는 낮에 형수가 한 말을 곰곰이 생각했다. 그리고 날이 새면 다시 집으로 돌아가 공부해야겠다고 다짐했다. 다음날 아침 경주에서 대구행 열차를 무임승차하여 집으로 돌아갔다.

어머니께 이제 공부하겠노라고 여쭈었더니 어렵사리 학비를 구해 주셨다. 재복학은 안 된다는 선생님께 이제부터는 목숨 걸고 잘하겠노라 사정사정하여 간신히 복학을 받아냈다.

그러나 작심삼일이란 말이 있듯이, 교실에 앉은 지 일주일도 안 돼 또 좀이 쑤시기 시작했다. 선생님 말씀이 한마디도 귀에 들어오지 않고 머리에 잡생각만 오락가락했다. 무전여행할 때 다녔던 마을들, 항구, 장터들이 눈앞에 떠올라 공부에 집중할 수가 없었다. 끝내 두 달이 못 되어 다시 집을 나섰다.

이번에는 서울 쪽으로 방향을 잡았다. 서울행 12열차에서 물건 파는 판매원과 이야기를 나누던 중에 좋은 아이디어가 떠올랐다. 열차 판매원이 되면 여행하기에 안성맞춤이라는 생각이었다. 오징어며 캬라멜(캐러멜), 요깡(양갱), 소주 등을 가득 담은 통을 들고 승객 사이를 비집고 다니며 파는 일이었다.

나는 절차를 밟아 열차 강생회 판매원이 되었다. 다른 판매원들처럼 승객들 사이를 비집고 다니며 "오징어나 캬라멜이요. 소주나 사이다요" 하며 팔기를 며칠 하다가 마음을 고쳐먹었다. 이왕지사 판매원의 길로 들어섰으니 재미있게 해보자는 생각이 들었다. '손님들도 재미있고 나도 재미있게 판매원 생활을 하자!'

말하자면 판매기법을 개선해보자는 생각이랄까. 대구 육군극장에서 무성영화 변사가 내던 목소리를 흉내내고 시골 장터에서 회충약과 쥐약을 선전하던 때의 실력을 발휘하여 그럴듯하게 대사를 지었다.

"당열차, 당열차를 이용하시는 손님 여러분, 장거리 여행에, 장거리 여행에 얼마나 수고가 많으십니까? 여기는 교통부 강생회, 교통부 강생회, 열차 내 매점입니다.

태평양 복판에서 놀던 오징어가 울릉도로, 울릉도로 넘어갔습니다. 울릉도 서장님께서 오징어라 이름지었습니다. 오징어는 잡수시고 껍질은 집에 가져가셔서 장구 메우시면 질기고 소리 잘 납니다.

영천 명물 군밤이 있습니다. 군밤은 잡수시고 껍질은 집에 가져가셔서 군불 때시면 편안하게 주무실 수 있습니다.

자양 풍부 요깡이 있습니다. 요깡은 잡수시고 껍질은 장판 놓으시면 매끄럽고 좋습니다.

진로 소주가 있습니다. 소주 한 잔 두 잔 나누시면 열차 안이 극락으로 변할 수 있습니다."

이렇게 너스레를 늘어놓으며 열차 안을 이 칸에서 저 칸으로 다니노라면 승객들이 "그 총각, 말도 참 재미있게 하는구먼" 하며 사먹었다. 그렇게 되니 신참 판매원인데도 매상이 오르고, 매상이 오르니 대우도 달라졌다.

그러나 애당초 교통부 강생회 판매원으로 머무를 생각은 없었던지라 얼마 안 가 열차에서 내려 호남선을 타고 여수로 갔다. 여수 오동도에서 폼을 잡은 뒤 농촌마을로 들어서서 남도(南道) 마을들의 운치를 몸으로 느끼며 한가로이 걸었다. 이번에는 박목월 시인의 시집이 손에 들려 있었다.

> 강나루 건너서 밀밭 길을
> 구름에 달 가듯이 가는 나그네
> 길은 외줄기 남도 삼백리
> 술 익는 마을마다 타는 저녁 놀
> • 「나그네」

　나는 시인이 표현하려 했던 정취를 온몸으로 음미하며 남도 삼백리 길 밀밭 사이를 지나는 나그네가 되었다. 글자 그대로 구름에 달 가듯이 가는 나그네려니 생각하며 걷고 또 걸었다.
　그렇게 가던 발길이 소록도에 이르렀다. 나병환자들의 섬인 소록도에는 온갖 사연을 가진 나환자들이 있었다. 나는 그들의 일그러진 모습과 상처받은 삶을 접하고, 그 끈질긴 삶의 의지를 느끼고는 심각해졌다. 내가 잘못하고 있다는 생각이 들었다.
　저들은 저렇게 일그러진 모습으로도 열심히들 살아가는데, 나는 온전한 몸을 지니고 지금 무엇을 하고 있는가?
　너무 감상에 젖어 김삿갓 운운하며 생을 낭비하는 게 아닌가 하는 생각이 들었다. 생각에 생각을 거듭한 끝에 이렇게 사는 것은 소비적인 삶이다, 좀더 생산적인 삶을 살아야겠다는 결론에 이르렀다. 그렇다면 어떻게 사는 것이 생산적인 삶일까?

그렇다! 의사가 되어 이 섬의 나환자들을 돕자. 이제 무전여행을 끝내고 귀향하는 거다. 집에 가서 열심히 공부해 의과대학을 가야겠다. 의사가 되어 저런 사람들을 섬기는 삶을 살아야겠다!

이런 결론을 내린 나는 집으로 다시 돌아왔다. 여러 달 만에 만난 어머니께 앞으로 의사가 되고 싶다고 말씀드렸더니 어머니께서 이르셨다.

"그래, 의사가 되든 목사가 되든 이제 그만 돌아다니고 공부해라. 공부도 다 때가 있는 법이다. 젊은 날을 허송세월하고 나면 나중에 후회하게 될 끼다."

다시 영신고등학교를 찾아가 복학시켜달랬더니 선생님은 단호히 거절하셨다.

"학교는 정신병원이 아냐. 학교는 건강한 사람을 가르치는 곳이지 너같이 제정신 아닌 놈 받아주는 곳이 아니야. 지금 받아주면 얼마 뒤 또 나가버릴 게 뻔한데 이젠 그만 하자."

그러나 선생님이 거절한다고 물러설 처지가 아니었다. 나는 선생님 뒤를 졸졸 따라다니며 사정했다.

"출석부에 이름을 안 실어줘도 괜찮심더. 교실에 들어가 공부만 하도록 허락해주십시오. 이제부터 열심히 하는 걸 보시고 나중에 정식으로 받아주셔도 됩니다."

이렇게 사정사정하여 겨우 교실에 들어갈 수 있게 되었다. 그러나 막상 교실에 앉았지만 수업 내용을 따라갈 수가 없었다. 그간에 진도가 너무 나가 영어고 수학이고 통 따라갈 수가 없었다. 영어 교과서를 읽으니 줄줄이 모르는 단어뿐이었다. 이래서는 의사 되기가 도저히 불가능하다는 생각이 들어 조바심이 났다.

며칠을 고심하다가 나는 용단을 내렸다. 이발관으로 가서 스님처럼 머리를 박박 밀어달라고 했다. 그러고는 헌 책방에 가서 『삼국지』『수호지』『레 미제라블』『세계문학전집』등 30여 권을 사들고 방에 들어앉았다. 문에 담요를 쳐서 대낮에도 캄캄하게 하고는 촛불을 켰다. 촛불 앞에 정좌를 하고 앉아 소설 읽기에 들어갔다. 방랑벽을 고치고 한자리에 끈질기게 앉아 있을 수 있는 체질로 바꿔야겠다는 결심 때문이었다. 이런 비상조치 없이는 의사 되기가 도저히 불가능하다는 생각이 들었던 것이다.

나는 촛불 앞에 꼿꼿한 자세로 앉아 소설을 읽어나갔다. 마치 도 닦는 사람처럼 책읽기에 집중하기를 달포 가량 했더니 앉아 있는 버릇이 생기고 잡념이 사라졌다.

나는 다시 서점으로 가서 유진 교수가 지은 『구문론』이란 영어 참고서를 사들고 와서 무조건 그 한 권만 계속 공부했다. 그 책을 일곱 번 계속 읽었더니 '동명사' 하면 몇 페이지에 있고 '전치사' 하면 몇 장 어디쯤에 있다고 말할 만큼 훤해졌다.

그런 후에 학교에 갔더니 이제 다시는 학교에 올 생각 말라고 했다. 하는 수 없이 나는 성광고등학교에 가서 입학시켜달라고 했다. 다행히 입학 허락을 받았다. 그때부터 나는 열심히 공부했다. 잠을 줄이려고 밤에는 잠이 안 오는 약 '카페나'를 먹으며 공부했다.

그 시절에 '카페나'를 너무 먹었던 후유증으로 대학시절에 위장병이 생겨 무진 고생을 했다. 그래서 지금도 누군가가 잠 안 오는 약을 먹겠다면 나는 간곡히 만류한다. 사람이 잠 올 때는 자면서 순리대로 살아야 한다, 그렇게 무리하다간 훗날 반드시 그 값을 치르게 된다고 일러준다.

『구문론』을 읽고 나서 영어에 자신이 붙자 이번에는 수학에 도전하기로 했다. 그래서 내 수준에 맞는 수학참고서 한 권을 정하고 어머니께 책값을 마련해달라고 했다.

어머니는 한참 동안 잠자코 계시더니 물었다.

"니 그거 꼭 있어야 하는 책이가?"

"예, 어머니. 돌아다니느라고 기초 실력이 없어서 그 책으로 수학 기초를 닦아야 합니더."

"그렇다면 내일 나가서 책값을 구해다 줄 테니 기다리거라."

다음날 이른 아침 집을 나선 어머니는 저녁나절이 되기까지 돌아오시지 않았다. 나는 시장기를 느끼고는 한 술 끓여먹으려고 부엌으로 나갔다. 쌀독을 찾아 쌀을 푸려 했더니 쌀이 독바닥에 한줌 정도만 남아 있을 따름이었다. 나는 예나 지금이나 집안 형편이 말할 나위 없이 쪼들리는구나, 공부를 악착같이 해서 어서 어머니 편하게 해드려야겠다는 생각을 하고 의자에 앉아 공부에 집중했다. 저녁 늦게야 돌아오신 어머니는 아무런 말씀 없이 내게 책값을 건네주시고는 곧바로 잠자리에 드셨다.

나는 "어머니, 고맙습니더" 하는 말만 하고는 공부를 계속했다. 밤이 이슥해진 후 잠시 쉬는 참에 곁에서 주무시는 어머니를 보았다. 어머니는 머리에 수건을 쓴 채 주무시고 계셨다. 나는 무심결에 왜 수건도 벗지 않고 주무시지 하며 수건을 벗겨드렸다. 놀랍게도 어머니 머리카락이 제 모습이 아니었다. 머리카락이 앞쪽에만 남아 있고 뒷부분은 아예 싹둑 잘려 있었다.

그때에야 나는 사정을 알아차렸다.

아차! 오늘 어머니가 마련해다 준 수학책 값이 머리카락을 파신 돈이로구나!

사정을 알아차린 나는 한순간 숨이 멎는 것만 같았다. 책값을 구하러 온종일 다니시다가 마련하지 못하자 머리카락을 잘라 팔았던 것이다. 앞머리를 남겨 표나지 않게 하려 하셨으나 잠결에 머리카락이 드러나 아들이 눈치챌까봐 수건을 쓴 채 주무셨던 것이다. 나는 숙연해진 마음으로 책상으로 되돌아갔다. 의자에 단정히 앉아 심호흡을 몇 번 한 후 두 손을 모으고 기도했다.

"예수님, 열심히 공부해서 성공하겠습니다. 그래서 어머니를 잘 모시겠습니다. 우리 어머니, 제가 성공할 때까지 건강하시도록 지켜주십시오."

그 시간부터 나는 더욱 열심히 공부했다. 공부에 싫증이 나거나 잡념이 생길 때면 어머니의 머리카락을 생각했다. 그러면 잠시도 헛시간을 보낼 수 없다는 생각에 다시 분발하게 되곤 했다. 그 뒤로 얼마간을 나는 어머니 머리 쪽으로 눈도 돌리지 못했다. 그냥 모르는 척 공부에만 열중했다.

공부가 자리잡혀가면서 나는 교회에 나가기 시작했다. 형과 누나가 나가고 있던 동신교회였다. 박용묵 목사님이 이끄시는 교회였다. 신령한 목사님이셨다. 그 교회가 내게 큰 도움을 주었다. 나는 고등부 학생회에서 여러 활동에 참여하면서 학생회 회장을 두 번이나 맡기도 했다. 지금도 동신교회 학생회 시절을 생각하면 즐거운 미소가 떠오른다. 어린 시절의 복동교회와 더불어 대구 동신교회는 내 마음의 고향 같은 교회다.

성광고등학교로 옮긴 후로는 옛날에 비하면 착실히 학교 생활을 했지만 타고난 체질이 완전히 바뀔 수는 없었다. 규칙이나 전통에 잘 매이지 못하는 습성이 수시로 나타나는 것이었다. 물론 지각이나 결석이 잦았고 비가 오는 날은 아예 학교에 가지 않았다. 한번은 담임선생님이 나를 불러세우고 물으셨다.

"김진홍, 일어서봐. 어제 왜 결석했어?"

"어제 비가 오지 않았습니까?"

"뭐라고? 비 온다고 학교에 안 왔다는 거냐?"

"예, 전 비가 오면 학교에 안 옵니다."

"뭐라고, 이 녀석이, 누굴 놀리는 게야? 앞으로 나와!"

못 이기는 척 교탁 앞으로 나가니 선생님은 출석부로 뺨을 후려쳤다. 나는 자리로 돌아오면서 화끈거리는 뺨을 쓰다듬으며 말했다.

"제기랄, 소인배같이…… 대인을 못 알아보고 치시네."

그렇게 중얼거리는 내 말에 동급생들이 와 하고 웃었다. 머리 끝까지 화가 난 선생님은 내게 다시 나오라고 고함을 지르셨다.

"너 지금 들어가면서 뭐라고 했어. 뭐라고 했기에 모두 웃는 거야. 너 날 욕한 거지?"

그러나 나는 자리에서 꼼짝도 않고 말했다.

"됐습니다, 선생님. 일절로 끝냅시다."

동급생들은 다시 와 하고 웃었지만 사태가 심각해졌다. 선생님의 분노가 폭발해버린 것이었다. 선생님은 길길이 뛰며 교무실로 오라고 엄명을 내리고는 교실에서 나가셨다. 하지만 나는 교무실로 가지 않고 집으로 왔다.

그런 중에도 공부에 열중하던 어느 날, 경북대 의과대학 부속 병원을 찾아갔다. 앞으로 의사가 될 터이니 병원을 둘러보며 새롭게 다짐을 할 필요가 있다는 마음에서였다.

언젠가 이 병원에서 의사로 일하게 될지도 모른다는 생각을 하며 병원 여기저기를 기웃거리던 나는 심각한 문제에 부딪혔다. 병실마다 뿜어져 나오는 약 냄새가 너무 역겨워 두통이 날 지경이었다.

이거 안 되겠는데. 이 냄새를 1, 2년도 아니고 평생 어떻게 맡지? 의사가 내 체질에 안 맞는 것은 아닐까? 소록도 봉사 생활도 좋고 나이팅게일 같은 희생도 좋지만, 일단은 체질과 적성에 맞아야지 그렇지 않고는 평생을 걸 수 없다는 생각이 들었다.

그날은 일단 병원에서 물러났다. 그리고 며칠 후 다시 그 병원을 찾아가 복도를 거닐어보았다. 역시 안 되겠다는 확신이 들었다. 도저히 약 냄새에 적응할 수 없을 것 같았다. 그래서 의과대학 가는 길은 포기하고 법과대학에 가기로 했다. 나 때문에 고생하시는 어머니를 조금이라도 편하게 해드리려면 법대에 가서 고등고시에 합격하는 길이 가장 빠른 방법이란 생각에서였다.

대학 진학 목표를 의과대학에서 법과대학으로 바꾼 후 나는 책상 앞에 '서울대학교 법과대학 합격 김진홍' 이란 거창한 글을 써붙여놓고 공부에 열중했다.

하루는 어머니께서 외출하시며 이르셨다.

"진홍아, 연탄 갈아넣고 아궁이 열어두었다. 한참 있다 아궁이 막아라. 그리고 솥에 네 밥을 넣어 탄불 위에 얹어두었다. 때 되면 밥 챙겨 먹거라."

나는 무심결에 "예" 하고 대답했으나 공부에 몰두하여 잊고 말았다. 얼마 후 부엌에서 어머니의 외마디 소리가 들렸다.

"아이고, 도대체 이게 무슨 일이고!"

깜짝 놀라 나가 보니 온 부엌에 연기가 가득하고 탄내가 코를 찔렀다. 그동안 연탄불이 활짝 피어 솥 안에 있던 물은 다 졸아버리고, 솥바닥이 연탄불에 녹아내려 밥그릇이 연탄 위에 떨어져서 밥이 타고 있었다. 어머니는 혀를 차며 역정을 내셨다.

"니는 공부를 해도 어찌 그렇게 별나게 하노. 솥이 이 지경이 되도록 몰랐더나. 냄새도 안 나더나?"

"어머니, 죄송합니더. 통 몰랐심더."

할말이 없어진 나는 뒤통수를 긁으며 방으로 들어가 다시 공부에 몰두했다. 나는 한 가지 일에 몰두하면 모든 걸 잊어버리는 버릇이 있다. 읽고 싶은 책이 있으면 길을 걸으면서도 읽다가 도랑에 빠지기도 하고 전봇대에 머리를 받기도 한다. 한 가지 생각을 골똘히 할라치면 아는 사람이 인사를 하고 지나가도 모르고 지나친다. 그래서 가끔 오해가 생기고 시비가 일어나기도 한다.

비행기 여행을 많이 하는 나는 일년에 한두 번은 꼭 그런 일을 당한다. 비행기에 오르기 전 의자나 바닥에 앉아 책을 읽다가 책 속에 빠져 비행기를 놓쳐버리는 것이다. 정신없이 책을 읽다가 주위가 갑자기 조용해진 것 같아 일어나 보면 비행기는 이미 떠나버린 뒤이다.

그래도 나는 이 버릇을 고치고 싶은 생각이 없다. 집중할 수 있다는 것은 좋은 일이기 때문이다. 책 읽는 경우에 그렇게 집중하여 읽으면 몇 년이 지나도 강의 중에 인용할 수 있을 만큼 기억이 뚜렷하다. 그렇게 집중해 읽고 생각한 것들은 나 자신의 한 부분으로 자리잡는다. 그러니 굳이 고칠 필요가 있겠는가?

그 후로도 나는 열심히 공부했다. 어느 날 밤, 역시 카페나를 먹고 공부하는 중이었다. 새벽 세시쯤 갑자기 어지럼증이 생기더니 정신이 아득해졌다. 머릿속에서 별이 반짝이는 듯하면서 정신을 잃었다. 얼마 후 깨어나 보니 의자에서 떨어져 방바닥에 쓰러져 있었다. 의식을 되찾은 후 나는 다시 의자에 앉아 공부했다.

그렇게 악착스레 한 덕분에 짧은 기간 공부했던 푼수로는 괜찮은 성적을 거둘 수 있었다. 대학 입학시험에 수석을 해서 4년간 학비 부담 없이 다닐 수 있게 된 것이다.

의과대학 가기를 포기한 후 법과대학 가서 법관이 되기로 마음먹고 공부했으나 막상 입시를 치를 때는 철학과로 바꾸었다. 문학가가 되고 싶었기 때문이다. 스스로 나는 문학에 자질이 있어서 세계적인 문호가 될 수 있다고 생각했다. 문인이 되려면 대학시절에 철학을 공부하는 것이 좋으리란 판단에서 철학과로 진학한 것이다. 동서양 문호들 중에 철학을 공부했던 분들이 많기도 하려니와 문학으로 사람을 움직이려면 사상성이 있어야 한다고 생각했기 때문이다.

당시에 알게 된 예쁘고 영리한 아가씨가 있었다. 비 오는 날이면 우산도 없이 비를 맞으며 그녀의 집 앞을 서성거리곤 했다. 철학과로 원서를 쓰고 난 후 그녀에게 『문호의 아내』란 책을 선물했다. 문호 톨스토이의 아내에 대해 쓴 책이었다. 앞으로 대문호 김진홍의 아내가 될 터이니 미리 읽어두라는 뜻에서였다.

1962년의 대학 입학시험은 전공별로 지원하는 국가시험제도였다. 법학과든 철학과든 자기가 원하는 과에 시험을 치르고 얻은 성적에 따라 대학을 선택하는 제도였다.

국가시험을 치르던 날 아침 나는 국수 한 그릇을 먹은 후 집을 나서며 어머니께 말했다.

"어머니, 시험 치러 갑니다."

"오냐. 잘 다녀오너라."

"그런데, 도시락을 주셔야지요."

그러나 집안 사정이 도시락을 들고 갈 만한 처지가 아니었다.

"도시락 없다. 그냥 가그라."

"아니, 어머니, 딴 날도 아니고 입학시험 치르는 날인데, 도시락도 없이 어떻게 합니까?"

"그래도 없는 도시락을 어쩌겠노. 그라고 사내 녀석이 도시락 하나 해결 못해서 되겠나? 먹든 굶든 니가 알아서 하그라."

나는 할말을 잃었다. 하지만 말씀은 그렇게 하셔도 어머니 마음이 쓰라릴 것이라 여겨져 아무 말 없이 집을 나섰다. 막상 점심 시간이 되니 도시락 없어도 아무 지장이 없었다. 친구들 어머니며 누나들이 푸짐하게 음식을 준비해 와서 나는 이 친구 저 친구 찾아다니며 골고루 먹을 수 있었다. 오히려 너무 많이 먹어서 점심 후 수학시험을 치를 때에는 식곤증으로 잠이 쏟아질 정도였다.

어찌 됐건 나는 국가시험에서 서울대 철학과에 입학을 하고도 10여 점이 남는 좋은 성적을 얻었다. 그러나 막상 서울로 올라가려니 기차표 살 돈도 없었다. 의기소침하여 방 안에 틀어박혀 있는데 어머니께서 말씀하셨다.

"진홍아, 너 계명대학에 가면 어떻겠노?"

"계명대학요? 와 거기를 가지요?"

"계명대학 학장님이 아버지 친구분이시다. 네 진학 문제를 의논드렸더니 계명대학으로 보내라고 하시더구나. 그리고 넌 성적이 좋으니 계명대학에서 열심히 하면 장래성이 있을 거라고 하시더라. 내 생각도 그렇다. 서울 가서 고학하며 어렵게 공부하느니 지방에서 두각을 나타내는 게 장래에 더 좋지 않겠나? 네가 서울 대학생이 되는 것도 좋다만 에미가 밀어줄 힘이 없구나."

"어머니, 그래도 뜻을 가지고 열심히 공부했는데 지방의 조그만 대학에서 썩을 순 없심더."

"썩긴 와 썩노, 지 하기 나름이지. '소꼬리보다 닭대가리' 란 말도 안 있나. 서울 가서 꼴찌하느니 지방에서 일등해보려무나."

"어머니, 서울 간다고 와 꼴찌해요?"

"사리가 안 그렇나. 서울 가면 고학해야 하는데, 고학하면서 공부에 집중하기는 힘들 테니 꼴찌하는 수밖에 없지 않겠나?"

"원서 낼 시간이 며칠 남았으니 생각해보겠심더."

나는 어머니와 대화를 나눈 후 곰곰이 생각했다. 고생스럽더라도 서울로 갈까? 지방에서 실력을 쌓을까? 며칠을 생각하던 끝에 '소꼬리보다 닭대가리' 라던 어머니의 말이 떠올라 결론을 내렸다.

"그래, 좋다. 서울에 가서 꼬리가 되느니 대구에서 머리가 되자!"

계명대학에서 면접시험을 치르던 날 학장이 물었다.

"학생은 서울의 좋은 대학에 갈 수 있는 성적인데 어떻게 우리 대학으로 왔지?"

"예, 이 대학에서 학장 하려고 왔습니다!"

"그럼, 나는 학장직에서 물러나야겠네."

"천천히 물러나셔도 됩니다."

예수, 지가 뭘 믿었노

　나의 대학시절은 부모님으로부터 물려받은 기독교 신앙이 흔들리는 데에서 시작되었다. 이른바 '정체성의 위기'를 맞은 것이다. 심리학자 에릭 에릭슨의 말에 따르면 기독교 가정에서 태어난 자녀들이 어린 시절에는 부모로부터 물려받은 신앙을 잘 따르나, 나이 들어 자아의식이 자라면서 신앙심이 흔들리는 위기를 맞게 된다고 한다. 빠른 경우에는 고교시절에, 보통은 대학시절에 이 위기를 겪게 되는데, 이 위기에 잘 대처하지 못하면 부모로부터 물려받은 신앙심에서 이탈되어 평생을 방황하게 된다. 그러나 이 위기의 시기를 창조적으로 잘 겪어내면 부모의 신앙이 자신의 신앙으로 뿌리내려 평생을 지켜나가게 된다.

　내 경우에는 대학에 들어가자마자 이 위기가 시작되었다. 어린 시절에 당연한 것으로 받아들였던 성경의 내용들이 믿어지지 않는 것이었다. 성경이 과장과 허구에 차 있는 미신의 책으로 비쳤다.

예수가 물 위를 걸었다는 대목을 읽으면 자기가 무슨 잠수함이라고 물 위를 걸었을까? 시력이 좋지 않은 사람이 물 빠진 갯벌 위를 걷는 모습을 보고 착각한 것이겠지 하는 생각이 들었다. 또 하늘에서 불이 내려왔다는 부분을 읽을 때면 하늘에 무슨 난로가 있다고 불이 내려올까? 비 오는 날 천둥번개 치는 걸 보고 그렇게 말한 것일 테지 하고 생각했다. 모세가 지팡이로 바다를 가른 이야기나 하나님이 흙으로 사람을 빚었다는 이야기들이 한결같이 미신이나 신화에 지나지 않는다는 생각이 들었다.

신화를 신앙으로 받아들이려면 구태여 이스라엘 신화를 받아들일 게 뭐람? 차라리 우리 민족의 신화를 받아들이는 게 낫지.

지구상에 등장했던 모든 민족은 각기 자기들 나름대로 신화를 지니고 있다. 신화 없는 민족은 없다. 그러나 그 내용과 깊이에는 차이가 있다. 상상력이 풍부한 신화를 지닌 민족은 그로써 인류에 끊임없는 영감을 제공했다. 그리스의 오디세이나 인도의 우파니샤드 같은 신화는 상상력이 넘치는 신화의 대표적인 예다.

우리 한민족에게도 훌륭한 신화가 있다. 천제(天帝) 환인의 아들 환웅이 천하를 다스리는 데 뜻을 두고 인간세상으로 내려오기를 원했다. 조선땅을 내려다본 환인은 널리 인간에게 이로움을 줄 수 있는 홍익인간의 터전이라 생각하고 아들 환웅을 내려보냈다. 환웅은 조선땅 태백산 자락에 내려와 도읍을 정하고 신시(神市)를 열었다. 환웅은 바람, 비, 구름을 거느리고 곡식, 수명, 질병, 형벌, 선악 등의 360여 가지 인간사를 주관하여 세상을 다스렸다. 그때 땅의 딸인 웅녀가 혼인하기를 원하여 날마다 기도를 드렸다. 환웅이 잠시 모습을 바꾸어 성육신(成肉身)한 웅녀와 혼인을 하더니 웅녀가 임신하여 아들을 낳았다. 그 아들을 이름하여 단군 왕검이라 했다. 단군 왕검이 평양성에 도읍하여 나라 이름을 조선이라 불렀다. 단군은 백성들을 다스리되 고상한 이상을 내세웠다. 만고에 두드러질 높은 이상이다. 홍익인간 이화세계(弘益人間 理化世界 : 널리 인간을 유익하게 하고 그 도리로 세상을 교화시킨다)라는 이상으로 단군은 1천 500년간 나라를 다스렸다. 훗날 단군은 산신이 되니 나이 1천 980세 되던 때였다. 이것이 단군신화의 줄거리다.

우리 조상님들이 남긴 이 신화가 다른 어느 민족의 신화보다 깊이가 있고 멋있지 않은가. 어찌 성경에 나타난 이스라엘 신화와 비교나 하겠는가. 훨씬 더 깊고 인간적인 정취가 있지 않은가. 환인 환웅 단군 속에 성부 성자 성령 삼위일체 하나님의 모습이 들어 있고, 홍익인간 이념 속에 휴머니즘의 깊이가 있다. 태백산에 세운 신시는 하나님 나라의 모습이요, 웅녀의 단군 출산은 성모 마리아의 예수 출산에 버금간다. 우리도 이런 멋진 신화를 지녔는데 굳이 이스라엘 신화를 빌려다 믿을 이유는 없지 않은가. 나는 우리에게 종교가 필요하다면 서양 종교인 기독교를,택할 것이 아니라 우리의 민족종교를 형성하는 게 바람직하다는 생각을 골똘히 했다. 그러나 어려서부터 습관화된 교회생활을 쉽사리 청산하기도 어려워 갈등을 느끼고 있었다.

대학 2년생이던 여름 어느 날, 나는 영국의 철학자 버트런드 러셀의 글을 읽게 되었다. 『나는 왜 크리스천이 아닌가』라는 러셀의 글은 내게 교회의 껍질을 깨고 나오는 자극을 주었다. 나는 그가 그 책에서 낱낱이 지적한 기독교의 허구성과 역사에 끼친

해독에 대해 인식하게 되었다.

나는 과감히 기독교 신앙을 버리기로 마음을 다졌다. 그래서 미성숙한 종교인에서 성숙된 자유인으로 탈바꿈하기로 마음먹었다. 이 역사적 결단에 걸맞는 행동을 할 필요가 있다고 생각한 나는 성경을 연탄불에 집어넣고 뚜껑을 덮어버렸다.

얼마 후 성경책 타는 냄새가 방 안까지 스며들었다. 막상 성경책 타는 냄새를 맡고 있으려니 감정이 묘했다. 미신에서 벗어나 자유인이 되는 해방감을 맛보는 동시에 한편으로는 신서(神書)를 태웠으니 어떤 앙화가 임할지도 모른다는 불안감이 일었다.

그 후 나는 무신론자 혹은 불가지론자가 되었다. 그리스의 불가지론 철학자 필론이 말했다는 구절을 교조처럼 외우고 다녔다.

"신(神)은 없다. 설사 있더라도 인식할 수 없다. 인식할 수 있더라도 설명할 수 없다. 고로 신은 없다."

회의론자는 무신론자로 변하고 무신론자는 점차 허무주의자로 변해갔으며, 허무주의는 다시 염세주의로 발전해갔다.

당시 계명대학 캠퍼스 가까이에 화장터가 있었다. 강의시간 중에 창밖을 내다보노라면 화장터 굴뚝에서 회색 연기가 뿜어져 나왔다. 어쩌다 바람이 학교 쪽으로 불라치면 매캐한 냄새가 교실까지 날아왔다. 봄날 휴강이 있을 때면 나는 교정을 벗어나 화장터로 갔다. 아니, 화장터가 나를 끌어당겼다.

화장터 마당에서 죽은 자를 슬퍼하는 유족들의 모습을 지켜보다가 불때는 곳으로 들어갔다. 출입문에는 '출입금지구역'이란 팻말이 걸려 있었다. 나는 시청권(視聽權)을 얻기 위해 담배 한 갑을 손에 들고 들어갔다.

"저, 수고하십니다. 실습 좀 하려고 그러는데요, 좀 들어가도 되겠습니까?"

"실습? 뭔 실습이요?"

"예, 철학 실습인데요. 사람이 탈 때 어떻게 타는지 보는 실습입니다."

화부(火夫)는 내 얼굴과 손에 든 담배를 몇 차례 번갈아 보다가는 슬며시 담배를 받아들며 들어오라고 했다. 나는 한 구의 시체가 들어와 불에 타서 한줌의 재로 남을 때까지의 광경을 지켜보았다. 숙연한 마음으로 눈을 절반쯤 감고 도사가 된 폼으로 살폈다. 갑자기 철이 들어 성숙해지는 것 같았고, 삶과 죽음의 비의(秘意)를 터득하는 순간이 가까워지는 듯했다.

화장터에서 물러나면서 어느 구도자의 시를 읊조렸다.

삶이란 무엇인가? 한 조각 구름의 일어남이다
죽음이란 무엇인가? 한 조각 구름의 사라짐이다
뜬구름 자체는 본래 알맹이가 없듯이
인생 삶도 죽음도 역시 그와 같으니라
生也一片浮雲起
死也一片浮雲滅
浮雲自體本無實
人生生死亦如然

삶이란 뜬구름이 일어남이요, 죽음이란 뜬구름이 사라짐 같은 것이어늘 왜 아등바등 애태우며 살까 보냐? 대관절 학문이란 무엇이며 철학이란 또 무엇이냐? 한결같이 부질없는 공리공론일 따름이다. 진리를 탐구하여 인생의 오묘한 이치를 터득한다고? 터득하면 무엇을 얼마나 터득할 것이며, 깨달으면 얼마나 깨달을 것인가? 다 헛된 몸짓일 따름이다.

이런저런 생각에 사로잡히면서 나는 사는 게 시들해지고 만사를 시큰둥하게 보는 철학도가 되어갔다.

그 즈음 일본 도쿄대학에 수석으로 합격한 철학도가 있었다. 대학시절에 이미 동서양의 철학 원전들을 독파한 수재 중의 수재였다. 졸업반이던 가을녘 그는 폭포에 몸을 던져 죽었다. 그가 벗어놓은 신발 속에는 한 줄의 글이 남겨져 있었다.

칸트, 지가 뭘 아노?

나는 이 일본 선배 철학도의 심정을 십분 이해할 것 같았다. 그래서 내가 폭포에 몸을 던지게 된다면 무슨 글을 남길까 생각했다.

예수, 지가 뭘 믿었노?

붓다, 지가 뭘 봤노?

소크라테스, 지가 뭘 알았노?

이 말 저 말을 골고루 읊조려보아도 썩 맘에 드는 게 없었다. 그래서 그 문제는 뒤로 미루고 폭포에 몸을 던진다면 어느 폭포로 할 것인가를 생각했다. 애석하게도 이 땅에는 몸을 던질 만한 폭포가 없다는 생각이 들었다. 금강산에 그럴듯한 폭포가 있을 것 같긴 하나 휴전선이 가로막혀 갈 수가 없고, 제주도 폭포는 짧아서 마땅치 않다. 괜스레 다리만 부러지고 살아남으면 골치 아픈 문제다. 그렇다고 일본까지 가서 몸을 던질 수는 없다. 국산

품 애용이라 했는데, 이 일에도 국산 폭포를 이용해야지 일본 폭포를 이용할 수는 없다. 이런저런 생각을 하며 혼자 피식 웃기까지 했다.

대학 생활이 2년째에 접어들면서 좋은 일들이 생겼다. 훌륭한 교수님들을 만나 개인지도를 받게 된 것이었다. 전교생이 500명 남짓 하던 시절이어서 대학 전체가 가족 같은 분위기였다. 그래서 전공에 상관없이 교수들의 지도를 받을 수 있었다. 사학과의 정만독 교수, 교육과의 이정빈 교수, 철학과의 정명오 교수님들이 마치 형님같이 나를 이끌어주었다. 수시로 찾아가면 읽어야 할 책을 빌려주시고, 각 분야에서 학문의 깊이를 알게 해주었다. 이래서 대학이 좋은 것이구나 하고 나는 대학 온 것을 행운으로 여기게 되었다.

지금도 나는 관심 있는 분야가 골고루 다양하다. 정치, 경제는 물론이려니와 역사, 교육 등 여러 분야에 두루 관심을 지니고 있다. 이런 경향은 계명대학 시절 여러 교수님들을 스승으로 모시면서 체득한 것이리라.

그러던 중에 소홍렬 교수가 부임해 왔다. 미국 미시간 대학에서 갓 학위를 마치고 온 젊은 교수였다. 명석한 논리에 주관이 뚜렷한 분이었다. 나는 소홍렬 교수의 지도를 받으면서 '철학함이 무엇인가'에 대한 인식이 열렸다.

소 교수의 강의는 지식으로서의 철학이 아니었다. 열을 뿜는 강의도 없었고 노트에 받아 쓸 내용도 없었다. 그냥 대화였다. 교수와 학생들이 한 팀을 이루어 주고받는 이야기 시간이었다. 그런데 그 속에서 얻은 열매가 있었다. 철학을 하는 데 필요한 기본에 관한 것들이었다. 사고의 명석함, 표현의 논리성, 과감한 비판 정신, 게다가 상식에 대한 존중, 창조적인 상상력, 이런 것들이 소흥렬 교수의 수업시간에 얻은 것들이었다.

소 교수의 논리학 시간이 가장 유익했다. 매일 아침신문 세 가지 사설을 읽고 와서 각 사설의 내용 전개에서 논리적 오류는 없는지, 비약은 없는지, 전제와 결론 사이에 모순은 없는지 등을 샅샅이 분석비판하는 훈련을 쌓게 했다. 논리학 시험에서는 특이한 문제를 출제했다.

'장기를 둘 줄 모르는 사람에게 장기 두기를 가르치는 글을 쓰라.'

우리는 열심히 답안을 썼다. 그러나 막상 답안지를 제출했더니 교수님은 내용이 너무 길어서 읽기가 번거로우니 절반으로 줄이라는 지시를 내렸다. 우리는 기를 쓰고 절반으로 줄였다. 소 교수는 그래도 길어서 안 되겠다며 다시 절반으로 줄이되 '장기 두기'를 이해하는 데 지장이 없도록 하라고 지적하셨다. 우리는 '하였습니다'를 '했다'로, '그러므로'를 '고로'로 줄이는 등 문장은 짧게 쓰되 뜻은 명확히 하느라고 갖은 애를 썼다.

철학과 교실에서의 이런 훈련이 지금까지 내 삶에 얼마나 큰 도움이 되고 있는지 말로 표현하기 어렵다. 오늘과 같이 스승을 만나기 어려운 시대에 계명대학에서 몇 분의 스승을 만나 지도받을 수 있었던 것이 내게는 큰 행운이었다. 세월이 지나면서 그 고마움을 새삼 느낀다.

나는 모교인 계명대학에 대한 긍지가 대단하다. 아들이 중학교 1학년일 때 자기는 장차 계명대학에 들어가겠노라 했다. 왜 하필이면 계명대학이냐고 물었더니 "아버지가 자랑스럽게 생각하는 대학이니 좋은 대학임에 틀림없지요" 하고 말했다.

나는 내 대학시절에 비추어 젊은이들에게 말해준다.

"좋은 대학에 들어가는 것이 문제가 아니다. 어떤 대학시절을 보내는가가 중요하다. 명문대학은 자신이 만들어간다. 자신이 대학시절에 쌓은 학문의 깊이와 식견의 너비에 따라 명문대학이 만들어지는 것이다."

2학년 중반에 이르자 건강에 문제가 생겼다. 위장병이 생기고 불면증에 시달렸다. 무엇보다 위장병은 입시공부하면서 잠 안 오는 약 카페나를 과용하여 생긴 부작용인 듯했다. 나는 6개월이 넘도록 죽을 먹어야 했다.

병 중에 곤란한 병이 위장병이다. 제대로 먹지도 못하고 그나마 먹은 것마저 소화시키지를 못하니 신경이 날카로워지고 기운이 없어져 갔다. 나중에는 방에 앉아 마당을 쫑쫑거리고 다니는 병아리나 다람쥐를 보아도 부러운 생각이 들 정도였다.

저 다람쥐, 병아리들은 어쩜 위장이 좋아 저렇게 뛰어다니고 있을까? 나도 저렇게 싱싱하게 뛰어다닐 날이 올 것인가?

위장병은 날로 악화되었다. 그야말로 백약이 무효했다. 드디어 나는 위장병에서 벗어나기 위해 결단을 내렸다. 위장병에 정면으로 맞서기로 결심한 것이다.

나는 담요 한 장을 들고 청도 운문사(雲門寺)로 갔다. 운문사 방 한 칸에 여장을 풀고는 뒷산 골짜기로 올라가 앞이 훤히 트인 바위에 자리를 잡았다. 골짜기에 흐르는 물만 마시며 위장병과 맞닥뜨려 끝장을 낼 심산이었다. 말하자면 산기도인 셈인데, 신심(信心)을 잃었을 때인지라 기도 내용이 온전할 리 없었다.

"신이여, 조물주여, 제 위장도 당신이 지으신 것입니다. 조화를 일으키셔서 건강케 해주소서. 이 땅에 태어나 할일도 많은데 위장병으로 쓰러져서야 되겠습니까? 하늘과 땅의 기운을 내 몸에 부어주시사 건강을 되찾게 이끌어주시옵소서."

목마르면 골짜기로 내려가 물을 마시고, 지치면 소나무에 몸을 기댔다가 다시 바위 위에 앉곤 했다. 제대로 먹지도 못하고 노상 끄윽 꺽 트림을 하며 살아가느니 차라리 여기서 죽자는 독한 마음을 먹고 바위에서 버텼다.

그러기를 사흘이 지난 새벽녘에 정신이 가물가물해져 오더니 온몸이 굳어지며 식어드는 걸 느꼈다.

아, 사람이 이렇게 죽는 것이구나! 하는 생각이 직감적으로 떠올랐다.

손발부터 점차 식어들더니 온몸에 찬 기운이 감돌고 가슴에만 따뜻함이 남아 있었다. 갑작스레 죽음에 대한 공포심이 일고 무서움이 밀어닥쳤다. 이 골짜기에서 이대로 죽어갈 순 없다는 생각이 들었다.

"하늘님이시여! 도와주소서. 이런 식으로 세상을 떠날 수는 없습니다. 한 번 더 기회를 주옵소서. 위장병을 앓다가 이렇게 산속에서 죽어갈 순 없나이다."

이렇게 간곡한 마음으로 기도하는 중에 갑자기 온몸이 후끈하더니 기운이 솟아올랐다. 마음에 담력이 생기고 하늘에 감사하는 심정이 되었다. 하늘이 나를 붙들어주신다는 감사의 마음이었다.

나는 나는 듯이 산을 내려왔다. 발이 땅에 닿지 않는 듯했다.

운문사에서 가장 가까운 청도읍에 도착하여 중국집으로 들어가 호기 있게 주문했다.

"여기 짬뽕 곱배기로 한 그릇 주세요."

위장병 환자란 생각은 사그리 없어지고 돌이라도 소화시킬 것 같았다. 짬뽕 한 그릇을 거뜬히 먹어치운 후 나는 대구 집으로 왔다. 그 후로 위장병이 신통하게 사라지고 몸은 하루가 다르게 회복되어갔다.

나는 체력을 회복시키기 위해 새벽마다 냉수마찰을 하고 조깅을 했다. 겨울방학에는 시골에 내려가 새벽녘에 냇가에서 얼음장을 깨고 찬물에 들어갔다 나왔다 하며 정신력과 체력을 단련했다. 그런 내 모습을 보고 마을 사람들은 정신이 이상하다고 여겼던지 아까운 사람 못쓰게 되었다고 동정했다.

대학시절, 나에게 로맨스가 없을 리 없다. 2학년 때부터 기막힌 사랑을 했다. 기막히다는 것은 다른 뜻이 아니고, 철저한 짝사랑이었기 때문이다. 교수님의 여동생을 사랑한 것이다.

몇 번 만나고 나서 나는 그녀에게 홀딱 빠졌다. 꿈에 나타나는 것은 말할 것 없고 강의시간에도, 길을 걸으면서도 그녀의 모습이 머리에서 떠나지 않았다. 그녀는 주로 붉은색과 흰색 무늬가 있는 웃옷을 입고 다녔는데, 길을 가다가 같은 무늬의 옷만 보여도 가슴이 뛰었다. 한번은 같은 무늬의 옷을 입은 아가씨가 길 건너편에서 지나기에 신호등도 무시한 채 길을 가로질러 뒤쫓아간 적도 있었다.

나는 여섯 달 동안 매일 등기편지를 보냈다. 토요일에는 주일

분까지 두 통을 보냈다. 편지 내용을 채우느라고 동서고금 시인들이 쓴 사랑의 시들을 섭렵했다. 워즈워스, 헤세, 릴케, 김소월……. 이들의 시를 내 마음을 대신해 보냈다. 덕분에 지금도 그 시들을 줄줄 외우고 있다.

한밤중에 그녀의 집 앞을 오락가락하기도 하고, 학교 가는 길목을 서성거리기도 하면서 그녀와 마주치기를 기다렸다. 비 오는 날에는 비를 맞으며 그녀의 집 쪽으로 갔다.

오가며 그 집 앞을 지나노라면
그리워 나도 몰래 발이 머물고
오히려 눈에 띨까 다시 걸어도
되오면 그 자리에 서졌습니다

오늘도 비 내리는 가을 저녁에
외로이 그 집 앞을 지나는 마음
잊으려 옛날 일을 잊어버리려
불빛에 빗줄기를 세며 갑니다

빗속을 걸으며 노래를 부르다 보면 비참한 기분이 들었으나 한편으로는 그 비참함을 즐기기도 했다.

그러던 어느 날, 못 볼 장면을 보게 되었다. 그녀가 영문과 남학생과 경주로 여행을 간 것이다. 그는 미스터 오입쟁이로 전교에 알려진 녀석으로, 별명이 '처녀 킬러'였다. 나는 눈앞이 아득해지고 낙담스러워 매사에 의욕을 잃었다. 책을 잡아도 글씨가 눈에 들어오지 않았고 밥을 먹어도 맛을 몰랐다.

왜 하필이면 그런 지저분한 녀석과 데이트를 할까? 천사 같은 그녀가 그런 바람둥이와 다닌다니, 말도 안 돼. 오, 신이여, 그녀를 지켜주소서. 오늘 돌아올까? 혹시 자고 오는 건 아닐까? 그랬다간 그 프로 녀석에게 당할지도 모르는데. 음흉한 이리가 순진한 토끼를 어르듯 농락하고 요리할 텐데……

그에게 당하고 있는 그녀 모습이 눈에 선하여 도무지 마음을 잡을 수가 없었다. 나는 기숙사 옥상으로 올라가 아래를 내려다보며 중얼거렸다.

"이 고뇌를 잊기 위해 뛰어내려버릴까? 아니야, 이렇게 허무하게 끝낼 순 없어. 그녀는 내가 왜 죽었는지도 모를 테니까."

나는 뛰어내리고 싶은 충동을 참기 위해 옥상 기둥을 부여잡고 몇 번씩이나 심호흡을 한 다음 방으로 내려와 대낮부터 이불을 머리끝까지 뒤집어쓴 채 울었다. 눈물이 멈추지 않고 흘러내렸다.

아, 이 순수하고 뜨거운 가슴을 백분의 일이나마 그녀에게 전할 수는 없을까?

그러다가도 그녀가 '미스터 오'의 손을 잡고 경주 불국사 돌계단을 오르는 장면을 생각하면 가슴에 확확 불길이 일었다.

그러나 다음날도 나는 편지 보내기를 계속했다. 중단하면 내 존재 이유가 송두리째 없어질 것 같아서였다.

그렇게 여섯 달이 흐른 어느 토요일, 그녀가 나를 찾아왔다. 그녀를 마주하고 숨이 막힐 듯 굳어 있는 나에게 그녀가 말했다.

"편지 자꾸 보내지 마세요!"

그 한마디를 뱉고 그녀는 뒤도 돌아보지 않고 가버렸다. 허망하기 이를 데 없었다. 한참 만에 정신이 돌아온 나는 결단을 내릴 때라는 생각이 들었다.

이러다간 여자 때문에 바보가 되겠다. 아니, 이미 바보가 되었다. 이 세상에는 여자말고도 가치 있는 것이 얼마든지 많다. 여자 때문에 내 인생을 헛되이 할 수는 없다. 끊자. 편지도 끊고 애간장 타는 내 마음도 끊자!

그 후 나는 며칠간 강의실에도 들어가지 않고 식당에도 가지 않았다. 그리고 건빵 몇 봉지를 사다 머리맡에 놓아두고는 자다가, 물 마시다가, 건빵 씹기를 며칠간 계속하면서 그것으로 끝을 냈다.

얼마간 세월이 흐른 후 나는 보현사(普賢寺)란 절을 찾아갔다. 대구 시내 반월당 가까이에 있는 절이었다. 나는 주지스님 앞에 단정히 무릎 꿇고 앉았다.

"스님, 불도를 알고자 찾아왔습니다."

"불법의 심오함을 어찌 한마디로 이야기할 수 있겠소. 헌데 어디서 온 젊은이요?"

"예, 시내 모 대학에서 철학을 공부하는 학생입니다. 어려서부터 교회를 다녔으나 기독교의 미신됨을 알고 교회를 떠났습니다. 이제 불도를 공부해보고 싶습니다."

"잘하였소이다. 나도 불가에 몸을 담기 전에는 기독교인이었소. 신자도 보통 신자가 아닌 전도사였소. 젊은이도 알겠소이다만, 시내 제일교회(영남지방에 최초로 세워진 교회)에서 해방 전에 10여 년간을 전도사로 있었던 사람이외다. 지금도 성경을 줄 줄 외우다시피 하지요."

"아! 그렇습니까! 훌륭하신 어른을 뵙게 되었으니 제가 복이 있는 듯합니다. 사부로 모시고 싶습니다. 지도해주십시오."

"젊은이의 자세가 진지하고 열의가 있으니 힘닿는 대로 도우리다."

"고맙습니다. 기독교에 대해서는 어릴 적부터 듣고 배운 바가 있으나 불도에 대해서는 전혀 생소합니다. 초보부터 이끌어주십시오."

"기독교와 불교를 비교하자면 마치 소학교와 대학교를 비교하는 것과 같은 이치지요. 기독교가 소학교라면 불교는 대학교인 셈이오. 불교의 심오한 이치를 하나하나 깨우치면 그야말로 무궁무진하외다. 젊은이는 이제 소학교를 마치고 대학교로 들어오는 것이외다. 우선 책 한 권을 줄 테니 읽어보시오."

보현사 주지스님은 『능엄경』이란 불경을 주었다. 나는 그날 밤으로 그 책을 통독했다. 사흘 후 다시 보현사를 찾아 능엄경을 다 읽었노라 말씀드렸더니, 주지스님은 열의가 있어 앞으로 크게 발전하겠다고 흡족해하며 『금강경』을 주었다.

금강경은 능엄경에 비해 훨씬 어렵고 또 깊이가 있는 것 같았다. 금강경 중의 일절이 특히 마음에 들어 되짚어 읽었다.

무릇 상 있는 모든 것이 더불어 허망하니
만약 여러 상 있는 것들 중에서 상 아닌 상을 보면
바로 여래를 보는 것이니라

凡所有相 皆是虛妄

若見諸相非相

卽見如來

플라톤의 이데아론에 비할 만한 구절이었다. 플라톤은 말했다. 우리 눈에 보이는 모든 사물은 실상이 아니다. 허상, 즉 그림자일 뿐이다. 그 허상 뒤에 보이지 않는 실상인 이데아의 세계가 있다. 눈에 보이는 상들은 그들 뒤에 있는 이데아의 그림자일 뿐이다. 그러므로 허상에서 벗어나 실상의 세계, 이데아의 세계를 사모하고 탐구할 것이라고 했다. 앞에서 인용한 구절은 불교판 이데아론에 준하는 내용인 셈이다.

돈, 여자, 지위, 모든 것들은 허망하다. 눈에 보이는 것 중 보이지 않는 참된 것을 보는 것이 진리인 여래(如來)를 보는 것이다.

나는 이 말을 모름지기 불제자들은 눈에 보이는 세계에 빠지지 말고 보이지 않는 진리의 세계를 보려고 애쓰라는 말로 이해하고 그때부터 진리의 세계인 여래를 보려고 애썼다.

대구 시내 각 대학교 학생들 중에서 불도를 공부하려는 학생들을 모아 불교학생회를 조직하고 나는 학술부장 직책을 맡았다. 불경에 대한 독서회를 열고, 학승들을 모시고 공개강의도 열었다. 기독교 대학인 계명대학에서 불교사상 강연회를 주관했으니 어지간히 열심이었던 셈이다. 산사(山寺)를 다니며 수행을 하고 경을 읽으며 참선을 했다. 그러나 불교에 정진하려고 노력했으되 여래의 세계는 잡히지 않고 가물가물하기만 했다.

불교에서 법회를 열 때면 사홍서원(四弘誓願)을 송(頌)하는 순서가 있다. 사홍서원이란 불제자가 부처님 앞에 드리는 네 가지 서원을 일컫는다. 교회에서 예배드릴 때 사도신경을 고백하는 것과 비슷하다. 사홍서원을 송하는 방법은 한 사람이 한 구절씩 선창하면 회중이 뒤따라 복창한다. 사홍서원은 인간의 종교심이 추구하는 극치라고 할 만큼 깊고 중요한 내용이다.

중생이 아무리 많을지라도 건져 구원하기를 서원하나이다
번뇌가 아무리 많을지라도 끊어 벗어나기를 서원하나이다
부처님의 가르치심이 한량없이 많을지라도 배우기를 서원하나이다
부처님의 도가 끝없이 높고 높을지라도 이루기를 서원하나이다
衆生無邊 誓願度
煩惱無盡 誓願斷
法文無量 誓願學
佛道無上 誓願成

나는 열심히 법회에 참석해 사홍서원을 송하고 불경을 읽으면서 번뇌를 끊고 깨달음의 경지에 이르기를 염원했다.

그러나 내가 도달한 경지는 전혀 엉뚱한 방향이었다. 불면증에 걸린 것이다. 백팔번뇌를 끊고 해탈의 경지에 이르고자 했던 것과는 반대로 새벽 서너 시가 되도록 잠을 이루지 못하는 불면증 환자가 되고 만 것이다. 새벽까지 잠들지 못하다가 새벽녘에 겨우 한잠 자고 나면 다음날은 온종일 구름 위를 둥둥 떠다니는

듯했다.

그러던 차에 불도에 대한 미련을 끊을 계기가 생겼다. 해방 후 한국 불교계의 지도자로 높임을 받으시던 효봉(曉峰) 스님이 입적하신 일로 인해서였다. 생불이라고까지 추앙받던 효봉 스님은 일제시대 때 조선인으로서는 오르기 어려운 판사의 자리에 올랐다. 판사로 재직하고 있던 어느 날, 한 살인범에게 사형을 선고하여 형을 집행했다. 그러나 형 집행이 이루어진 후 그 사건의 진범이 잡혔다. 무고한 사람을 오판으로 죽게 했던 것이다. 이 일로 고뇌에 빠진 그는 끝내 판사직을 버리고 유랑의 길을 나섰다.

삼천리 곳곳을 떠돌던 그는 급기야 묘향산에서 삭발을 하고 불문에 들어섰다. 그 후 정진에 정진을 거듭하여 높은 경지에 이른 그는 생불이란 칭호를 얻기에 이르렀다.

그런 효봉 스님이 숨을 거두셨다. 그런데 효봉 큰스님이 입적하시던 날 마지막 남긴 말이 불심이 적은 나에게는 잘 이해가 되지 않았다.

병중에 계시던 스님은 아침나절 상좌승에게 말씀하셨다.

"나 오늘 길 떠난다."

"스님, 몸도 불편하신데 어디로 가시려 하십니까? 가만히 조리하시옵소서."

"허, 그 녀석, 내가 오늘 간다니까!"

"글쎄, 스님, 무리하시지 마시라니까요."

이런 대화를 나눈 그날 정오경에 효봉 큰스님은 앉은 자세로 입적하셨다. 마지막 남기신 말이 무(無)라는 한마디였다. 그 말을 들은 친구들은 감격스러워했다. 과연 큰어른의 마지막 말씀이

다르다고들 하면서 공경하는 마음을 더 깊이 하였다.

그러나 나는 공경심이 들지 않고 뭔가 석연치 않은 마음이 들었다. 나는 원래 따지기를 좋아하는 성격인데다 철학과 교실에서 그 방면으로 훈련된 처지다. 무슨 말이든 그 내용이 의미하는 바를 분석하고 비판하는 일에 이골이 난 처지였다. 그래서 나는 효봉 큰스님이 입적하시던 자리에서 뱉으셨다는 '무' 란 말을 거듭 되뇌며 그것이 의미하는 바를 곰곰이 생각했다.

나는 무언가 '있는 것'(有)을 찾아 애쓰는 것이지 '없는 것'(無)을 찾고 있는 것이 아니다. 그런데 무라니, 곤란하지 않은가? 나 자신이 방황하고 고뇌하며 회의하는 것은 나라는 존재가 있기 때문이다. 적어도 나 자신만큼은 존재함에서 문제가 발생한다. 그런데 '무' 라니……. 우리 범인(凡人)들의 생각이 미치지 못하는 경지에서 말씀하신 것이어서 그럴까? 나도 그런 경지에 다다르면 '무' 란 말을 한마디 내뱉고 이승을 떠날 수 있을까?

그러나 나는 아무리 생각하고 또 생각해도 '무' 라고 말할 경지에 오르고 싶지 않았다. 그리고 그런 말을 남기고 이 세상을 떠날 생각은 더더욱 없었다.

나 자신을 포함한 숱한 젊은이들이 무언가 있는 것, 유를 찾아 고생하고 있다. 뭇 중생들이 자기 삶을 통째로 바칠 만한 무언가 값진 것, 즉 유를 찾아 애쓰고 있다. 그런 그들에게 "살았을 때는 고(苦)요, 죽을 때는 무니라"고 가르칠 수는 없지 않은가. 나사렛 예수는 다르게 말했다. 그 말의 진위는 제쳐놓고 말만큼은 확실히 했다.

"내가 곧 길이요 진리요 생명이다."

"내가 온 것은 양(羊)으로 생명을 얻게 하고 풍성히 누리게 하려는 것이라."

"나에게 오는 자는 죽어도 살고 살아도 영원히 죽지 아니하리라."

나는 좀더 강력한 것, 뜨거운 것이 필요하다고 느꼈다. 내 삶 전체를 불사를 수 있는 확실한 것이 필요하다고 생각했다.

지금 와서 생각하면 효봉 큰스님의 말이 더 깊은 차원에서 이 해될 것도 같으나, 당시의 내 수준으로는 소화하기 어려운 말이 었다. 게다가 불교적 역사관 내지 역사 인식이 마음에 들지 않았다. 특히 윤회에 대한 생각은 거부감이 들었다. 우리 민족같이 백성들의 타고난 역량을 한 방향으로 결집시켜 민족의 웅비를 이루어나가지 못한 역사에서는 불교적 역사관의 특성인 순환사관으로는 곤란하다는 생각이 들었던 것이다. 사후세계에서 끊임없이 윤회를 거듭한다는 불교의 순환론은 역사를 침체시키는 요인이 될 뿐이다.

그런 점에서는 오히려 기독교적 역사관이 '하나님의 나라' 건설을 향한 강력한 동기부여를 줌으로써 발전을 거듭하는 발전사관이 아닐까? 우리 민족이 현재의 부진한 역사적 상황을 극복하고 미래지향적으로 발전해나가려면 불교적인 순환사관으로는 곤란하고 기독교적인 전진사관이 더 바람직하다는 생각이 들었다. 그 후 사찰을 찾던 발걸음이 뜸해지다가 끝내는 아주 끊기고 말았다.

그런 와중에도 전공과목인 철학만큼은 열심히 공부했다. 워낙에 철학이 내 체질에 맞는 과목이었다. 철학에 관련된 책만 들면 시간 가는 줄 모를 만큼 깊이 빠져들곤 했다. 그래서 그 시절 내 별명이 '미스터 소크라테스'였다.

2학년 때부터 나는 해마다 열리는 전국 철학학술대회에 참가했다. 2학년 때는 「플라톤의 이데아 연구」란 제목으로, 3학년 때는 「카를 마르크스의 변증법적 유물론 연구」로, 4학년 때는 「아인슈타인의 상대성 이론에 대한 철학적 배경」이란 제목으로 발표를 하였다.

그러자 주위에서는 나를 장래 철학교수가 될 인물로 인정했다. 나 스스로도 장차 한국 철학계를 짊어지고 나갈 기둥이 되겠다는 자부심을 품고 공부를 했다. 그래서 '도서관 지킴이'가 되었다. 도서관에 가장 일찍 들어가 맨 나중에 나온다 하여 붙은 별명이었다.

하루는 여전히 도서관에 앉아 형이상학 읽기에 몰두하고 있는데, 철학과 선배가 다가와 말을 걸었다.

"어이, 미스터 소크라테스. 형이상학 연구에 소출이 있나?"

"별로 없습니다. 아직은 형이상학까진 못 가고 하학(下學)에서 중학(中學) 정도까지 오르고 있습니다."

"딴기 아니고, 급하고 중요한 일로 이야기하고 싶은 게 있으니 도서관 앞 잔디밭으로 좀 나와봐라."

홍응표란 선배는 말을 마치자 성큼성큼 나가버렸다. 나는 도리없이 읽던 책을 덮고 무슨 급한 일이 있어서 그러나 의아스럽게 생각하며 잔디밭으로 따라나갔다. 홍 선배는 내가 미처 앉기도 전에 물어왔다.

"김진홍, 자네 거듭났나?"

"예? 선배님, 도대체 무슨 말씀입니까?"

"거듭났느냔 말이다. 예수 믿고 거듭났느냐고 묻는 것이네."

"아니, 선배님, 뭔 질문이 그렇습니까? 급하고 중요한 일이란 기 그겁니까? 그런 황당한 걸 물어보려고 공부하고 있는 사람을 불러낸 겁니까?"

"하모, 급하고말고. 이보다 더 급한 일이 어딨노? 자네가 이마누엘 칸트를 아무리 읽어보았자 그 속에서 생명을 얻을 순 없네. 고민만 더해줄 따름이네. 자네도 그만큼 열심히 읽었으면 지금쯤 질릴 때도 됐을 텐데. 칸트의 전공은 질문일세. 그에게는 해답이 없어. 해답은 나사렛 예수에게만 있는 게야. 자네도 칸트처럼 평생을 해답 없는 질문만 계속할 텐가? 형이상학을 한다는 것은 출구 없는 숲속을 헤매는 것과 같아 깊이 들어가면 갈수록 오히려 길을 잃고 마는 것이네. 자네는 영특하니 잘 판단하게나. 내가 자네에게 급하다고 말한 것은 자네 영혼이 죽고 사는 문제니까 그렇게 말한 것이네. 지금의 자네에게 가장 중요한 문제는 나사렛 예수를 평생의 주인으로 모시고 거듭나는 일일세."

홍 선배는 나를 설득하려 했다. 그러나 그의 설득이 내게 통할 리 없었다. 나는 그런 선배가 오히려 측은한 생각이 들었다. 지능지수가 어느 정도로 낮으면 저런 수준에 머물러 있을까? 이른바 형이상학을 다룬다는 철학도가 저런 '형이하학'적인 수준의 사고에 머물러 있는 게 한심했다. 아예 나와는 토론 상대가 되지 못한다고 판단하고는 한마디 일러주고 자리를 떴다.

"선배님이나 혼자 거듭나시라요. 거듭나서 천당엘 가든지 만당엘 가든지 가서 잘 먹고 잘 사시라요. 나는 선배 같은 수준의 사람들이 가는 곳이라면 동행할 마음이 없습니다. 나는 거듭나지 못해서 지옥에 가야 한다면 인간답게 가겠습니다. 변증법을 공부하고 형이상학을 논하는 사람이 어떻게 거듭났느니, 구원받았느니 하는 질문을 할 수 있습니까? 나는 그런 사람들이 가는 천당에 가서 머리 없는 도야지로 사느니, 차라리 지옥 가서 생각하는 소크라테스로 살랍니다."

"글쎄, 자네가 지금은 그렇게 고상한 말을 하고 있지만, 시간 문젤세. 언젠가 내 말에 고개 숙일 때가 올 것일세. 그날이 오도록 내가 기도하지. 자네는 자네가 원하는 변증법, 형이상학 하러 가게나. 나는 들을 귀 있는 자들에게로 가서 거듭나는 길을 전하겠네. 자네가 지금보다 훨씬 더 가난해진 후에 만나세나. 형이상학 먹다가 영양실조 걸려 기진맥진해질 때쯤에 내가 영양분이 넘치는 생명의 떡을 다시 전해주겠네."

계명대학에는 해마다 5월이면 개교기념행사가 있고, 행사기간 중에 메이 퀸과 메이 킹을 뽑았다. 메이 킹으로 뽑힌 남학생이 메이 퀸으로 뽑힌 여학생에게 '오월의 여왕' 관을 씌워주는 행사였다.

각 과별로 메이 킹 후보 한 사람씩을 뽑아 전교생이 모인 자리에서 한 명의 킹을 뽑았다. 방식은 후보자들에게 10분 동안 장기자랑을 하게 한 후 인기투표로 결정했다. 나는 2학년 때부터 졸업할 때까지 거듭 메이 킹으로 뽑혔다. 비결은 장기자랑에 나갔을 때 전교생을 웃기는 솜씨였다. 내가 마이크를 잡고 온갖 잡설로 웃기고 나면 너무 웃어서 다음날 뱃가죽이 아프다는 여학생들도 있었다.

　이래저래 대학시절은 멋진 시절이었다. 열심히 공부했고 화끈하게 놀았다. 철저히 방황했고 뜨겁게 사랑했다. 비록 그 사랑이 짝사랑이긴 했지만 순수하고 뜨거웠다. 나는 지금도 대학시절 나날을 꿈꿀 때가 있다. 그 시절의 강의실과 캠퍼스, 친구들과 여학생들은 꿈자리의 단골 메뉴다.

　4학년이 되었을 때 한일 국교 정상화 반대시위로 온 나라가 시끄러워졌다. 대학마다 데모 열풍이 뜨겁게 달아올랐다. 계명대학이라고 예외일 순 없었다. 어느 날 나는 전교생이 강당에 모인 자리에서 가두시위를 할 수 있도록 분위기를 잡아달라는 부탁을 받게 되었다. 말하자면 내가 선동에는 소질이 있으니 솜씨를 발휘해달라는 부탁이었다.

　나는 동료들의 부탁을 받아들여 전교생 앞에서 일장 연설을 했고, 전교생이 스크럼을 짜고 거리로 나섰다. 경찰이 저지하고, 우리는 돌을 던졌다. 우리가 던진 돌에 경찰서장의 코가 부러졌다. 화가 난 경찰들은 거칠어졌고 학생들의 흥분도 고조되었다.

　밀고 밀리는 소란을 겪은 후 나와 몇몇이 주동자로 잡혔다. 대구경찰서에서 사흘 밤을 자고 훈방되었다. 이것이 나의 첫번째 유치장 경험이었다. 우리들의 돌팔매질로 부러진 콧대에 붕대를 싸맨 경찰서장께서 우리를 훈방하며 말했다.

　"학생들이 나라 사랑으로 시위를 하는 뜻은 갸륵하나, 학생 때는 공부만 하는 땐기라. 그것이 늬들 자신에게도 나라에도 유익한 기다. 내보내줄 테니 나가서 공부들 열심히 해라."

　데모하는 학생들도 막는 경찰도 한결같이 순수했던 시절이었

다. 요즘은 데모에 전문가들이 생겨 너무 살벌해지고 낭만적인
분위기가 사라졌다. 안타까운 일이다.

폭풍 속으로

그 무렵, 우리 가정에 큰 시련이 닥쳤다. 형님으로 인해서다. 나보다 네 살 위인 형님은 인물 좋고 마음씨 좋은 성품이었다. 그런데 대학에 다니다 군대를 갔다오더니 행동이 이상하게 변했다. 밥상을 받으면 밥그릇을 코에 대고 냄새를 맡은 다음 눈을 부라리며 따졌다.

"밥에 독약 넣었나?"

"예? 형님, 그기 무슨 말입니까? 밥에 독약은 와 넣습니까?"

"좋다, 그럼, 니가 먼저 먹어봐라."

형은 내가 먼저 한 숟갈 먹고서 아무 탈이 없음을 확인하고 나서야 자기도 밥을 먹었다.

어느 날은 한밤중에 부엌칼을 들고 들어와 내게 주며 어머니를 찌르라고 했다.

"저 여자를 이 칼로 찔러라. 우리집에 들어온 마귀다."

"형님, 이기 뭔 짓입니까?"

"저 여자를 찔러 죽여버리라니까. 안 그라몬 우리집이 망한단 말이다."

형님 때문에 우리집은 아수라장이 되었다. 정신병에 경험이 없었던 식구들은 영문을 모른 채 서로 원망하고 어쩔 줄 몰라했다. 비관에 빠진 어머니는 끼니 거르기를 일삼았고, 우리 동생들은 집에 들어오기를 싫어했다. 원래 집에 정신병자가 있으면 다른 식구들도 절반은 정신병자가 된다. 정신병자에게 시달려 떼병자가 되는 것이다. 우리집도 그렇게 되어갔다.

얼마가 지난 뒤 형의 증세가 정신병인 줄 알고부터는 형님을 뒷바라지하느라 온 식구들이 지쳐갔다. 견디다 못한 우리는 아르바이트해서 모은 돈으로 형을 정신병원에 입원시켰다. 입원 후 한 달 정도 지나면서 병세가 호전되는 기미가 보였다. 병원에서는 5,6개월 입원시켜야 한다고 했지만 경제력이 문제였다. 달포쯤 지나면 돈이 떨어져 하는 수 없이 퇴원시켰다. 이후 얼마간은 괜찮았지만 3,4개월 후면 병세가 다시 도졌다. 우리는 견딜 만큼 견디다 도저히 감당하기 어려울 때쯤이면 다시 입원을 시켰다. 그러기를 세 차례 거듭하니 나중에는 형님이라면 진절머리가 났다.

속으로 별 생각이 다 들었다.

형님에게 교통사고라도 안 나나? 저렇게 가족을 괴롭히며 사느니 차라리 죽는 것이 본인에게도 가족들에게도 좋을 텐데.

어느 날 동생이 내게 말했다.

"형, 쥐약 중에 뽀얀 가루로 된 약이 없을까?"

"갑자기 쥐약은 왜 찾는데?"

"큰형 먹는 약이 뽀얀 가루약이더라고. 쥐약을 형님 방에 놓아두면 자기 약인 줄 알고 먹게 될 것 아냐. 그럼 큰형 문제는 끝날 거 아냐."

"왜 넌 하필이면 그런 생각을 하니?"

"형도 그런 생각을 하면서 뭘 그래. 형은 큰형 죽었으면 좋겠다는 생각 하지 않아? 난 자주 그런 생각을 해. 큰형은 왜 자살도 안할까? 나 같으면 자살해버릴 텐데."

"바랄 수 없어. 자살을 한다면 우리가 하지, 큰형은 안할 사람이야. 큰형은 본래 성격이 자기중심적이고 이기주의잖니?"

"어머니가 잘못하신 거야. 어머니가 큰형은 아버지 대신이라고 잘해주기만 해서 큰형이 이기주의자가 된 거야."

"넌 왜 어머니까지 끌어들이니? 어머니가 알고 그렇게 하셨겠어? 자식에 대한 어머니의 사랑은 본래 맹목적인 거야. 어머니가 잘못해서 큰형이 그렇게 된 것처럼 말하지 마."

"글쎄, 사실이 안 그렇나? 고기 반찬을 해도 형님은 가운데 토막 주고 우린 꽁지나 머리만 주었잖아. 명절에도 형님은 새옷 해주고 우린 형님 입던 옷 빨아서 입고. 그래서 큰형이 지만 아는 사람이 된 거지 뭐. 하기사 형 말이 맞는 거 같아. 자살을 해도 우리가 하지, 큰형은 안할 끼다. 지금쯤 큰형이 자살이라도 해줬으면 좋겠는데……."

"어쨌건 우리 형제들은 이제 큰형 땜에 기펴고 살긴 어려워졌어……."

나와 그런 대화를 나눈 지 얼마 후 동생이 사라졌다. 집을 나가버린 것이다. 계성고등학교 3학년에 재학 중이어서 남들 같으면 대학 입학시험 준비를 하느라 여념이 없을 때였다. 행방을 몰라 염려하는 가족들 앞으로 얼마 후 동생의 편지가 날아왔다. 해병대 신병 훈련소에서 부친 편지였다.

해병대에 입대한 것은 월남에 전투병으로 지원하여 전투 수당을 받아 형님 병을 고치고 싶어섭니다. 병든 형님을 원망만 하고 있을 수가 없어 학교를 중단하고서라도 집안에 보탬이 되고 싶은 마음에 해병대에 입대했습니다.

얼마 후 동생은 청룡부대 전투원으로 월남에 파병되었다. 월남에서 다시 편지가 왔다. 자신은 지금 최전선에서 베트콩들과 전투 중인데 혹시 전사라도 하게 되면 전사자 수당이 지급될 터이니 그 돈을 큰형의 정신병을 완치시키는 데 써달라는 내용이었다.

편지를 읽은 어머니는 한숨을 쉬더니 밤낮으로 동생을 위해 기도하셨다. 나도 동생에게 편지를 써보냈다. 우리 집안에 형님 한 분 잘못된 것으로 충분하니 너는 꼭 살아서 돌아와야 한다는 내용이었다.

그 후 다행히 동생은 약간의 부상만 입고 귀국했다. 그러나 형님의 정신병은 끝내 회복되지 않았다. 동생이 목숨을 담보로 벌어 보내온 전투 수당이 거의 모두 병원비로 지급되었음에도 불구하고 형님의 정신은 맑아지기는커녕 오히려 더 심해지더니 엎친 데 덮친 격으로 육체마저 병들어버렸다. 황달 증세가 보이더니 눈이 샛노래지고 몸이 부어오르기 시작했다.

우리는 형님을 대구 동산병원에 입원시켰다. 얼마 후 담당의사가 김철호 환자의 보호자를 찾는다기에 갔더니 이렇게 일러주었다.

"솔직히 말하지요. 김철호 환자는 의술로 조치할 건 다 했습니다만 가망이 없습니다. 아마 일주일을 넘기기가 어려울 겁니다. 너무 늦게 입원했습니다. 보아하니 가정형편도 넉넉지 못하신 것 같은데 퇴원시키고 장례 준비를 하시지요. 병원에 더 있어봤자 좋아질 길은 없고 비용만 나갈 따름입니다."

나는 의사선생님께 감사의 뜻을 표하고 그 길로 퇴원수속을 밟았다. 집으로 와서 볕드는 방에 형님을 안정시킨 뒤 누님과 동생, 나 셋이 한방에 모여 단합대회를 열었다.

"형님이 참 안됐다. 그렇게 좋은 성품, 좋은 인물이었는데 군에서 정신병을 얻어 동생들에게까지 미움받다가 결국은 황달로 죽게 되는구나. 그래도 그나마 다행이다. 이제 며칠 안으로 형님 장례 끝내고 우리 새출발하자. 남은 삼남매가 합심해서 어머니 위로하고 집안을 일으키자. 형님 장례 끝나는 시간부터 집안 분위기를 바꾸고 새로 시작하자. 형님이 못한 몫까지 우리 셋이 감당하자."

삼남매가 그렇게 다짐한 후 장례 준비에 들어갔다. 우리들에게는 새로운 의욕이 생겨났다. 그런데 뜻밖에도 어머니가 여행 채비를 갖추고 집을 나서시는 것이었다.

"얘들아, 나 고향 좀 다녀오마."

"아니, 어머니, 형님이 오늘 내일 하는데 어딜 가신다는 겁니까? 가시더래도 형님 일은 끝내고 가셔야지요."

"아니다, 형 일로 갈 일이 있다."

어머니는 이틀 후 큰 보퉁이를 머리에 이고 돌아오셨다. 나는 보퉁이를 받아 내리면서 물었다.

"어머니, 뭔 보퉁이를 이렇게 이고 오셔요?"

"너희 형 약이다. 고향 가서 형에게 좋다는 약을 캐왔다."

"아니, 그러면 이 약 캐러 고향에 가셨던 거예요?"

"그래, 죽어가는 사람 꼴을 그대로 보고만 있을 순 없더라."

보퉁이를 펼치니 온갖 풀뿌리며 나무뿌리들이 가득했다. 쑥뿌리가 가장 많았고 익모초, 도라지, 더덕, 엉겅퀴 등의 뿌리들이 뒤섞여 있었다. 어머니는 아들을 살리겠다는 일념으로 고향에 가서 산과 들을 다니며 몸에 좋다는 것들은 모조리 캐오신 것이었다.

어머니는 그 뿌리들을 씻어 솥에 넣고는 가득히 물을 부어 연탄불에 올려놓았다. 이틀 후 뿌리들을 건져내니 새까만 물이 남았다. 그 물을 식혀 형에게 마시게 했다. 딱 세 사발을 마시고 나니 형의 병이 감쪽같이 나아버렸다. 노랗던 눈도 제 색을 되찾고 부었던 몸도 부기가 내려 정상적인 몸으로 바뀌었다. 그러더니 금세 기력을 되찾고 일어나는 게 아닌가. 나는 가슴이 철렁했다.

"이거 참, 큰일났네. 정신병은 그냥 두고 황달만 고치면 어떡하나……."

그때 우리의 낙담은 말로 표현하기 어려울 정도였다. 나는 어머니께 항의했다.

"어머니, 참말로 너무하십니다. 큰아들만 눈에 보이고 우리는 보이지 않습니까? 황달로 겨우 이제사 죽을 형님을 되살려놓으면 뒷감당을 어떡합니까. 정신병은 그냥 두고 황달만 고쳐놓으면 이제 정신병 뒷바라지는 누가 합니까? 우린 이제 지쳐서 집 나갈 테니 어머니가 형님과 둘이 사세요."

나의 거센 항의에 어머니는 한숨을 쉬며 말씀하셨다.

"그래, 니 말 나도 안다. 그러나 니도 나중에 자식 낳아 길러봐라. 이 에미 맘 알 끼다. 부모로서 자식 앞세우기가 어떤 긴지 니는 아직 모를 끼다."

어쨌든 어머니의 노력으로 형님의 황달병은 나았으나 정신병은 여전했기에 견디다 못한 우리는 형님을 기도원에 보냈다. 성령의 불 같은 능력으로 정신병을 고친다는 '구원선'이란 기도원이었다. 비용 때문이었다. 기도원은 정신병원보다 비용이 5분의 1 정도로 싸게 먹히는 까닭에 형님을 그리로 보냈다.

기도원으로 들어간 지 두 달쯤 후 어머니와 내가 기도원으로 면회를 갔다. 면회실로 온 형은 옷가지와 음식을 사들고 간 우리 앞에서 아무 말 없이 그냥 울기만 했다. 어떻게 된 거냐? 어디가 아프냐? 대우가 나쁘냐? 묻는 말에 대답도 없이 그냥 울기만 했다. 그리고 무언가 두려워하는 눈길로 사방을 둘러보곤 할 뿐이었다. 나는 이상한 생각이 들어 형님의 윗옷을 벗겨보고는 소스라치게 놀랐다. 온몸에 매맞은 자국이 마치 구렁이를 감아놓은 듯했다.

알고 보니 그 기도원이란 곳은 귀신을 쫓아낸답시고 환자들에게 인정사정없이 매질을 일삼는 데였다. 참나무 몽둥이로 환자들을 때리며 "귀신아, 물러가라"고 고함지르고, 환자가 비명을 지르면 "이놈의 귀신이 어디서 엄살떠는 거냐"며 매질을 계속했다.

그러다가 환자가 거품을 뿜으며 까무러치면 "할렐루야! 귀신 물러갔다"고 환성을 지르는 식이었다. 말하자면 환자를 대할 때 사람은 보이지 않고 귀신만 보이는 것이었다.

정신병도 당연히 하나의 병이다. 그래서 정신병자도 다른 병자들처럼 전문의의 진단과 처방으로 치료를 받아야 한다. 상담치료를 하고, 약을 먹고, 때로는 성직자들의 위로와 기도도 베풀어 치료를 해야 한다. 그러나 한국 교회에는 이 점에 대해 그릇된 생각을 지닌 사람들이 예상외로 많다. 너무나 상식과 과학을 벗어난 인식으로 환자를 대한다. 심지어 한국 교회 안에는 모든 병을 귀신의 역할로 보는 사람들도 있다. 감기는 감기귀신의 장난이요, 암은 암귀신이 들어 걸린다는 생각이다. 그래서 어떤 병이든 의사의 치료가 필요한 것이 아니라 능력 있는 목사가 귀신을 쫓아냄으로써 회복된다고 생각한다. 그래서 예배시간 중에도 난데없이 귀신 쫓아내는 의식으로 소란을 떨곤 한다. 우리는 그 기도원이 그런 곳인 줄도 모르고 형님을 맡긴 것이었다.

형님의 그런 모습을 보고 어머니는 얼굴이 백지장처럼 새하얘지며 신음하듯 한마디 하셨다.

"아이고, 불쌍한 내 아들아……."

나는 어머니와 형의 얼굴을 번갈아 보다가 힘없이 말했다.

"형님, 내가 잘못했습니다. 이런 곳일 줄이야 어찌 생각이나 했겠습니까. 집으로 갑시다. 죽어도 집에 가서 죽읍시다. 이런 곳에서 맞아죽어서야 되겠습니까?"

그 길로 형님을 퇴원시켜 집으로 데려오니 동생이 얼굴을 찌푸리며 항의했다.

"형, 혹 떼러 갔다 혹 붙여 온 거잖아. 죽든 살든 내버려두지 왜 집으로 데려왔어."

"넌 사정도 모르고 그런 말 하지 마. 오죽했으면 집으로 데려왔겠냐."

나는 누나와 동생 앞에서 형의 윗옷을 벗기고 매맞은 자국을 보여주었다. 그리고 차근차근 기도원 사정을 설명했다.

"이런 사정을 알고서야 어떻게 형님을 그냥 그곳에 둘 수 있겠니?"

뜨거운 것이 가난한 집안의 형제 우애라 했던가. 내 말을 들은 누나와 동생은 숙연해져 말했다.

"그래, 진홍아, 오빠 잘 데려왔어. 그런 곳인 줄 모르고 보낸 우리가 잘못한 거야. 병든 것도 서러운데 그렇게 매질까지 당하다니……. 거기 그냥 두었으면 맞아 죽었겠네."

그날로 누나와 동생과 나 삼남매는 마음을 새롭게 다져 형님 돌보는 일에 정성을 쏟기로 했다.

누나가 말했다.

"불쌍한 우리 오빠, 남들에게 맡기지 말자. 남에게 짐을 떠넘기려 한다고 넘겨질 일이 아닌 것 같아. 힘들어도 우리가 보살피자. 어머니를 생각해서라도 우리가 돌보자."

동생도 누나의 말에 공감을 표했다. 형님 병 고치겠다고 월남까지 갔던 동생이다. 동생은 월남에서 돌아온 후 해병대에서 제대하고 공부하여 검정고시를 거쳐 경북대학교 사범대학에 입학, 그때는 대학 재학 중일 때였다.

"그래, 누나, 형, 우리 셋이 일주일씩 당번을 정해 큰형님을 돌보자. 일주일간 자기 당번일 때는 다른 일은 미루고 형님 돌보는 일에만 전심전력하는 거야. 그렇게 하는 것이 어머니 걱정도 덜어드리고 우리도 나중에 후회가 없을 거야."

동생이 이렇게 제의하고 내가 호응했다.

"그래, 그거 좋은 생각이다. 이번 주는 내가 맡을 테니 다음주는 너, 그 다음주는 누나, 그렇게 돌아가자."

우리는 형을 돌보는 일에 열성을 기울였다. 함께 목욕탕에 다녀오고 손톱, 발톱을 깎아주고, 과일을 함께 먹으며 이야기를 나누고, 시집을 함께 읽기도 했다. 성경을 함께 읽으면서 손을 마주 잡고 기도를 드리고, 세상 돌아가는 사정을 자세히 일러주기도 했다. 그리고 형님과 함께 지낸 일과를 낱낱이 기록했다.

그렇게 일주일이 지난 후에는 동생이 맡아 성심껏 돌보았고, 그 다음은 누나가 맡아서 최선을 다했다. 4개월여를 계속했더니 변화가 일어났다. 형이 점점 좋아지기 시작한 것이다.

하루는 형님이 진지하게 말했다.

"나도 이젠 건강이 좋아진 걸 스스로 느낀다. 너희들 그동안 나 때문에 고생들 많았다. 이제는 나도 다만 얼마라도 벌어서 가정에 보탬이 되고 싶다. 노상 너희들만 고생시킬 수는 없잖니?"

나는 형님의 말에 질겁하여 말했다.

"형님, 큰일날 말을 합니다. 직장에 나가다니요. 형님은 집에 가만 계시더라도 제정신으로만 있으면 됩니다. 직장에 나갔다가 제대로 적응하지 못해 다시 병이 도지면 그간에 쌓은 공든 탑이 무너지는 것 아닙니까? 우리 식구들이 형님을 상감마마처럼 모실 테니 그냥 집에서 건강하게만 있으세요."

우리 가정에 다시 웃음이 돌아왔다. 특히 어머니의 기쁨은 이루 말할 수가 없었다. 하루는 눈시울을 적시며 말씀하셨다.

"아들아, 이제 내가 한을 풀었다. 너그 형이 좋아지니 이제 여한이 없구나. 하늘나라 너그 아버지 계신 데로 가도 되겠다."

"어머니, 말씀 잘못하십니다. 모처럼 형님이 좋아졌으니 이제 좀 편안한 생활 누리셔야지요. 천국이 아무리 좋다지만 서둘러 가실 건 없습니다."

근년에 들어 정신병 환자가 해마다 늘어나고 있다. 나는 우리 가정의 경험을 통해 정신병 환자가 있는 가정의 고통을 알고 있다. 그래서 지금도 정신질환자들을 만나면 본인의 고통도 고통이려니와, 먼저 저 환자의 가족들이 얼마나 고통을 겪고 있을까 염려하게 된다.

나는 정신병 치료에 대해서 불치는 없다는 확신을 가지고 있다. 형님의 경우로 미루어보건대 지극한 정성과 보살핌이 정신병 치료의 특효약이라 여기고 있다. 세상의 어떤 명의보다도 그 어떤 약보다도 가까운 사람들의 사랑과 지극한 정성이 환자에게 가장 효과 있는 약이다.

나는 오랫동안 형을 기념하는 정신병원 설립을 꿈꾸어왔다. 어떤 특효약이 있어서가 아니라 환자 가족의 입장을 생각하는 마음으로 정신병원을 운영해보고 싶은 생각에서였다. 다행히 꿈이 이루어져 가고 있다. 부산에 '사회복지법인 두레마을 청십자 정신병원'을 설립하는 일이 진행되고 있어 기쁘기 그지없다. 오랜 세월의 기도가 이루어져 가기에 더 큰 보람을 느낀다.

그러나 형님은 그 후 오래 살지 못하셨다. 그렇게 어렵사리 병에서 회복돼 온 식구들에게 기쁨을 주었으나, 기도원에 있는 동안 매맞고 굶주렸던 탓이었는지 간을 다쳐 간경화증에 걸렸다. 병원에 갔더니 회복하기에는 늦었다며 환자가 하고 싶다는 대로 다 해주라고 의사가 일러줬다.

형님이 세상을 떠나던 날이었다. 아침에 세수하다가 한 세숫대야에 그득할 만큼 피를 토하고 나더니 숨을 거두었다. 그런데 놀랍게도 숨을 거두기 10분 전부터 이변이 일어났다. 온 얼굴에 신비스러운 미소가 떠오르더니 기쁨과 감격이 넘치는 모습으로 바뀌었다. 그리고 행복에 넘치는 목소리로 말했다.

"나 오늘 예수님 나라로 간다. 동생들, 나 때문에 그동안 고생들 많았지? 가서 예수님께 부탁드릴게. 동생들 뒤를 좀 돌봐달라고. 여기서는 못 갚지만 예수님 나라 가서 갚도록 할게."

나는 형의 그런 임종 모습을 대하고 가슴이 떨리도록 충격을 받았다. 그리고 기쁨이 넘치는 형님의 얼굴을 보고 생각했다.

야! 우리 형님은 성공하였구나!

어차피 나그네길을 살다가 떠나는 세월인데 10년을 정신병으로 고통당했어도, 평생을 밑바닥을 헤맸어도 죽을 때 저렇게 죽을 수 있다면, 그것이 바로 성공이 아닐까 하는 생각이었다.

기쁨에 넘치는 형님의 얼굴을 보며 지난 10년 동안 형을 원망하고 미워하던 생각은 한순간에 사라지고 함께 감격을 누리는 마음이 되었다. 대학에서 철학시간에 어느 교수님이 강의하던 말이 생각났다.

"철학은 무엇이냐? 철학의 목표는 무엇이냐? 죽을 때 웃으며 죽을 수 있는 연습이다."

그렇다. 철학도 종교도 결론은 무엇이냐? 임종하는 순간에 저렇게 행복에 넘쳐 죽을 수 있는 길을 찾는 것이 아닐까.

형님은 만면에 미소를 머금고 말했다.

"나를 위해 찬송 한 곡 불러줄래?"

"예, 형님, 무슨 찬송 부를까요?"

"「내 영혼이 은총 입어」를 불러주렴."

우리 가족은 495장을 불렀다. 형님은 기쁨이 넘치는 얼굴로 우리가 부르는 찬송을 듣다가 같이 따라 불렀다.

내 영혼이 은총 입어 중한 죄짐 벗고 보니
슬픔 많은 이 세상도 천국으로 화하도다
할렐루야 찬양하세 내 모든 죄 사함 받고
주 예수와 동행하니 그 어디나 하늘나라

주의 얼굴 뵙기 전에 멀리 뵈던 하늘나라
내 맘 속에 이뤄지니 날로 날로 가깝도다
할렐루야 찬양하세 내 모든 죄 사함 받고
주 예수와 동행하니 그 어디나 하늘나라

높은 산이 거친 들이 초막이나 궁궐이나
내 주 예수 모신 곳이 그 어디나 하늘나라
할렐루야 찬양하세 내 모든 죄 사함 받고
주 예수와 동행하니 그 어디나 하늘나라

3절을 부를 때 형님은 숨을 거두었다. 넘치는 웃음을 띤 채 창문 쪽을 바라보며 손을 앞으로 내밀더니 앉은 자세로 한마디 말을 남겼다.

"예수님이 마중 나오시는구나!"

형님의 임종이 내게 준 감동은 엄청났다. 나 자신의 가치관과 삶의 방향을 바꿀 만큼 뇌리에 크게 남았다. 그 뒤로 나는 죽는다는 것은 참 좋은 것이라는 신념을 갖게 되었다. 판잣집 같은 이 세상을 살다가 호텔 같은 하늘나라로 옮겨가는 것이 죽음이다. 그리고 옮겨가서 예수님 모시고 안식을 누리며 사는 것이라는 확신을 품고 있다. 지금도 나는 '삶과 죽음'에 대해서는 하나의 일관된 생각을 갖고 있다. '살아 있을 동안에는 그리스도의 이름으로 백성들을 섬기는 일을 열심히 하다가 죽음을 맞으면 하늘나라 예수님 곁에 가서 편안히 쉬는 것'이라는 생각이다. 그래서 죽음이란 참 좋은 것이라고 일관되게 생각하고 있는 것이다.

형님이 임종하는 자리에서, 동생들 나 때문에 고생 많았는데 하늘나라 가서 예수님께 동생들 뒤를 봐달라 부탁드리겠다고 말했는데, 그 뒤로 겪은 일들은 그때 그 말을 실감케 했다. 나에게 큰 어려움이 있을 때마다 그 어려움을 극복해나가는 일에 형님이 도움을 주었다.

지금 내가 일하고 있는 남양만에서 개척 초기에 있었던 일이다. 농민을 돕는다고 큰 프로젝트를 시작했다가 실패하여 빚쟁이들에게 시달리고 주민들에게도 불신을 받아 진퇴양난에 빠졌던 때다. 도저히 견뎌나갈 길이 없어 남양만을 떠나려고 밤 사이에 봇짐을 싸놓고 날이 새면 떠나기로 결심하고 새우잠을 자던 중에 형님이 꿈에 나타났다. 평소처럼 생생한 모습이었다.

"동생, 힘들지? 그래도 견뎌내야지. 예수님이 다 알고 계시는 데……."

"형님, 그래요? 지금 내가 고생하고 있는 걸 예수님이 알고 계세요?"

"그럼, 알다마다. 예수님이 다 지켜보고 너를 기특히 여기고 계시니까 어렵더라도 딴 맘 먹지 말고 이겨나가라구. 세월이 지나면 좋은 날이 올 테니."

"그렇다면 이겨나가야지요. 예수님이 알고만 계셔도 저는 견뎌나갈 수 있습니다."

형님과 이런 대화를 나누다가 잠을 깼다. 꿈에서 깨어난 후에도 마음속에 넘쳐 흐르던 기쁨이 그대로 가슴에 가득했다. 그 자리에서 일어나 예배당으로 가서 새벽기도를 드리고는 싸놓았던 짐을 풀었다. 그리고 다시 시작했다.

그런 일이 서너 번 되풀이되니 이제는 조금만 어려워도 꿈에 형님이 안 나타나나 하고 기대하는 마음까지 생긴다.

그리고 동생의 경우도 있다. 대구에서 사업하고 있던 동생이 신앙 생활을 떠나 있다는 말을 듣고는 전화를 걸었다.

"진홍이 형이다."

"형님! 반갑습니다. 바쁘실 텐데 어쩐 일이십니까? 전화를 다 주시고."

"딴기 아니라, 요즘 교회에 나가지 않는다면서?"

"예, 그리 됐습니다. 바쁘기도 하고 관심도 적고 해서 안 나가고 있습니다."

"그러면 안 되지. 동생, 다른 건 몰라도 형 임종하던 때 얼굴 기억 안 나나?"

"와 안 나겠습니까? 그 빛나던 얼굴을 어떻게 잊을 수 있겠습니까?"

"그래, 잊을 수 없지. 그런데 동생, 그 얼굴이 기억난다면서 어떻게 교회에 안 나갈 수 있는가? 하나님이 살아 계심이 분명한데."

"형님, 무슨 말인지 알겠습니다. 다음 주일부터 집사람 데리고 꼭 교회에 가겠습니다."

그 후 동생은 가족들을 데리고 대구 제일교회를 나가기 시작했다.

대학 졸업이 다가오면서 내 마음에 한 가지 갈등이 일기 시작했다. 조금 색다른 갈등이었다. 한마디로 키에르케고르냐, 그룬트비냐 하는 고민이었다. 그 두 사람은 같은 시대를 살다 간 덴마크의 선각자들이다. 키에르케고르는 사색하는 철학자로 살아 실존철학의 창시자가 되었으며, 그룬트비는 행동하는 목사로서 덴마크 국민들의 혼을 깨우치고 민족 정기를 일으키는 일에 평생을 바친 사람이다.

나는 이 두 사람의 대조적인 삶에서 나 자신은 어느 길을 갈 것인가 고민하기 시작했다. 사색하는 철학도의 길이냐, 행동하는 선각자의 길이냐를 두고 고심에 고심을 거듭 했다.

두 사람은 같은 시기에 코펜하겐 대학을 다녔다. 키에르케고르는 철학자의 길을 걷느라 연인 레기나와 맺은 약혼도 파기하고 순수사유의 세계를 파고들었다. 그는 스스로를 일컬어 "나는 높은 산 위에 홀로 서 있는 노송(老松) 같은 사람이다. 고독하고 고독하여 새들도 와서 깃들이지 않는다. 나는 고독 속에서 신 앞에 단독자(單獨者)로 서기를 내 철학의 주제로 삼는다"고 했다. 그는 철저히 자기 자신의 내면을 파고들며 자신의 혼을 실은 글들을 남겼고, 그 글들은 후대에 깊은 영향을 미쳤다.

그룬트비의 길은 달랐다. 그는 대학에서 신학을 공부하고 졸업하던 해에 목사고시를 치렀다. 그 고시에서 그는 낙방했다. 고시과목 중에 설교시험이 있었는데 그는 '덴마크 교회 지도자들이여, 회개하라' 라는 제목으로 설교했다. 고시위원들은 그를 낙방시켰다. 요즘 말로 하면 '괘씸죄'에 걸린 것이었다. 목사고시에 떨어진 후 외딴섬으로 전출된 그는 그곳에서 신경쇠약에 걸렸다. 젊은 날의 투지도 기백도 사라지고, 자기 한몸 감당하기 어려운 폐인이 될 지경에 이르렀다. 한밤중에 큰 구렁이가 자기 몸을 친친 감고 죄어오는 환각에 빠질 때도 있었다. 그가 질러대는 비명을 듣고 사람들이 달려가 보면 자기 손목을 자기가 잡고는 "뱀이야! 뱀이야!" 하고 소리를 질러대더라는 것이었다.

이런 위기에 직면했을 때 그는 신 앞에 무릎을 꿇었다.

"신이여, 은총을 베푸시옵소서. 이 어둠에서 나를 건져주시옵소서!"

그는 간절히 간절히 부르짖었다. 생사를 걸고 하늘에 호소하였다.

드디어 어느 날, 하늘이 열리는 체험과 함께 신의 손길이 그에게 닿았다. 이어서 뜨거운 성령 체험에 사로잡힌 그는 감격과 감사의 눈물을 흘리게 되었다. 이런 영적 체험 후 그는 치유되었고 그 후로 그의 설교는 불을 뿜었다. 확신과 비전이 넘치는 설교자로 변신한 것이다. 그는 뜨거운 열기를 지니고 덴마크 국민들에게 '하나님 사랑' '땅 사랑' '사람 사랑' 이라는 삼애(三愛)정신을 불어넣었다.

그의 설교를 들은 젊은이들이 깨어나기 시작했다. 크리스티안 콜이란 젊은이는 그의 설교에 감명받아 농촌으로 가서 농민학교를 세웠다. 이것이 저 유명한 덴마크 국민고등학교 운동의 시작이다. 달가스란 퇴역장교는 황폐해진 덴마크 땅에 나무를 심기 시작했다. 어떤 이는 체조운동을 일으켰고, 어떤 이는 생활개선운동을 벌였다. 이들 운동을 통해 덴마크 역사가 다시 일어서게 되었다. 덴마크 민족은 좌절의 역사를 딛고 일어나 복지국가로 발돋움하게 되었다.

나는 대학시절 막바지에 키에르케고르의 길을 가느냐 그룬트비의 길을 가느냐, 철학자의 길이냐 개혁자의 길이냐를 두고 갈등과 고민을 하게 된 것이다.

그런 고민에 빠져 있던 졸업학기인 11월에 나는 모교의 해외 유학생으로 선발되었다. 교비로 전액 장학금을 지원받아 미국에서 철학박사 학위를 받을 때까지 공부할 수 있게 된 것이다.

철학과 4학년 김진홍을 제1회 해외유학생으로 선발한다는 공고가 게시판에 붙자 친구들이 부러워하면서 축하해주었다. 그때만 해도 미국 유학이 어려웠던 시절이었다. 나는 모교의 재정 지원을 받아 미국에서 철학박사 학위를 받고 모교에 돌아와 철학교수로 종신하겠다는 생각을 굳혔다.

그런데 문제가 생겼다. 졸업이 다가오면서 전공과목인 철학서적을 읽노라면 끊임없는 의문이 일어나는 것이었다. 다름 아니라 '철학이란 해답 없는 질문의 연속인 학문이 아니냐'는 의문이었다. 정답이 없는 질문, 그것이 철학이 아닐까. 서양으로 말하자면 소크라테스로부터 하이데거에 이르기까지, 동양으로 말하자면 공자와 맹자로부터 오늘에 이르기까지 철학은 끊임없이 질문하고 질문했다. 그러나 어느 시대에도, 어느 철학자에게서도 정답은 나오지 못했다. 각자가 해답이라고 말들은 했으나 그 어느 것도 정답이 되지 못했다. 뒤를 이은 후배가 그 해답을 부정했고, 다음 세대가 다시 그 이론을 무너뜨리곤 했다.

철학자 중의 철학자로 인정받는 독일의 이마누엘 칸트는 모든 철학적 질문을 세 가지로 모았다. 그리고 하나하나의 질문에 한 권씩의 책을 썼다.

첫번째 질문은 도대체 인간은 무엇을 인식할 수 있느냐는 것이었다. 그의 주저 『순수이성비판』에 담긴 내용이다. 두번째는 사람은 어떻게 살아야 하느냐는 질문이다. 『실천이성비판』이란 책에 담긴 내용이다. 세번째는 인간은 무엇을 바랄 수 있느냐는 질문이다. 이것은 『판단력비판』이란 책으로 나타났다. 첫번째 질문인 무엇을 인식할 수 있느냐는 인식론의 문제요, 두번째 어떻게 살아야 하느냐는 윤리학의 문제다. 그리고 세번째 무엇을 소망할 수 있느냐는 종교의 문제다. 칸트는 이런 질문을 내걸고 평생을 사유하였으되 그 역시 해답을 얻지 못했다.

어느 날 밤 깊은 시간에 나는 책상 위에 20여 권의 철학서적들을 쌓아두고 생각했다.

이 책들 속에 담긴 내용에 내 인생을 걸 수 있을까?

나는 무언가 흡족하지 못함을 느꼈고, 내 영혼 깊은 곳에 채워지지 못하는 갈증을 느꼈다. 이래서는 안 되는데……. 무언가가 잘못되었어…… 하는 느낌을 지울 수 없었다.

그런 중에도 세월은 흘러 졸업식이 다가왔다. 1966년 2월이었다. 수석입학에 수석졸업을 한 덕분에 조교로 남게 되고, 미국 유학 수속을 밟으며 철학자가 되는 길을 걷고 있었다. 내가 모시던 철학과 교수님들은 가끔 햇병아리 조교인 내게 대신 강의를 맡기시곤 했다.

1966년 5월 어느 날, 영문학과와 철학과 1학년이 수강하는 교실에서 나는 철학개론을 강의하고 있었다. 인생관에 대한 주제로 열강을 하고 있는데, 한 학생이 손을 들고 물었다. 영문과 학생이었다.

"교수님, 질문이 있습니다."

"예, 질문하세요."

"교수님, 진리가 무엇입니까?"

돌이켜보면 그때 그 학생의 한마디 질문이 내 인생 여정에서 하나의 전기가 되었다. 애초에 내게는 벅찬 질문이었다. 대답할 적합한 말이 떠오르지 않은 나는 망설이던 끝에 칸트의 진리 개념을 설명하기 시작했다.

"칸트는 그의 주저 『순수이성비판』의 앞부분에서 진리에 대해 논했다. 그의 설명에 의하면 어떤 사물이나 사건에 대해 내 머릿속에 있는 개념과 그 사물 혹은 사건 자체가 일치할 때 그것이 진리라고 설명하고 있다. 예를 들어 내 손에 쥐어져 있는 만년필로 말하자면, 내 머릿속에 담겨 있는 이 만년필에 대한 생각과 이 만년필 자체가 일치될 때 그것이 진리란 것이다. 일컬어 인식론상의 진리다."

나는 이런 내용을 열심히 설명하고는 알아들었느냐는 몸짓으로 그 학생의 얼굴을 보았다. 그는 픽 웃으면서 되물었다.

"교수님, 그런 진리말고요, 내가 그것을 위해 살다가 그것을 위해 죽을 수 있는 그런 진리를 묻고 있는 겁니다. 칸튼지 누군지가 말했다는 그 진리가 나와 무슨 상관이 있습니까?"

나는 몹시 당황했다. 내 정신세계의 가장 큰 약점을 그 학생이 지적한 셈이었다. 그 자리에서 내가 할 수 있는 유일한 길은 솔직히 대답하는 것뿐이었다.

"그런 진리는 나도 모릅니다. 나도 지금 그런 진리를 찾고 있는 중입니다."

나의 어색한 대답에 그가 다시 따지듯 물어왔다.

"교수님은 오늘 강의를 시작하면서 철학은 진리를 찾는 학문이라고 하셨습니다. 그런데 교수님도 아직 진리가 무엇인지 모르고 계신다니, 그렇다면 수업을 더 계속할 필요가 없는 거 아닙니까? 모르시는 것을 모르는 우리들에게 가르치시는 것은 서로 시간낭비 아니겠습니까? 그만 수업을 마치는 게 어떻겠습니까?"

그의 말에 온 강의실의 학생들이 와 하고 웃음을 터뜨렸다. 나는 난처하고 당황하기 이를 데 없었다. 남은 시간을 어물어물 넘기고는 끝나는 벨이 울리자마자 허겁지겁 연구실로 돌아왔다. 의자에 앉자 심호흡을 몇 번 하고는 생각했다.

그 학생이 제기한 질문은 타당한 것이었다. 나도 모르는 것을 가르친다는 것은 마치 장님이 장님을 안내하는 것만큼이나 난센스다. 그렇다면 어떻게 할 것인가? 내가 그것을 위해 살다가 그것을 위해 죽을 수 있는 그런 진리를 체득하기 전까지는 가르치기를 중단해야 하는 게 아닐까? 지금은 풋내기 조교니까 강단에 서지 않아도 되겠지만, 장래에는 어떻게 되는가? 그런 확고한 진리를 깨달아 소유한 후에 철학교수가 되어야 하는 게 아닐까?

왕자 석가모니는 생로병사에 대한 의문이 깊어지자 왕궁을 떠났다. 눈 덮인 산에서 7년의 고행을 쌓은 후에 도를 깨우쳤다. 그리고 가르치기 시작했다. 나사렛 예수도 그랬다. 그는 유대땅 후미진 마을 갈릴리에서 목수로 일하다가 서른이 넘어서야 하늘의 뜻을 터득했다. 그리고 가르치기 시작했다.

때가 찼고 하나님의 나라가 가까웠으니 회개하고 복음을 믿으라.

• 신약성서 「마가복음」 1장 15절

예수가 가르치기 시작한 첫 마디였다. 때가 찼다는 말은 무슨 뜻일까? 자신이 가르칠 때가 찼다는 말일까? 아니면 백성들이 들어야 할 때가 찼다는 것일까? 그것도 아니라면 하늘의 뜻이 백성들의 삶 한가운데로 임하는 때가 찼다는 말일까? 나도 석가모니나 예수처럼 깨달음에 이르고 때가 찼음을 확신하게 된 후에 가르쳐야 할 것인가? 다른 선배 철학교수님들은 어떤가? 무언가 깨달음의 자리에 오른 후에 가르치고 있는 것일까? 모르긴 해도 나와 오십보 백보일 것이다. 물론 그 지식의 너비나 인간 이해의

폭은 나와 비할 바 아니겠으나 '모르고 가르치기' 는 마찬가지일 것이다.

어느 대학 할것없이 철학과 교수님들은 자신이 체득한 삶의 의미를 강의하는 것이 아니라 서양철학자들의 저서를 읽고 번역하여 소개하는 수준이 아닐까? 그래서 모 대학의 모 박사는 칸트 전공이다, 모 대학의 누구는 하이데거 전공이다 하여 자기가 전공한 철학자의 책을 읽고 번역하고 논문을 낸다. 학위를 받고 세월이 흐르면 권위가 붙는다. 자기 삶으로 익힌 진리를 말하는 것이 아니라 머리로 이해한 칸트나 하이데거를 말한다. 그걸 들은 학생들은 그렇지 않아도 모르던 데에서 더 모르게 되고 혼란에 빠져든다.

나도 선배 철학교수들과 같은 방식으로 살아갈 수 있을까? 교비장학생으로 선발되었으니 미국에서 학위받고 귀국하여 강단에 서게 되었을 때 무엇을 가르칠 수 있을까? 그때에도 학생이 "진리가 무엇입니까?"라고 물어온다면 어떤 대답을 하게 될 것인가? 자신이 없었다. 한 번 사는 인생인데 그렇게 살아갈 수는 없지 않을까 하는 생각이 마음속 깊은 곳에서 끊임없이 솟아올랐다.

그 시간 이후 나는 장고(長考)에 장고를 거듭해 한 귀착점에 이르렀다.

세월이 흐른 후 나 자신에게나 후학들에게 이렇게 사는 삶이 진리로 사는 삶이요, 참된 가치를 창출하는 삶이다.

그렇게 확실히 말해줄 수 있는 삶을 살아야겠다는 결론이었다. 비록 생활수단으로서의 직업은 이발사건 농부건 간에, 자신이 확신하는 바에 따라 살고 또 자신의 삶의 현장(Sitz im Leben)

속에서 터득한 가치를 구체화하는 삶을 살아야 하지 않겠는가? 그렇다! 고민하는 대학교수보다 건강한 농부가 바람직하다. 신경쇠약에 걸린 박사보다 단잠 자는 노동자가 바람직하다.

그리고 원효대사를 생각했다. 신라땅의 구도자였던 청년 원효는 부처님의 도를 닦기 위해 당나라로 향했다. 지금 내가 일하고 있는 남양만, 당시의 당항성에서 어느 날 밤 한 초옥(草屋)에 지친 몸을 누였다. 그는 한밤중에 갈증으로 깨어나 물을 찾았다. 스며드는 달빛에 물이 담긴 항아리가 보였다. 그는 반갑게 여겨 물을 마셨다. 달기가 꿀 같은 물맛이었다. 다시 잠이 든 원효는 다음날 아침 잠에서 깨어나 어젯밤 보았던 항아리가 해골바가지였고 그 속에 담겼던 것은 시체가 썩은 물이었음을 알게 되었다. 어젯밤 그렇게 달고 시원했던 물이 바로 해골 속의 썩은 물이었음을 알게 된 순간 갑자기 속이 뒤틀리고 구토가 일었다. 그리고 뒤늦게나마 토해내느라 고통을 겪었다. 그 순간 그에게 하나의 깨달음이 왔다.

마음이 생겨나니 갖가지 법이 생기고
마음이 없어지니 갖가지 법이 없어지는구나
욕계, 색계, 무색계의 삼계는 오직 마음뿐이요, 만 가지 법은 오직 생각뿐이로다
마음 밖에 법이 없으니 굳이 따로 구하여 쓸 것이 없구나
나는 당나라에 들어가지 않겠다
心生則種種法生
心滅則種種法滅

三界唯心萬法唯識

心外無法胡用別求

我不入唐

　도가 당나라에 있는 게 아니라 내 마음속에 있다. 물은 같은 물이로되 어젯밤 내 마음이 단물이라 여겼을 때는 달았고 오늘 아침 썩은 물이라 여겼을 땐 토해냈다. 모든 것이 마음속에서 일어나는 조화로구나. 마음으로 인해 번뇌가 오고 마음으로 인해 평화가 온다. 내 마음을 갈고 닦음이 도에 이르는 길인즉 굳이 당나라로 갈 것이 없다.

　그렇게 깨달은 원효는 당나라로 가던 발길을 돌려 신라로 되돌아가서는 토굴로 들어갔다. 그리고 토굴 속에서 자신의 마음을 갈고 닦기 시작했다. 그때 원효의 나이 45세였다. 그는 정진에 정진을 거듭하여 마침내 도의 경지에 이르고 걸출한 진리인인 무애인(無碍人)이 되었다.

　나도 원효처럼 살고 싶었다. 철학다운 철학을 이루어나가려면 미국 유학을 하고, 박사학위를 받고, 책 속에 갇혀 사는 삶이 아니라 내 마음을 갈고 닦아야 하지 않을까? 이 시대에도 원효가 있어야 하지 않을까? 우리 조상님들의 혼과 얼이 밴 이 땅 어딘가에서 내 삶의 뜻을 깨우쳐나가야 하지 않을까?

　생각이 여기에 미치자 나는 그때까지 계획하고 진행시켜오던 모든 일을 중단하고 백지상태에서 인생수업을 나서기로 결심했다. 스님이 되려는 사람들이 출가하여 머리를 깎는 마음가짐으로 나는 세상 한복판에 자신을 던져 구도의 길을 걸어보기로 했다.

만리동 고갯마루

여름방학이 시작되자마자 나는 얼마쯤 돈을 마련하여 서울로 갔다. 그리고 서울역 뒤 만리동 고개에서 아이스케키 장사를 했다. 아이스케키 하나를 2원 70전에 받아 5원에 팔았다. 하루 300개 정도를 팔면 끼니는 해결할 수 있었다. 마포 언덕의 만리동 고갯마루에 소의초등학교가 있었다. 교문 옆에 아이스케키통을 놓고 그 위에 걸터앉아 "아이스케키— 두 개 시—버—언!" 하고 소리를 질렀다. 밀짚모자를 깊숙이 눌러쓰고 눈께에 구멍을 두 개 뚫어놓고는 그리로 세상을 내다보며 지냈다. 일본의 도요토미 히데요시가 젊은 날 한때 바늘장사를 하며 바늘구멍으로 세상을 내다보았다는 말을 기억하고 나는 밀짚모자 구멍으로 세상을 살피겠다는 생각을 했던 것이다.

아이스케키통을 둘러메고는 만리동 고개를 내려와 서울역 광장을 돌아 남대문을 거쳐 명동까지 갔다가 다시 발길을 돌려 시청을 돌아 만리동 고개로 되돌아오곤 했다. 하루에도 몇 번씩이 코스를 돌며 "아이스케키― 두 개 시―버―언"을 되풀이 외쳐 댔다.

보통때는 세 끼 밥값과 잠자리 비용을 마련할 수 있었으나 날 씨가 흐리면 끼니조차 간데없었다. 당시 초등학교에는 급식빵이 있었다. 강냉잇가루와 밀가루를 섞어 만든 빵을 매일 하나씩 아이들에게 배급해주었다. 아이들은 그 빵이 맛이 없다며 내게 가져와 아이스케키와 바꾸어 먹자고 했다. 하루 세 끼 해결하기가 쉽지 않았던 나는 급식빵 하나에 아이스케키 두 개를 주고 맞바꾸었다. 저녁때가 가까워지면 아이스케키통은 급식빵으로 채워졌다.

나는 그 빵을 잠을 자는 남대문 합숙소로 가져가 숙박 동료들과 나누어 먹곤 했다. 그러기를 거듭하니 자연히 인기가 높아져 대구 김씨, 대구 김씨 하며 저녁마다 나를 찾는 이웃들이 늘어갔다. 무능하고 게을렀지만 소박하고 인정미 있는 사람들이었다.

내가 장사 터전으로 삼고 있던 소의초등학교 교문 옆에도 사람들이 모이기 시작했다. 학교 담벽 그늘에 앉아 있노라면 온갖 행상들이 지나갔다. 남루한 옷차림에 지쳐 있는 잡상인들의 모습에서 민생고가 무엇인지 가슴 아프게 느낄 수 있었다. 나는 만리동 가파른 고갯길을 오르내리며 생명을 부지하려 애쓰는 그들에게서 정을 느껴 그들을 불러세웠다.

"아주머니, 여기 그늘에서 잠시 쉬어 가시라요. 내 아이스케키 하나 드리리다."

내 호의에 처음에는 서먹서먹해하고 미심쩍어하던 사람들도 이내 허물없는 사이가 되었다. 많은 행상인들이 그 목을 지날 때면 으레 아이스케키 하나 받아들고 쉬어 가는 곳으로 여기게 되었다. 나는 그들이 쉬는 동안 이런저런 이야기 나누는 것을 낙으로 삼았고, 그것이 세상 공부가 되었다.

그렇게 지내던 어느 날, 그날도 소의초등학교 담벽에 기대앉아 "아이스케키— 두 개 시—버—언!" 하고 소리치고 있으려니 한 젊은이가 힘겹게 손수레를 끌며 고갯길을 올라오고 있었다. 목수건으로 연방 이마의 땀을 닦아내는 젊은이의 손수레 위에는 튀긴 강냉잇자루, 빨랫비누, 세숫비누 등이 놓여 있었고 손수레 안에는 빈 병이며 헌 시계, 고무신 등이 들어 있었다. 가을부터 봄까지는 엿을 싣고 다니지만 초여름에는 더위에 엿이 녹아내리기에 튀밥이나 비누 같은 일용품을 싣고 골목골목을 다니며 고물과 바꾸는 엿장수였다.

나는 고갯길을 오르는 그에게서 여느 엿장수와는 다른 분위기를 느끼고 늘 하던 대로 그를 불러 세웠다.

"여보시오, 젊은 양반, 좀 쉬어 가소. 내 아이스케키 하나 드리겠수다."

그는 담그늘로 들어와 목수건으로 얼굴의 땀을 훔치면서 말했다.

"야, 이거 더워서 못해먹겠는데요. 고맙소. 하지만 케키값은 드리겠수다."

"원 별말씀을. 그냥 하나 드리는 거이니 신경쓰지 마시오. 어떻수? 요즘 같은 더위에 고물장사가 힘들 텐데."

"그냥 간신히 밥이나 먹지요."

그는 내가 건네준 아이스케키를 먹으며 목에 걸었던 수건을 손수레 위에 던졌다. 손수레 위에 떨어지는 수건을 무심코 따라가던 내 눈에 제본이 잘된 외국 책 한 권이 들어왔다. 무슨 책일까? 궁금한 마음에 책 제목을 읽던 나는 눈이 번쩍 띄었다. 독일 철학자 하이데거의 저서인 『형이상학이란 무엇인가』였다.

생각지도 않은 자리에서 내 전공인 철학서를 보게 되니 반가운 마음에 책을 집어들며 물었다.

"노형, 이 하이데거 책 어디서 구했소? 이 책 날 줄 수 없겠소?"

엿장수가 하이데거의 책을 읽을 리는 없을 테고, 아마 강냉이와 헌책을 바꾸는 중에 따라왔다가 책 제본이 잘되어 있으니 골라서 손수레 위에 놓은 것쯤으로 생각했다. 그러나 젊은이는 아이스케키를 먹다 말고 의아한 표정으로 나를 살피며 되물었다.

"아니, 이것이 하이데거 책인 줄 어찌 아시오?"

그때 마침 내 아이스케키통 위에도 철학책이 한 권 놓여 있었다. 영국 철학자 러셀이 쓴 『철학이란 무엇인가』였다. 의아스럽게 나를 훑어보던 그의 눈길이 러셀의 책에 닿자 그는 깜짝 놀란 표정으로 물었다.

"당신이 이 책을 읽는 거요?"

우리는 서로 통성명을 했다. 서울대 철학과를 졸업한 그는 서울의 어느 여자고등학교 독일어 교사였노라고 했다. 그런데 여고생들이 독일어 학습에 별반 성의가 없이 수업시간에 떠들고 졸기만 하기에 사직하고 이렇게 세상구경이나 하며 다니는 중이라고 했다.

그의 표현대로 옮기자면 독일어 가르치기에 하품이 나서, 데

어 데스 뎀 덴(Der, Des, Dem, Den), 될 대로 돼버려라, 팽개쳐버리고는 엿장수가 되어 철학 실습을 하는 중이라며 너털웃음을 웃는 것이었다.

자신은 그렇다 치고, 당신은 무슨 일로 아이스케키 장사를 하느냐고 묻기에 나는 칸트니 듀이니 하는 서양철학자들의 책에서 뭔가가 나올 것 같지 않아 손떼고, 서민들의 살아가는 숨결을 느끼며 무언가를 찾아보려고 헤매는 중이라고 대꾸했다.

우리는 의기가 투합되고 배짱이 맞아 대폿집으로 직행했다. 엿장수 손수레도 아이스케키통도 누가 가져가려면 갖고 가버리라는 마음으로 길가에 그냥 버려둔 채 대폿집을 찾아들었다. 대폿집 나무의자에 걸터앉은 우리는 뿌연 막걸리 사발을 서로 권하며 인생을 논하고 세상을 논했다. 혀가 꼬부라져 말이 잘 나오지 않을 때까지 노닥거렸다. 그는 술기운이 거나하게 오르자 호기를 부리며 말했다.

"옛날 공자 형님께서 말씀하시기를 조문이도(朝聞而道)면 석사(夕死)라도 가(可)하니라……. 아침에 도를 들으면 저녁에 죽어도 좋겠다고 하셨다던데 김형, 그거 옳은 말이외다. 시방 내가 그 마음이오. 공자 형님 말이 바로 내 말이다 이거요. 끄윽— 지금 내게 누군가가 살아갈 이유, 즉 존재 이유를 말해준다면 평생 그를 섬기겠수다. 그리고 누군가가 내게 어떻게 살아가야 할 건지를, 다시 말해서 존재 방식을 일러준다면 그를 내 주인으로 모시고 평생 그의 머슴이 되겠수다. 허나 찾고 찾아다녀도 그럴 만한 주인을 못 만나겠구려. 김형, 끄윽— 결론적으로 머슴은 있되 주인이 없다, 이 말이외다. 나는 섬길 주인을 찾아 손수레에 엿을

신고 골목골목 누비기를 해 넘겼수다. 헌데 주인은 나타나지 않고 헛된 세월만 가고 있구려. *끄윽―*"

그는 그렇게 사설을 늘어놓고 나서 연거푸 긴 트림을 뱉어냈다. 그 말을 듣고 있던 나도 사뭇 심각해졌다. 그의 말이 바로 내 말이었기 때문이다. 나는 그에게서 나의 분신을 보는 것만 같았다.

그와 헤어진 후 나는 아이스케키통을 어깨에 메고 서울역 광장을 걸으며 그가 했던 말을 되뇌었다.

"종은 여기 있는데 섬길 주인이 없다."

"평생을 바쳐 섬기고 싶은데, 그럴 만한 주인을 찾지 못했다."

"주인 찾아 서울 거리를 헤맸으나 헛되이 세월만 가버렸다."

때맞춰 교회당에서 종소리가 들려왔다. 나는 종소리가 울리는 쪽으로 갔다. 서울역 가까이에 있는 교회였다. 교회당 입구에 '심령부흥성회'라고 쓴 현수막이 걸려 있었다. 교회당 안은 이미 찬송 소리, 박수 소리, 기도 소리로 열기가 가득했다. 나는 뒷자리에 앉아 기도를 드리기 시작했다.

"신이시여!

우주를 꿰뚫으시는 진리시여!

모든 존재하는 것들의 의미시여!

당신이 계시다면 오늘 저녁 나에게 나타나주시옵소서!

오늘 나를 사로잡아주시옵소서!

나를 뜨겁게 하여 주시옵고, 나를 이 고뇌와 방황에서 벗어나게 하시고 나로 자유인이 되게 하시옵소서!

세상에 대해서는 자유케 하시고 오직 당신의 종만이 되게 하시옵소서!"

어린 시절부터 섬겨왔던 '하나님'을 잃어버린 나는 무턱대고 어딘가에 있을 것 같은 신을 향해 온 정신을 다하여 기도를 드렸다. 마치 길 잃은 어린이가 부모를 찾듯이 간절한 마음을 담아 신을 찾았다.

"신이시여!

당신이 존재하신다면 이 저녁에 나타나주시옵소서!

오늘 저녁 설교자의 입을 통해 나에게 깨달음이 임하게 하시옵소서!

저녁 목사님의 설교를 통하여 당신이 계심을 확인시켜주시옵소서!

당신이 계시다는 것만 확인된다면 나는 무조건 당신의 종이 되겠습니다.

평생을 당신의 종으로만 머물겠습니다."

목마른 노루가 시냇물을 구하듯이 기원을 했다. 그리고 목사님의 설교를 기다렸다.

그러나 그날 저녁 목사님의 설교는 길 잃은 내 영혼이 길을 찾기에는 너무나 거리가 먼 내용이었다. 석조건물인 그 교회는 예배당을 증축하는 중이어서 건축에 들어가는 건축비를 모금하고 있었다. 어떤 특정한 목적을 위해 열린 특별 성회였다. 강사의 설교는 헌금을 많이 하는 성도가 복도 많이 받는다는 내용이었다. 아무개 장로, 아무개 집사가 건축헌금 얼마를 냈더니 사업이 번창해졌다는 사례가 연이어 소개되었고, 그때마다 교인들은 아멘, 아멘을 거듭했다. 결론 부분에 이르러서는 집을 팔아서라도 건축헌금을 바치면 하나님이 열 배, 백 배 큰집을 주신다는 말로 마무리를 지었다.

신의 계시는 낌새도 없었고 하품만 나왔다. 도대체 예수를 만나게 해주어야 헌금을 하든 몸을 바치든 하겠는데, 예수는 그림자도 비치지 않고 헌금부터 하라니 하품이 나오지 않을 수 없었다. 나는 설교가 끝나기도 전에 일어나 교회 현관을 벗어나며 한마디 중얼거렸다.

"돈 많이 거둬 좋은 집 짓고 잘 먹고 잘살아라."

그날 밤 이후 2년의 세월을 더 방황하던 끝에 나는 결국 주인 예수를 만났고, 예수를 주인으로 모신 후에 신학교로 가서 목사가 되었다. 그리고 신학교 학생시절에 빈민촌으로 들어가 교회를 세웠다. 주인이신 예수께서 기뻐하는 일이라 여겼기 때문이다. 그래서 교회 이름도 활빈교회(活貧教會)라 지었다. 예수 그리스도를 믿는 믿음으로 가난을 이기고 살자는 뜻이 담긴 이름이었다. 그렇게 세운 활빈교회에서 어언 30여 년 해온 목회에서 나는 교인들에게 돈 내라는 말을 하지 않았다. 젊은 날 내가 방황하던 때에 겪었던 경험 탓이다.

그때나 지금이나 방황하는 영혼들이 진리에 갈급하여 교회를 찾아든다. 교회가 그들에게 진리 그 자체인 예수를 제대로 만나게만 해주면 그들은 삶을 통째로 바칠 준비가 되어 있다. 그러나 교회는 그들에게 예수는 보여주지 못하고 돈을 바쳐라, 땅 사자, 집 짓자, 목사를 섬기라고 한다. 그 때문에 실망한 영혼들은 교회를 떠나 세상으로 나간다. 더러는 바른 길을 찾다가는 그릇된 길로 나아가 사이비나 이단의 올무에 빠져들게 된다. 교회에는 목사를 쳐다보고 복받아 잘살겠다는 사람들만 남는다. 그렇게 골이 빈 사람들로 채워진 교회는 골빈당으로 바뀐다. 참으로 애석하고 안타까운 일이다.

서울역 가까이 있는 그 교회에서 그렇게 실망을 품고 나온 그날 밤 나는 그 길로 서종삼으로 갔다. 서울 종로 3가 뒷골목에 이름난 창녀촌이 있었는데, 서울의 종로 3가에 있다 해서 '서종삼'이라고 불렀다.

피카디리 극장 뒷골목으로 접어드니 요란스레 화장한 색시들이 길손들을 잡아끌고 있었다. 나에게도 한 아가씨가 착 달라붙으며 팔짱을 끼더니 "놀다 가세요" 하고 잡아끌었다. 나는 그녀가 이끄는 대로 따라들어갔다.

나를 골방으로 데려간 그녀는 제멋대로 생긴 얼굴에 애교를 떤답시고 눈을 흘기며 물었다.

"아저씨, 긴 밤 하겠어요, 숏타임으로 하겠어요?"

긴 밤은 무엇이고 쇼트타임은 무엇인지 알 턱이 없는 나는 멍청히 서 있다가 물었다.

"긴 밤은 뭐고 숏타임은 뭐요?"

"아저씨, 괜히 초짜처럼 시침떼지 마세요. 이런 데 많이 다녀보신 분 같은데요, 뭘."

원, 세상에, 나보고 서종삼에 많이 다녀본 사람 같단다. 말하자면 프로 냄새가 난다는 말이다. 칭찬도 아닐 테고 그렇다고 흉도 아닐 테지만, 어쩐지 착잡한 기분이 들게 하는 말이었다. 내가 멍청히 서 있기만 하자 그녀가 다시 말했다.

"아저씨, 정말 모르시나 봐. 숏타임은 잠시 놀다 가는 거구요, 긴 밤은 주무시고 가는 거예요. 아저씨, 긴 밤으로 하세요. 서비스 잘해드릴게요."

"긴 밤으로 하면 얼마나 되는데요?"

"아직 초저녁이니 삼천 원은 주셔야 해요."

아이스케키 장사 밑천과 비상금까지 몽땅 털어 2천 몇백 원을 주자 그녀는 이내 옷을 벗었다. 마치 신발 벗듯이 쉽게 벗었다.

나는 처음 해보는 작업이라 두서없이 허둥지둥 끝나버렸다. 엉겁결에 끝나자 후회부터 앞섰다.

이런 게 아닐 텐데, 도저히 이런 게 아닌데.

그녀는 남의 속도 모르고 팬티를 끌어올리며 말했다.

"이 아저씨 순 맹물 아냐?"

조롱하는 듯한 표정을 지으며 그녀는 거울 앞에서 머리를 매만지고 있었다. 불결감이 치밀어 가슴이 울렁이며 토할 것만 같았다. 나는 아가씨의 눈길을 피해 벽에 걸린 달력을 보다가 말했다.

"아가씨, 미안하지만 다른 방에 가서 잘 수 없겠어요?"

"왜요, 내가 싫으세요?"

"아니, 책이나 좀 읽다가 잘까 해서요."

"그럼, 새벽에 다시 올게요."

"아뇨, 안 와도 돼요, 이걸로 족해요."

그녀의 얼굴이 갑작스레 밝아지며 나갔다. 아마 다른 상대를 골라 수입을 더 올릴 수 있게 되어서 좋아하는 것 같았다. 나는 잠자려고 애썼으나 잠을 이룰 수가 없었다. 눅눅한 이부자리, 습기찬 방바닥, 얇은 칸막이 한 장 사이로 들려오는 옆방의 숨소리. 신경이 날카로워지고 속이 불편해지면서 후회가 막급했다. 인간이란 동물에 대해, 나 자신에 대해 혐오감이 일었다. 남자와 여자가 잔다는 것이 이래서는 안 되는데……. 그 갈망에 비해 결과가 너무 허무하지 않은가.

나는 일어나 가방 밑에 넣어두었던 성경을 꺼냈다. 그리고 단정히 무릎 꿇고 앉아 두 손바닥 사이에 성경을 끼운 채 마치 주문이라도 외우듯 중얼거렸다.

"하늘에 계시는 신이시여! 이 책이 정녕 당신의 책이라면 지금 내가 펼쳐서 눈이 닿는 말에서 내게 깨달음을 주시옵소서! 아멘!"

나는 눈을 감고 성경을 펼쳤다. 숨을 멈추고 펼쳐진 곳을 보니 구약과 신약 사이에 끼워놓은 백지였다. 백지를 보고 도(道)를 깨우칠 수는 없는 노릇이었다. 포기하지 않고 다시 접었다가 펼쳤다.

"「예레미야」20장, 제사장 임멜의 아들 바스훌은 여호와의 집 유사장(有司長)이라 그가 예레미야의……."

뜻모를 말이었다. 다시 성경을 접었다가 펼치니 「로마서」13장 1절이 눈에 들어왔다.

"각 사람은 위에 있는 권세들에게 굴복하라 하나님께로 나지 않음이 없나니……."

실망한 나는 성경을 접어 가방에 넣어버렸다. 새우잠을 자다가 새벽녘에 그 골목을 빠져나왔다.

아침도 거른 채 아이스케키 집으로 갔다. 아침마다 아이스케키통을 메고 나올 때는 보증금을 맡겨야 했다. 통을 멘 채로 그냥 사라질 수도 있었기 때문이다. 그러나 어제 저녁 서종삼 씨 댁에서 보증금을 다 써버린 뒤라 주민등록증과 세면도구가 든 가방을 맡기고 아이스케키통을 받았다. 그리고 다시 만리동 고갯마루의 소의초등학교로 가서 담을 의지하고 앉았다. 똑같은 생활이 이어졌다.

그런데 며칠 지나지 않아 문제가 생겼다. 평생 겪어보지 못한 일이었다. 국부에 따끔따끔 통증이 일기 시작한 것이다. 처음에는 오줌 나오는 길이 바늘로 찌르는 듯 아프더니 얼마 안 가 소변에 피가 섞여 나왔다. 그리고 며칠 후에는 피고름이 나왔다. 나는 눈앞이 캄캄해지고 온몸에서 기운이 빠져나갔다.

말로만 듣던 매독에 걸린 것이로구나. 아, 이제 난 폐인이 되는구나. 매독에 걸리면 머리털이 빠지고 기억력이 마비되고 발광까지 하게 된다던데…….

이런 생각이 밀어닥치자 절망감에 빠졌다. 얼른 병원에 가야 한다는 생각은 간절했으나 무일푼이었다. 괜스레 원효대사 흉내 내다가 폐인이 되는구나 싶어 후회스럽기 그지없었다.

열 길 백 길 낭떠러지로 떨어져 내려가는 모습을 한탄하며 고민하던 나는 서울역 뒷골목에서 약방을 찾아다녔다. '성병 특효약 있습니다'라는 광고가 붙어 있는 유리문을 보고 용기를 내어 들어갔다. 증상을 들은 약사는 별일 아니란 투로 가볍게 말했다.

"요도염 같은데요."

"요도염이 어떤 병입니까? 무서운 병인가요?"

"요도염은 임질이라고도 부르는데, 크게 걱정할 병은 아닙니다. 약을 제대로 쓰면 염려할 것 없습니다. 일주일 정도 약을 쓰면 완치됩니다. 하루 약값은 칠백 원이구요. 지금 지어드릴까요?"

약사의 말에 다소 안심은 되었으나 문제는 일주일분의 약값이었다. 700원씩 일주일이면 칠칠은 사십구, 4천 900원이 있어야 하는데, 그만한 돈을 구할 길이 없었다. 아이스케키를 팔아 하루에 700원을 번다는 것은 도저히 불가능한 일이었다.

그냥 약방에서 나온 나는 그 후 약을 제때에 쓰지 못해 요도염이 날로 심해져 갔다. 마치 잉크가 새는 만년필처럼 피고름이 흘러나왔다.

그 사이에 대학들은 개학을 했다. 등교하는 학생들을 바라보며 나는 생각했다.

대학으로 돌아갈 것인가? 아니면 구도자의 길을 계속 갈 것인가?

새는 만년필을 몸에 달고 만리동 고개를 오르내리며 생각하고 또 생각했다.

9월 중순에 접어들어 결론을 내렸다. 이런 상태로는 대학에 돌아가보았자 갈등만 계속될 뿐일 테니 내친 김에 아예 끝장을 보자는 것이었다. 불교에서 쓰는 말 중에 '백척간두(百尺干頭)에 진일보(進一步)하라' 는 말이 있다. 무언가 도를 깨우치려면 백자되는 막대기 위에 서서 한 발짝 앞으로 내디뎌라, 그래야 깨달음의 경지에 이를 수 있다는 말이다.

그렇다, 백척간두에 진일보다. 이 자리에서 떨어져 박살나느냐, 아니면 새 길이 열리느냐 둘 중 하나다라고 다짐하며 나는 그냥 버텨나가기로 했다. 무언가 삶의 의미에 대한 실마리를 잡을 때까지 버텨보자. 이제 맨바닥에 내려온 터이니, 여기서 무언가 흔들리지 않는 진실이 잡힐는지 모른다. 이렇게 마무리짓고 심기

일전하여 계속 도전하기로 다짐했다.

우선 급한 것이 생계수단이었다. 8월이 지나 시원한 바람이 일기 시작하자 아이스케키 장사는 끝이 났다. 새로운 일을 찾아야 했다. 좀더 수입이 좋은 일감을 잡아 임질 치료비도 마련해야겠다고 생각하고 남대문시장을 이리저리 기웃거리고 다니다가 아이들 장난감 도매상 앞에서 걸음을 멈추었다. 나는 도매상에서 갖가지 장난감을 구입해 긴 장대에 꽂았다. 팔랑개비, 나팔, 피리, 호루라기, 제기, 팽이, 줄넘기 따위였다. 장대를 어깨에 멘 채 주택가로 찾아들었다. 골목골목을 누비고 다니며 나팔을 띠-띠-뚜-뚜- 불어 아이들을 불러모았다. 우리 나라는 예나 지금이나 지하자원은 없어도 어린이 자원은 넘치는 나라다.

넓찍한 공터에 터를 잡고 아이들을 둥글게 앉힌 후 신나는 동화를 들려주었다. 『장발장』 『15소년 표류기』 『죄와 벌』 『삼국지』……. 이야깃거리야 끝이 있겠는가. 아이들은 이야기라면 정신없이들 좋아했다. 이야기를 하다가 스릴이 극치에 올랐을 때쯤에서 이야기를 중단한다. 기침을 두어 번 하고 나서 아이들에게 장난감 세일즈를 한다.

"여러분, 이 아저씨도 밥을 먹어야 합니다. 밥을 먹어야 힘을 얻어 이야기를 계속할 수 있어요. 그러니 지금 집에 가서 엄마한테 맡겨둔 돈을 받아다가 이 장난감 중에서 하나씩만 사세요. 그런 뒤에 이야기를 다시 계속합시다."

그렇게 말하면 순진한 아이들인지라 내게 당부까지 하며 집으로 간다.

"아저씨, 딴 데로 가면 안 돼요. 돈 가져올 때까지 여기에 계셔요. 나머지 이야기 들어야 해요."

어떤 아이들은 엄마나 누나까지 데려와 장난감을 사고 동화를 함께 듣기도 했다. 아이들에게 건전한 동화를 들려주는 일은 옥토에 씨를 뿌리는 것과 같다. 동화 구술(口述)을 통하여 어린이들에게 꿈을 심어주고 상상력을 길러주는 것은 우리 사회의 미래를 열어나가는 창조 활동 아닌가.

나는 그런 구실을 떠올리며 보람을 갖고 골목골목을 누비고 다녔다. 그때와 달리 요즘 어린이들은 텔레비전 앞에 앉아 있는 시간이 너무 많아 염려스럽다. 물론 텔레비전도 프로그램 나름이겠지만 아무래도 그 나이에는 상상력 넘치는 동화를 듣는 편이 훨씬 더 어린이들의 정신세계를 깊게 해주는 데 도움이 될 듯하다.

장난감 장사는 잘되었다. 덕분에 약도 사먹을 수 있게 되고, 노동자 합숙소에서 일당을 벌지 못하는 동료들에게 국수도 사줄 정도가 됐다. 그러나 세상살이란 항상 좋은 날이 계속될 수 없는 법이다. 좋은 일이 계속되는가 싶다가도 꼭 나쁜 일이 생기고, 나쁜 일이 한참 이어지는가 하면 다시 좋은 일이 생긴다. 마치 밤과 낮이 이어지듯 좋은 일 뒤에는 반드시 나쁜 일이 뒤따르게 마련이다.

가을이 지나고 겨울 찬바람이 불기 시작하자 골목에 아이들이 나오지 않았다. 추위를 무릅쓰고 몇몇 아이가 나왔어도 추운 날씨에 바깥에서 동화를 들을 계제가 못 되었다. 나팔 소리가 울려도 아이들은 창문을 빼꼼 열고 손만 흔들었지 밖으로 나오지 않았다. 도리없이 업종을 바꾸는 수밖에 없었다.

새로 얻은 일자리는 '쥬리아 화장품' 외판원이었다. 가정방문

판매인지라 겨울철에도 할 만했다. 아침 열시쯤부터 화장품 가방을 들고 대문을 두드리면 대개 가정부들이 문간에 나타났다.

"아저씨, 뭐예요?"

"쥬리아 화장품에서 나왔습니다."

"됐어요. 화장품 있어요."

"아가씨, 화장품 팔러 온 사람이 아닙니다. 새로 나온 약용화장품이 있어 본사에서 선전차 나왔습니다. 안 사셔도 됩니다. 소개만 들으시면 됩니다."

"필요 없어요. 소개 안 들어도 돼요."

"아가씨를 위해서 하는 말입니다. 이뻐지려면 꼭 들어야 됩니다. 그런데 아가씨, 한창 나이에 웬 기미가 그렇게 잔뜩 끼었나요? 그냥 두면 얼굴 버리겠는데요."

"어머머, 이 아저씨 좀 봐. 내 얼굴에 무슨 기미가 끼었다는 거예요? 참 별꼴 다 보겠네. 모두들 고운 살결이라고 하는데."

"아녜요, 아가씨, 제가 왜 괜스레 없는 말을 지어내겠어요? 아가씨 얼굴에 기미끼가 깔렸는데요 뭘. 그냥 두면 한 달 내로 기미가 드러나겠어요. 지금부터 미리 예방하셔야 돼요. 이 화장품이 바로 그 예방약으로 쓰이는 약용크림이에요. 제가 소개만 하고 가겠습니다."

이쯤 되면 가정부 아가씨들은 대문을 열고 앞장서서 안방으로 안내한다. 나는 화장품들을 줄줄이 늘어놓고 설명을 시작한다. 이웃에 친구가 있으면 불러와서 새로 나온 화장법을 같이 들으라고 권한다. 그러면 대개는 이웃집 가정부들에게 전화하여 불러모은다.

나는 판을 벌이고 기초화장에서부터 파운데이션 사용법, 색조화장법까지 설명하고 얼굴형과 피부, 그리고 그날 입는 옷에 맞는 립스틱 색깔 고르는 요령까지 설명한다. 거기에다 모인 아가씨들 한 사람 한 사람의 얼굴형과 피부결에 따른 화장품을 추천하고 화장할 때 주의할 점들을 지적해준다. 예를 들면 이 아가씨는 광대뼈가 약간 나왔으니 그 면은 화장으로 죽이고 입술을 강조해라, 저 아가씨는 건성피부니 어떤 크림을 쓰라는 등 일일이 지적해준다. 그러면 화장품 안 사겠다던 아가씨들이 줄줄이 산다. 결국엔 화장품 잘 팔고 점심까지 대접받고 나오기도 한다.

그러나 화장품 잘 판다고 그 길로 출세할 것도 아닌지라 봄날이 돌아와 가로수에 물이 오르면서 내 마음도 심란해졌다. 계속해서 기초화장품이니 립스틱이니 하는 말만 하고 다니기에는 아까운 세월이었다. 그래서 화장품 외판원을 그만두고 다른 경험을 쌓기로 했다. 이번에는 책 외판원이었다. 남산 밑 퇴계로변에 생산성본부란 기관이 있었는데, 거기서 나오는 월간 경제지가 있었다. 나는 그 월간지의 판촉원이 되었다. 『기업과 경영』이던가 『경영과 정보』던가, 지금은 그 이름조차 흐릿하다. 그 잡지를 몇십 권씩 가방에 넣고 왼종일 가게들과 회사들을 돌면서 정기구독자를 늘려나가는 일이었다.

출근하던 첫날, 청계천에서부터 시작하였다. 청계천 상가를 모조리 방문하여 판촉을 했다. 철물상, 가구상, 공구상…… 청계천에는 가게도 많았다. 나는 줄줄이 늘어선 가게 한 집 한 집에 들어가 책 소개를 했다.

"경쟁에서 이기려면 공부하셔야 합니다. 현대의 경영은 정보와 기동력입니다. 우선 매달 나오는 경영정보를 이 잡지에서 얻으십시오. 그래서 남보다 한걸음만 앞서세요. 이 잡지는 기업 정보의 창고입니다."

열성껏 이야기하고 그달 기사 중에 중요한 기사의 요점을 풀어 설명했다. 그렇게 열심히 설명하노라면 더러는 "그 책 보기보다 중요한 책이로구먼. 안 읽으면 손해보겠는데" 하며 정기구독자 가입을 했다. 그렇게 하니 한 주에 3, 40명씩 구독자들을 확보해나갈 수 있었다. 그러자 생산성본부 영업부에서도 인정을 해주었다. 그러나 잡지 판촉이 잘된다 해서 역시 그 길로 성공하겠다는 생각이 없는 바에야 오래 머물수록 손해라는 생각이 들었다. 겨우 석 달 만에 끝내고 다음으로 찾은 곳이 보험회사였다. 제일생명보험회사 영락지국에 소속되어 보험 세일즈를 다니게되었다.

보험 세일즈에 겨우 익숙해질 즈음에 문제가 생겼다. 노동자 합숙소에서 자고 나니 가방이 없어진 것이었다. 잠자리에 들 때 입었던 옷말고는 몽땅 없어져버렸다. 합숙소 동료들에게 국수도 사주고 담뱃값도 빌려주고 하니까 돈이 많은 줄 알았던지 밤 사이에 들고 가버린 것이었다.

아무튼 나는 졸지에 몸밖에 없는 처지가 되었다. 무언가를 찾겠다고 가출한 지 일년여 만에 입은 옷과 신은 신 한 켤레만 남은 신세가 되었다. 이미 몸도 마음도 지쳐 있던 때인지라 남산에 올라가 서울시를 내려다보며 파스칼을 생각했다. 파스칼도 젊은 날에는 영혼의 방황이 심했던 모양이다.

그는 『팡세』에 이렇게 썼다.

참된 선을 추구하다가 괴로움에 지쳐버림은 좋은 일이다. 결국은 구주에게 구원을 바라게 될 터이므로……. 아아! 인간이여! 네가 비참에서 벗어나는 길을 너 자신에게서 아무리 찾아봐야 아무 소득이 없다. 네가 가진 모든 것은 너 자신 속에서는 진리도 선도 찾을 수 없음을 밝혀줄 뿐이다.

철학자들은 그것을 찾아주겠다고 너에게 약속하겠지만 그들은 약속을 지킬 수 없다. 그들은 너의 참된 선이 무엇이며 너의 참된 갈구가 어떤 것인지도 알 수 없다. 너의 비참의 원인을 알지 못하면서 어떻게 너의 불행의 구제책을 가르쳐줄 수 있겠는가? 만일 네가 신에 닿을 수 있게 된다면, 그것은 너의 본성 때문이 아니라 신의 은총에 의해 가능해진 것이다.

파스칼은 어느 날 감격적인 신의 은총을 입는다. 신을 온몸으로 만난 것이다. 그는 신을 만난 감격에 행복이 넘쳐 방황과 고뇌의 날들에 종지부를 찍는다. 그는 그에게 구원을 허락한 신의 은총에 감격하여 다음과 같이 말했다.

철학자의 신도 아니요, 과학자의 신도 아니요, 수학자의 신도 아니었다. 아브라함의 하나님이요, 이삭의 하나님이요, 야곱의 하나님이었다. 내가 신을 찾을 때는 신이 숨어버리시더니, 내가 그 앞에 엎드리자 신은 나를 품어주셨다. 찬양할지어다, 여호와 하나님을!

그러나 나는 파스칼이 만났다는 그 하나님을 만날 수 없었다.

만나고 싶은 마음은 간절했으되 만날 길을 알지 못했다. 파스칼의 말로는 그가 철학자로서 신을 탐구했을 때에는 신이 숨어버리더니 어린아이같이 신 앞에 엎드리자 구원의 손길을 베푸셨다고 했다.

그렇다면 나도 신 앞에 엎드리고 싶다. 그래서 이 고단한 방황을 끝내고 싶다. 나 자신을 똥같이 무시해버리고 신 앞에 무릎을 꿇고 싶다. 그러나 어떻게 해야 하는가? 구체적으로 어떻게 하는 것이 신 앞에 엎드리는 것일까? 교회당에 가서 금식기도하는 것인가? 신부님 앞에 가서 고해성사하는 것인가? 도대체 파스칼이 경험했던 그 하나님을 나도 만날 수 있는 길은 어디에 있는 걸까? 그가 누렸던 환희를 나도 누릴 수 있다면 어떤 대가라도 치를 용의가 있다. 그러나 나는 그 길을 알지 못했다.

이런 식의 구도는 끝내 아무런 열매도 맺지 못한 채 헛되이 끝나버릴 것만 같았다. 문득 어머니를 생각하고 어머니가 섬기는 하나님을 생각했다. 나는 철들기 전부터 어머니의 기도를 들으며 자랐다. 새벽마다 어머니는 우리 사남매의 이름을 차례로 부르며 하나님께 기도드렸다. 형님, 누나에 이어 셋째인 나에 이르면 어머니는 한결같이 기도했다.

"여호와 아바지, 홍이는 자라서 하나님의 종 목사가 되게 해주시옵소서! 신령한 종이 되어 백성을 이끌어가게 하여 주시옵소서."

나는 어머니의 그런 기도가 싫었다. 어머니는 왜 나를 목사로 만들어달라고 기도하실까? 판사나 장군이나 사장이 되게 해달라고 기도하시지 왜 하필이면 고생만 하는 목사가 되게 해달라고 허구한 날 기도하실까? 나는 가끔 어머니께 그렇게 기도드리지 말라고 부탁드리곤 했다.

이제 방황에 지친 아들은 어머니의 기도를 생각했고, 어린 날 열심히 섬겼던 그 하나님을 생각했다. 나는 어릴 적 열심히 믿었던 그 하나님께로 돌아갈 수 있기를 희구했다. 그러나 돌아갈 수 있는 길이 보이지 않았다.

실존철학에서 쓰는 용어 중에 한계상황이란 단어가 있다. 인간이 인간으로서 도저히 넘을 수 없는 벽을 일컫는다. 예를 들어 생로병사는 인간의 힘으로는 결코 넘을 수 없는 것이기에 한계상황이다. 실존철학자들은 생로병사 외에 몇 가지를 한계상황으로 추가했다. 죄, 고독, 방황, 투쟁 등이다. 죄가 왜 한계상황인가? 인간이 인간으로 존재하는 한 절대로 죄를 짓지 않고 살아갈 수 없다. 인간은 숨을 쉬고 살듯이 죄를 지으며 산다. 그래서 한계상황이다. 고독 역시 한계상황이다. 왜? 인간이 살아 있는 동안은 고독이 운명이기 때문이다. 실존철학자 니체는 말했다.

고독은 어차피 인간의 운명이다. 운명일 바에야 사랑해라. 고독을 피하려 들지 말고 사랑해라. 그러면 고독이 그대의 친구가 될 것이다.

그래서 그는 고독하게 마련인 인간의 운명을 사랑하라고 운명애(運命愛, Amor Fati)를 말했고, 그 자신 고독을 사랑해서 "고독은 나의 고향이다"란 말을 남겼다.

실존철학자들 중에는 투쟁도 한계상황이라 했다. "인생은 투쟁이다"란 말이 있듯이, 인간이 숨쉬고 살아가는 곳에는 투쟁이 따르게 마련이다. 그래서 투쟁은 인간의 한계상황이다. 거기에다 방황과 고뇌도 한계상황이라 했다. 인간이 인간으로 머무는 한 방황과 고뇌의 날들을 벗어날 수 없다. 방황과 고뇌는 영원히 인간을 따르는 그림자라 했다.

신약성서 「요한복음」은 이렇게 시작된다.

태초에 말씀이 계시니라. 이 말씀이 하나님과 함께 계셨으니 이 말씀은 곧 하나님이시니라. 그가 태초에 하나님과 함께 계셨고 만물이 그로 말미암아 지은 바 되었으니 지은 것이 하나도 그가 없이는 된 것이 없느니라.

어느 실존철학자는 이 부분을 빌려 다음과 같이 표현했다.

태초에 방황이 계시니라. 이 방황이 하나님과 함께 계셨으니 이 방황은 곧 하나님이시니라. 존재하는 모든 것이 방황으로 말미암아 지은 바 되었으니 지은 것이 하나도 방황 없이 존재치 않느니라. 이 방황 안에 고뇌가 있었으니 이 고뇌는 인간 삶의 본질이다. 방황 중에 고뇌하시던 하나님은 그 고뇌를 견디시기 위해 인간을 창조하셨기에 인간은 고뇌의 산물이라. 고로 고뇌는 인간의 반려자니라.

요컨대 인간은 애초에 죄와 고독과 방황과 고뇌를 지니고 이 세상에 태어난 존재라는 것이었다. 우리 중에 어느 누구도 스스로 선택해 이 땅에 태어난 사람은 없다. 자신도 모르는 사이에 이 땅에 던져졌을 따름이다. 이렇게 던져진 존재를 실존철학자들은 '피투성'(被投性, Geworfenheit)의 존재라 했다. 피투성의 존재로 태어난 인간은 '세계 내 존재'(In der Welt Sein)이다. 인간은 이 세계 내에서만 존재하도록 운명지어진 것이어서, 절대로 이 세계를 초월하여 존재할 수 없다는 뜻이다.

그래서 실존철학자들은 말한다. 인간은 한계상황 아래 세계 내로 던져진 피투성의 존재로되 그에게는 단 한 번의 기회가 주어져 있다. 자기를 다시 한 번 던질 수 있는 기회다. 처음 이 세상에 던져졌을 때는 자기 의사와 무관하게 던져졌기에 피투성이지만, 이제는 자기 의사로 던질 수 있다는 점에서 '기투성'(企投性, Antworfenheit)이라 불렀다.

그렇다면 자신을 어디로 던질 것인가? 단 한 번 주어진 기회를 아무 곳에나 던짐으로써 자신을 허비할 수는 없다. 어딘가 값지고 확실한 삶이 보장되는 곳으로 던져야 한다.

이 점에 대해 여러 철학자들은 제각기 처방을 내린다. 야스퍼스는 초월자, 즉 신에게로 던지라 했고, 사르트르는 자유에로, 카뮈는 행동으로 자신을 던지라 했다. 카뮈는 말한다.

인간은 행동을 통해 구원받는다. 인간의 행동에 도덕을 덧붙이지 마라. 행동한다는 것 자체가 아름답다. 설교하는 성직자든 열차를 터는 강도든 침대 위의 남녀든 행동하는 그 자체에 의미가 있다.

나는 생각했다. 나를 전적으로 기투(企投)하고 싶다. 나를 어느 곳으로 던져야 할까? 나를 통째로 불태울 수 있는 행동은 무엇일까? 그러나 나는 던질 곳을 알지 못했다. 사르트르가 말했다.

현대인은 목표는 있다. 그러나 거기에 도달할 길이 없다.

나는 나를 던지고 싶은 어떤 한 신을 알고 있었다. 어머니가 열심히 섬기고 있는 신이었다. 어린 시절 한 점 의심 없이 섬기던 신이었다. 그러나 방황의 길에 지친 나에게 그 신은 너무나 멀리 떨어져 있었다. 신에게로 갈 길을 찾을 수 없었다. 그 신은 오로지 하나의 갈망으로만, 안타까운 바람으로만 존재했다.

드디어 나는 집으로 돌아가기로 마음먹었다. 속절없는 가출을 끝내고 어머니가 믿는 하나님 곁으로 가서 무릎을 꿇어보기로 다짐하고는 대구행 야간열차를 탔다. 가방까지 잃어버리고 빈털터리가 된 나는 용산역에서 밤고양이처럼 살그머니 숨어들어 기차에 올랐다. 그러나 대전역에 못 미처 무임승차가 발각돼 대전역에서 하차당했다. 철도원에게 고막이 멍할 정도로 맞은 따귀를 열차요금으로 때우고는 대전역 대합실에서 하룻밤을 지새웠다. 그리고 새벽녘에 다시 열차를 타고 대구역까지 도착하여 무사히 빠져나왔다.

집에 도착했을 때는 영락없는 거지였다. 어머니는 그때까지도 "진홍이를 목사 되게 해주시옵소서"라고 기도하고 계셨다. 거지 꼴로 돌아온 아들에게 어머니는 교회 나가자고 권하셨다.

"어머니, 신앙도 없는데 어떻게 교회를 나가겠습니까?"

"아니다. 교회를 다니다 보면 신앙이 드는 기다. 우째 첨부터 신앙이 있어 교회를 나가겠노? 니가 할 일은 교회 나가는 기고, 하나님이 하시는 일은 너에게 신앙을 넣어주는 기다. 니가 하나님이 하시는 일까지 걱정할 건 없다. 니는 교회에 다니기만 하면 된다."

"어머니, 좋은 말씀인데, 며칠 생각해보겠습니다."

"그래, 생각해봐라. 니가 그라고 댕기는 걸 보면 재주가 아깝다는 생각이 든다. 하나님 앞으로만 돌아오면 니는 크게 쓰임받을 끼다."

그렇게 말씀하시며 어머니는 장롱 속에서 군대 소집통지서를 내놓으셨다.

"온 지 한참이나 되었는데 너에게 연락할 길이 없어 애를 태우고 있었다. 니가 군엘 가고 싶어했었기에 전해주려고 너 친구들에게도 골고루 연락해봤지만 연락이 안 되더구나. 내 생각에도 니가 그렇게 방황하고 다니느니 군에라도 다녀오면 좋으려니 했었다."

대학시절 6·3 한일회담 반대 데모를 주동한 일로 군 소집이 보류되어 있다가 그제야 소집영장이 날아든 것이었다. 그러나 소집통지서에 적힌 입영일자가 3일이 지난 뒤였다.

그날로 병무청을 찾아가 사정을 설명하고 입영시켜달라고 요청했다. 그러나 날짜가 지나면 입영할 길이 없다며 막무가내로 거절했다. 얼마 후 다시 찾아갔더니 제2보충역으로 편입이 되었노라 일러주었다. 내 경력에 군 경험이 빠지게 된 것이 못내 아쉬웠다.

내 영혼에 지진이

계명대학에서는 학교로 나오라고 나를 찾고 있었다. 그러나 대학에는 미련을 두지 않기로 이미 결정한 뒤였다. 한 번 사는 인생길에서 해답 없이 질문만 계속하는 철학에 머물러 있을 필요가 없다는 생각이 들었기 때문이다.

그러면서 무언가 어렴풋이 느꼈다. 나에게 본질을 깨닫게 되는 날이 임할 것이라는 느낌이었다. 그것이 하늘로부터 임하든, 나 자신의 내면으로부터 솟아나든, 아니면 세상으로부터 얻어지든 무언가 내 삶을 뜨겁게 불태울 수 있는 것이 체득될 날이 있으리라는 느낌이었다.

원효선사는 해골의 물을 마시고 대오(大悟)했고, 데카르트는 병영에서 보초를 서다가 진리를 인식했으며, 간디는 인도 민중의 신음 소리를 듣고 자기가 죽을 자리를 찾았다. 루터는 친구가 벼락에 맞아 죽는 장면을 보고는 신에게 귀의했다.

나에게도 언젠가는 하늘이 열리는 때가 오겠지 하는 마음이

들었다. 그때를 기다리되, 도서관 안에서가 아니라 살아 움직이는 백성들의 숨결 속에서 살아가기로 다짐했다. 북적대는 시장터에서, 씨뿌리는 농부에게서, 노동자들의 몸짓에서 삶의 뜻을 터득할 날이 오기를 바랐다.

가출에서 돌아와 집에 머물고 있던 어느 날, 대학시절에 나를 아껴주었던 미국인 구의령 선교사가 찾아와 시골 교회 전도사로 가달라는 제안을 했다.

"미스터 김, 대구에서 남쪽으로 내려가면 달성군 구지면 목단이라는 마을에 목단교회가 있어요. 조그마한 시골 교회지요. 그 교회에 가서 하나님의 백성들을 섬기는 일을 해주세요."

"선교사님, 고맙긴 합니다만, 저 자신이 하나님을 확실히 믿는 신앙관이 서 있지를 못한데 어찌 교회 일을 하겠습니까?"

"아니에요. 교사가 가르치면서 배우듯 전도자도 전하면서 깨우침을 받는 거예요. 미스터 김이 구원의 확신은 아직 없어도 어린 시절부터 신앙 생활을 했던 바탕이 있으니 능히 그 일을 감당할 겁니다."

구 선교사의 제안에 어머니가 뛸 듯이 기뻐하셨다. 이제 평생 소원하시던 대로 내가 하나님의 종이 되는 길이 열리는가 보다 생각하셨던 것이다. 나는 선교사의 말처럼 하나님의 일을 하면서 하나님을 찾아야지 하는 마음으로 그 제안에 따르기로 했다.

1967년 여름, 나는 구의령 선교사의 지프에 세간살이를 싣고 목단교회로 갔다. 목단교회는 야트막한 언덕에 붙여 세운 자그마한 교회당이었다. 교회당 문이 열려 있었다. 짐을 내리기 전에 교회당 안으로 들어가 무릎을 꿇었다.

"당신께서 이 제단에서 나를 깨닫게만 해주신다면 평생 충실한 종이 되겠습니다."

그날로 나는 월급 3천 원에 쌀 한 말을 받는 전도사가 되었다. 나는 열심히 일했다. 글자 그대로 발이 부르트고 입이 부르트도록 일했다. 교회 일보다는 주로 마을 일을 했다. 일손이 모자라는 농가마다 찾아다니며 일을 도와주었다. 마을 사람들은 처음에는 이상한 전도사가 왔다고 수군수군하더니 점차 신뢰하는 사이가 되었다. 그러나 교인들 중에는 불만을 지닌 사람들이 있었다.

"새로 온 전도사님은 교회 일은 안하시고 안 믿는 사람들 농사일만 해주고 있어. 이상한 사람이야."

"그래. 일을 해주려면 교인들 집 일이나 해줄 것이지, 예배당에도 안 나오는 사람들 일을 해줄 게 뭐람."

그러나 나는 그런 말에 아랑곳하지 않고 열심히 마을 사람들과 접촉했다. 특히 마을 젊은이들과 호흡을 맞추어나갔다. 적은 봉급을 쪼개 배구공을 사다가 운동을 하고, 젊은 남녀들로 꾸며진 연극반을 만들었다. 구약성서 「에스더」를 극본으로 각색하여 연출, 감독 모두 혼자서 맡아 지도했다.

마을 사랑방에서 밤늦게까지 연극 연습을 하자 주민들의 관심이 쏠려 별별 구설수가 다 돌았다. 특히 교인들의 염려가 심했다. 다 큰 처녀총각들이 밤늦게까지 살을 맞대고 놀다가 아이라도 배면 어떡하느냐? 그리 되면 교회 문 닫아야 한다, 전도사가 영적인 일에나 열심히 할 것이지 세상적으로만 나간다, 저렇게 하다간 예배당이 연애당이나 '애 배는 당'이라 욕먹게 되면 어쩌냐고 걱정들을 했다.

그런 중에도 연극 연습을 마치고 공연날이 왔다. 공연 첫날에 관객이 밀려들어 좁은 교회당이 터질 지경이 되었다. 엉성하게 지은 건물인지라 혹시 무너지는 사고라도 나지 않을까 안절부절 못했다.

그렇게 마음을 졸이던 터에 급기야 사고가 터졌다. 연극이 중반에 접어들어 이제 배우와 관객들이 호흡이 맞아가고 있을 즈음에 교회당 한쪽 벽이 우지끈하고 무너지고 말았다. 이어서 아악, 오메 하는 신음 소리와 먼지가 뒤범벅이 되었다.

나는 숨이 탁 막혀 외마디 기도를 드렸다.

"아이고, 예수님, 사람만 안 다치게 해주십시오. 집은 무너져도 좋습니다만 사람만은 지켜주시옵소서."

얼마쯤 시간이 지난 후 살펴보니 다행히 다친 사람은 없었다. 교회당 기둥들도 말짱하고 오른쪽 벽만 무너져 있었다. 연극을 무기한 연기한다고 알리고 관객들을 돌려보낸 후, 연극단은 무너진 벽을 수리하는 작업반으로 바뀌었다.

연극은 다시 열리지 못했다. 그렇잖아도 못마땅히 여기고 있던 교인들이 공연 절대불가를 주장했기 때문이다. 하나님의 영광을 가린다는 논지였다. 굳이 연극을 하려면 교회를 사임하고 떠나라고까지 강경하게 말했다. 그래서 에스더 연극은 빛을 보지 못하게 되었다. 마을 청년들은 무척 아쉽고 섭섭해했다.

그 후 내가 정성을 기울인 것은 아동 지도였다. 교회 부근 마을들을 여섯 구역으로 나누고, 월요일에서 토요일 사이에 하루 한 구역씩 찾아갔다. 농부들이 하루 일을 마치고 저녁식사가 끝날 때쯤, 밤이 으슥한 시간에 넓은 마당에 화톳불을 지피고 마을 아이들을 모아 동화를 들려주고 노래를 가르쳤다.

노래마당이 끝나고 동화시간이 되면 아이들만 듣는 것이 아니라 어른들도 들었다. 마을 처녀들과 부녀자들이 가까이 오지는 못하고 담 밑에서 멀찌감치들 서서 듣다가는 아이들을 시켜 쪽지를 보내왔다. 목소리가 잘 들리지 않으니 소리를 좀 높여달라는 내용이었다.

나는 학생시절에 읽었던 소설들을 총동원하여 이야기 재료로 삼았다. 『장발장』 『죄와 벌』 『부활』 『15소년 표류기』 『철가면』 『보물섬』 등의 이야기들을 밤마다 연속 상연으로 들려주었다. 신나는 장면이 나오면 아이들은 박수를 치고 환호성을 올렸다. 슬픈 장면에서는 탄식하며 애를 태웠다. 주인공의 슬픈 사연에 눈물짓기도 했다. 이 덕분으로 교회학교가 대부흥을 이루었다.

하루는 이웃 마을에 있는 교회의 청년 한 명이 나를 찾아왔다. 청년회 회장이라고 자기 소개를 하고 내게 물었다.

"전도사님, 예수 믿는 사람이 자살하는 기 죄인교?"

"그럼요. 두말할 것 없이 큰 죄지요. 사람 생명의 주인은 하나님인데, 자기 생명이라도 자기가 끊으면 죄지요. 하나님 앞에서 살인죄 짓는 거지요."

"그렇다면 자살한 사람을 장례 지내는 것도 죄인교?"

"그거야 다르겠지요. 사람이 죽었으면 누군가가 장례를 해야 되는 것 아니겠어요? 그건 죄다 아니다 할 성질이 아니지요. 근데 그걸 왜 물으세요?"

"다름이 아니라 우리 교회에서 열아홉 먹은 여선생이 며칠 전에 농약을 마시고 자살을 했심더. 그런데 목사님이 자살한 건 교리를 어기고 죄지은 것이니 장례를 할 수 없다고 하십니더. 그리고 우리 교인들에게도 교리 어기고 자살하여 죽은 시체에 손대지 마라, 같이 죄짓는 거다, 라고 하십니더. 그래서 죽은 지 사흘이 지났는데도 장례를 못 치르고 있심더. 전도사님을 만나면 혹시 다른 방도가 있지 않을까 해서 찾아왔심더."

"그거 참, 이해가 잘 안 가네요. 목사님은 그렇다 치고, 마을 사람들은 왜 장례를 치러주지 않습니까? 시골 인심이 그렇잖을 터인데. 가족들은 없나요?"

"지금이 모내기철 아닙니꺼. 보통때 같으면 마을 사람들이 으레 장례를 치러주겠지만, 지금은 워낙에 바쁜 철이라 짬을 못 내는 거지예. 그라고 그 처녀네가 뜨내기로 들어와 사는 집이라 마을 사람들의 도움을 못 받고 있심더. 마을 사람들은 '그 처녀, 안 좋을 때 죽었구먼. 예배당엘 그래 잘 다녔으니 예배당서 장례해 주겠지' 하고 교회에 미루고 있지예."

"그래요? 마을 사람들은 모내기철이라 바쁘다고 교회에 미루고, 교회는 교리를 어기고 죽었다고 장례를 안해서 사흘이나 지난 시체가 그냥 있는 거구먼요. 참 딱하네요. 그 아가씨는 평소에 교회에 제대로 다니던 아가씨였나요? 아까 선생이라 했는데 무슨 선생이지요?"

"유년주일학교 선생이었심더. 성가대 대원이었고예. 새벽기도까지 빠지지 않았던 교인이었심더."

"그랬다면 참 이상하네요. 그렇게 모범교인이었던 아가씨가 어떻게 자살을 했을까요? 교인이 자살하면 안 되는 줄 알았을 텐데요."

"예, 사정이 있었심더. 아버지는 술주정꾼이고예, 어머니는 십년 넘게 정신병을 앓고 있심더. 그리고 밑으로 어린 동생들이 여럿 있고예. 술주정꾼 아버지에 정신병자 어머니, 어린 동생들 사이에서 맏딸로 고생만 하다가 지쳐서 자살한 것 같심더."

"듣고 보니 참 사정이 딱하구먼요. 그렇다면 내가 가서 장례를 치르지요. 그런데 나 혼자서야 되겠습니까? 교회 청년 몇이서 나를 도와주었으면 좋겠는데요."

"전도사님, 우리가 돕는 건 어렵지 않습니다만 교리 어기고 죽었는데 장례 거들면 안 된다고 해서요."

"그런 건 프로들이 따지는 거지, 젊은 사람이 신경쓸 일 아니지요. 나중에 내가 천국 가서 예수님이 '김진홍, 넌 왜 교리 어기고 자살한 시체를 장례했냐?'고 꾸지람하시면 '예수님, 난 교리 몰라서 했습니다. 무식하면 용감하다 했잖습니까' 하고 대답하죠 뭐. 그리고 '예수님, 교리보다 사람이 더 중요하다고 예수님이 가르치셨잖습니까' 라고 하죠 뭐. 그 땜에 천당에서 쫓겨나기야 하겠어요."

나는 청년회 회장의 안내를 받아 그 처녀의 집으로 갔다. 안방에는 눈에 초점을 잃은 여인이 멍하니 앉아 있었다. 죽은 처녀의 어머니인 듯했다. 건넌방에는 마을 할머니 한 분이 시체 곁에 앉아 있었다. 처녀의 몸에 낡은 요 한 장이 머리에서 발치까지 덮여 있었다. 할머니께 교회에서 왔다고 여쭈었더니 반색을 하며 말했다.

"그렇잖아도 오늘 쯤에 예배당에서 연락이 없으면 다른 방도를 찾아볼라던 참이오. 어이구, 불쌍한 것이, 죽은 뒤에 제대로 묻히지도 못허구…… 쯧쯧."

　나는 할머니의 도움을 받아 염을 했다. 농약 먹고 죽으면서 피를 토했던지라 피가 턱을 타고 목으로 내려와 가슴께로 흘러들어가 있었다. 말라붙은 피 위에 파리떼가 덕지덕지 달라붙어 있었다. 파리떼를 쫓고 물수건으로 피를 닦아내고 손발도 닦고 머리를 빗질했다. 그리고 처녀의 옷장을 뒤져 그 중에서 고운 옷을 골라 갈아입혔다.

　옷을 갈아입힐 때 가슴께에서 성경이 방바닥으로 굴러떨어졌다. 성경을 주워 펼쳤더니 갈피에 낡아 바래고 손때 묻은 예수님 사진 한 장이 꽂혀 있었다. 나는 그녀가 농약 마시고 죽으면서도 성경을 가슴에 품고 있었다는 사실에 충격을 받았다. 성경을 가슴에 품고 죽는 그 마음으로 죽지 않고 견뎌나갔으면 언젠가 좋은 시절이 올 수도 있었을 텐데…….

　그녀의 얼굴을 찬찬히 내려다보며 누이동생이라 생각했다. 가슴이 뻐근해지고 눈시울이 젖어왔다. 나는 입술을 깨물어 울음을 삼키며 옷을 갈아입힌 다음 가슴에 다시 성경책을 품어주었다. 빛바랜 예수님 사진을 고이 끼운 채…….

　가마니를 뜯어 들것을 만들고는 아가씨 시체를 그 위에 누였다. 교회 청년 셋의 도움을 받아 뒷산으로 올라갔다. 청년 둘을 앞세우고 나와 다른 한 명은 뒤에서 들었다. 손에는 괭이와 삽을 들었다.

　시체는 생각보다 무거웠다. 사람이 죽으면 평소보다 무거워지는가 생각하며 산비탈을 올라갔다. 앞에 선 청년들은 산길에 익숙하고 힘이 좋아 거푼거푼 올라가는데 나는 힘에 부쳤다.

"이 사람들아, 좀 천천히들 가세나."

나는 숨찬 목소리로 말하며 뒤를 따르다 그만 비탈길에 미끄러지고 말았다. 미끄러질 때 손에 잡았던 들것을 놓치고 말았다. 그 겨를에 시체가 들것에서 떨어져 비탈길로 데굴데굴 굴러내려갔다.

나는 낭패스러운 얼굴로 굴러내려가는 시체를 보고 "어一어一" 하며 할말을 잃었다. 어지간히 복도 없는 아가씨라 생각했다. 살아 생전에 그렇게 고생만 하다가 죽어서 장례도 치르지 못하다가 겨우 가마니에 얹혀 산으로 가는데, 그나마 이 시원찮은 사람을 만나 산비탈을 구르게 되었으니 미안하기 이를 데 없었다.

그렇게 구르던 시체가 소나무 등걸에 걸려 멈췄다. 나는 내려가 시체를 품에 안고 아가씨 영혼이 들으라는 듯이 말했다.

"아가씨, 미안해요. 시체나마 제대로 편하게 못해줘서 정말 미안해. 땅에서는 고생만 하다 죽었어도 하늘에서는 편히 지내세요. 산비탈을 구르게 해서 정말 미안해요."

나는 아가씨의 이마에 쏟아져내린 머리칼을 손으로 쓸어올려주며 산 사람에게 하듯 말했다. 그리고 시체를 품에 안은 채 산을 올라가 따뜻한 양지에 구덩이를 파고 묻어주었다. 아이나 미혼자의 무덤은 평토장(平土葬)을 한다는 말이 생각나 조그마한 무덤을 만들어주었다. 소나무를 베어 십자가를 만들고는 무덤 앞에 세워주었다. 산에서 내려오기 전에 청년들에게 말했다.

"이 사람들아, 우리 기도하고 내려가세."

우리 넷은 선 채로 손을 잡고 기도했다.

"예수님, 이 아가씨 천국 들어가게 해주십시오. 우리가 교회에서 배운 바로는 자살해 죽으면 천국에 들어가지 못한다고 했습니다. 그렇지만 예수님, 예외가 없겠습니까? 이 아가씨 너무나 불쌍합니다. 비록 자살은 했지만 농약을 마시면서도 가슴에 성경책을 품었던 마음을 살피시고 천국에 들여보내주십시오. 저희가 천국 가서 이 아가씨 만나게 해주시옵소서."

내가 떠듬떠듬 그렇게 기도하자 젊은이들은 울음을 터뜨렸다. 처음에는 흐느끼던 청년들이 나중에는 그만 땅바닥에 주저앉아 아가씨 이름을 부르며 펑펑 울었다.

"그렇게 힘들었으면 예배당에서 말이라도 하지. 교회에서는 그렇게 늘 웃기고 명랑하더니 이렇게 죽어버렸냐."

청년들은 사설을 늘어놓으며 울었다. 아가씨는 가정환경이 그렇게 불우했어도 유머가 있고 밝은 성격이었던 모양이다. 그러나 자기가 감당할 수 없는 시련에 그만 무너져버렸던 것이다. 나는 청년들이 울음 그치기를 기다리다가 나중에는 등을 떠밀다시피 해 산을 내려왔다.

"이제 그만 울고 내려가세나. 평소에 어려운 사정을 살피고 도와줬어야지, 지금 와서 운다고 될 일인가. 이제 해지겠다. 그만 내려가자."

산자락에 이르러 마을이 시작되는 길목에 처녀가 다니던 교회당이 있었다. 교회당 울타리를 끼고 마을로 내려오는데 마침 토요일인지라 청년들이 모여 성가 연습을 하고 있었다. 오르간 소리, 웃음소리들이 담 너머로 들려왔다. 지난주까지만 해도 함께 성가대석에 앉았던 친구는 농약을 먹고 자살했어도 살아 있는 이

들은 즐거운 인생인 것 같았다. 그냥 웃고 떠드는 소리가 요란하였다.

나는 교리를 중요시하고 인간의 아픔을 외면하는 교회는 그릇된 교회라 생각했다. 예수는 상한 마음들을 고치러 왔다고 말씀하셨으나, 예수가 세운 교회는 건강한 자들과 나무랄 데 없는 사람들의 교회가 되고 말았다. 예수는 상한 마음들이 살아가고 있는 예배당 울타리 밖에만 머물러 있고, 예배당 안에는 아쉬울 것 없는 잘난 사람들만 모여 있다고 생각했다.

나는 마을 한가운데에 있는 처녀의 집을 지나치다 발길을 돌려 집에 들어갔다. 어디에 묻었다고 알려주는 것이 좋을 것 같아서였다. 마당에 들어서니 그녀의 아버지인 듯한 사람이 술에 만취되어 멍석 위에서 노랫가락을 흥얼거리고 있었다. 큰 대자로 누워서는 「노들강변 뱃사공」을 부르고 있는 모습을 보니 열이 받치고 미운 생각이 밀려들었다.

아이고, 저런 인생은 귀신도 안 물어가나. 생떼 같은 딸은 죽어 묻혔는데 애비가 돼서 저렇게 술독에 빠져만 있으니…….

그런 사람에게 딸을 어디에 묻었다고 말해주어야 알아듣지도 못할 것 같았다. 그녀의 어머니는 안방문을 열어둔 채 먼 산을 바라다보고 있었다. 비록 정신병에 걸린 어머니일지라도 딸을 어디에 묻었다고는 일러주는 것이 도리일 듯했다.

"아주머니, 따님을 산골짜기 양지바른 곳에 묻었습니다. 정신이 들면 찾아가보시라요. 소나무로 십자가를 만들어 세워두었으니 찾기 쉬울 거예요."

문 앞에 다가가 일러주고 돌아서려는데 그녀의 어머니가 내게 가까이 오라고 손짓을 했다. 나는 그쪽으로 다가가면서 물었다.

"아주머니, 내게 하실 말이 있으신가요?"

그녀의 어머니는 아무 말 없이 돗자리 한쪽 귀퉁이를 들춰 무언가를 끄집어내더니 내게 주며 말했다.

"선상님, 고맙심더. 내 딸 묻어줘서 고맙심더. 이걸로 가시다가 사이다라도 한 병 사 잡수시라요."

받아보니 꼬깃꼬깃 접힌 채 색깔까지 변해버린 낡은 1백 원권 지폐 한 장이었다. 나는 그 돈을 받으며 처녀 어머니의 두 눈을 살폈다. 고달픈 인생살이에 쌓인 슬픔이 가득 괴어 있는 듯 너무나 서럽고 슬픈 눈동자였다. 나는 가슴이 찡해 할말을 잃은 채 실룩거리는 입술을 이빨로 깨물며 돌아섰다.

아무것도 모른 척하고 있었을 뿐이지, 실은 다 알고 있었던 것이다. 딸이 견디다 못해 죽은 것, 시체가 썩어가는데 아무도 장례를 치러주지 않는 것, 이웃 교회 전도사가 와서 장례를 치러주는 것을 다 알고도 모르는 척했을 따름이었다. 그런 마음이 헤아려지자 슬픔이 북받쳤다.

서재에 들어가 그 어머니에게서 받은 돈을 성경 위에 올려놓고 울었다. 그 어머니가 겪고 있는 아픔의 깊이를 생각하니 하염없이 눈물이 나왔다. 다음날에는 발바닥이 아프고 부어 올랐다. 아마 시체의 무게가 상당했던 것 같았다.

농한기가 되자 할일이 없어진 마을 청년들은 초당 방에 모여 도박을 하거나, 도박 끝에 툭하면 싸움질을 해 마을 분위기가 흐려지곤 했다. 나는 그런 분위기에서 벗어나 건전하고 생산적인 방향으로 이끌 수 없을까 고심했다.

밤이 이슥한 시간에 건빵 몇 봉지를 사들고 초당 방으로 찾아갔다. 이미 벌어지고 있는 화투판에 내가 끼여들면 청년들은 판돈을 담배 밑에 숨기고 담배치기로 판을 바꾼다. 나는 청년들에게 건빵 한 봉지씩을 돌리고는 담배치기에서 건빵 따먹기로 놀이를 바꾸었다. 그러는 동안 이런저런 이야기를 나누다가는 이웃 마을 청년들과 배구시합이나 노래자랑, 윷놀이 대회를 열자는 제안을 했다. 젊은 나이에 허구한 날 화투장을 뒤척이는 것이 꼴사나운 일 아니냐, 청년들이 나서서 마을 분위기를 바꾸어보자고 설득했다.

청년들은 처음에는 우리 주제에 그런 일을 할 수 있겠느냐며 엄두를 내지 못하다가, 거듭 설득하자 점차 관심을 기울이더니 얼마 후 화투놀이를 중단하고 그 일을 실천에 옮기기로 했다. 설왕설래하다가 추진위원회를 구성해 일을 맡게 했다. 처음 하는 행사가 성공적으로 치러지자 청년들은 자신감을 갖고, 그 다음부터 한결 쉬워진 행사가 두세 번 성공하자 마을 어른들로부터 칭찬이 자자했다. 청년들은 이제 내가 무엇을 제안하기도 전에 스스로 좋은 일거리를 찾기 시작했다.

그런 식으로 마을 분위기가 조금씩 좋아져 갈 즈음에 문제가 생겼다. 문제는 교인들에게서 일어났다. 교인들 중에서 전도사가 마을 청년들과 어울려 화투놀이를 한다고 시비를 걸었던 것이다. 어떻게 성직자가 마을 사람들과 화투장을 들고 담배치기 노름판을 벌일 수 있느냐는 항의가 거세게 일어났다. 보수주의 신앙의 고정관념에 젖어 있는 교인들인지라 나와 같은 식의 선교방식을 받아들이기가 쉽지 않았던 것이다.

어느 날, 잠자리에서 인기척을 느끼고 일어나니 머리맡에 마을 처녀가 다소곳이 앉아 있었다. 집에서 반대하는데도 교회에 열심히 출석하던 아가씨였다. 내가 일어나 앉자 찹쌀떡 한 쟁반을 가져왔으니 잡수시라고 떠듬떠듬 말했다. 창밖에는 달빛이 밝았다.

"밤늦은 시간에 혼자 내 방에 들어오시면 안 됩니다. 떡은 잘 먹겠으니 거기 두고 돌아가주세요. 남들이 알면 큰 오해를 하게 됩니다."

"오는 길에 아무도 본 사람이 없으니 안심하세요. 저는 전도사님만 믿으니 전도사님 처분대로 하세요. 저를 전도사님 뜻에 맡기겠어요."

그녀의 목소리는 떨리고 있었다. 나는 이래저래 교회를 떠날 때가 되었다는 생각이 들었다. 마침 대구 청산교회에서 교육전도사로 오라는 전갈이 와 있었던 때였다.

나는 목단교회를 사임하고 대구로 옮겨갔다. 목단마을을 떠나던 날은 교인들뿐만 아니라 온 마을 사람들이 모여 환송해주었다. 모인 사람들 중에 절반은 울고 있었다. 그렇게 해서 나의 목회 아닌 목회는 끝이 났다. 일생 동안 잊을 수 없는 값진 경험이었다.

대구 청산교회로 옮겨간 나는 학생지도를 맡았다. 청산교회는 지식인들이 모이는 수준 높은 교회였다. 신후식 목사님이란 훌륭한 목회자가 계셔서 교회 분위기는 화목하고 성숙했다.

그 즈음 나는 길거리에서 대학 철학과 선배인 홍응표 형을 만났다. 대학시절 도서관에 있는 나를 불러내 "거듭났느냐?"고 물었던 선배였다. 홍 선배는 반색을 하며 나를 다방으로 데리고 들어갔다. 커피 한 잔을 시켜놓고 그는 말을 시작했다.

"그렇잖아도 자네를 만나고 싶어 학교에 들렀더니 행방을 모르겠다더군. 교수님들께서 자네 염려를 많이 하시던데. 학교 쪽에서는 자네를 무척 아끼고 기대를 걸었는데 갑자기 사라져버렸다는 게야. 그건 그렇고, 자네 요즘은 무슨 문제와 씨름하는가?"

"대학에 남아 있다가는 뭔가가 될 것 같지 않아서 한동안 속세를 헤매다가 지금은 교회 전도사로 있습니다."

"자네 몇 년 전에 나와 토론했던 일 기억나나?"

"기억나구말구요. 거듭나는 이야기 말이지요? 지금도 그 얘기 하고 다니십니까?"

"아무렴. 나야 다른 재주 있나. 늘상 그 얘기지. 오늘도 복음 얘기 다시 할 테니 들어주겠는가?"

"듣구말구요. 지금 내가 교회 전도사로 있기는 하지만 실은 봉사 밤길 더듬듯이 무언가를 더듬어 찾고 있는 중이니까 내가 확신할 수 있는 믿음을 찾도록만 이끌어주십시오."

"그렇다면 한결 마음이 놓이네. 자네 요즘 바쁜가?"

"글쎄요. 바쁘다면 바쁘고 아니라면 아닌 처집니다. 꼭 필요하다면 시간을 낼 수 있습니다."

"잘됐네. 우리 시간을 정해 매주 한 번씩 만나 책을 함께 읽는 것이 어떻겠나?"

"갑자기 웬 책입니까? 난 도통하기 전에는 책을 안 읽기로 했는데요."

"그야 책 나름이지. 사람 헷갈리게 하는 책말고 도통하게 하는 책 읽으면 될 것 아닌가?"

"그런 책이라면 산수갑산을 찾아가서라도 읽어야죠. 그런데 그런 책이 어디 있어야 말이지요."

"자네 「로마서」 알지? 일본의 성서학자 중에 우치무라 간조(內村鑑三)란 분이 있는데, 그가 쓴 『로마서 강해』란 책이 있네. 서양학자들이 쓴 책과는 달리 깊이가 있고 통찰력이 있는 책이지. 매주 한 번씩 만나 그 책을 같이 읽자구. 내가 자네에게 투자를 하고 싶으니까. 자네 거절 않겠지?"

거절할 이유가 있을 리 없었다. 명색이 전도사로 시무하고 있으면서도 마음속의 갈등은 여전했던 터라 순순히 응했다. 이리하여 나의 성경 연구가 시작되었다. 처음에는 가벼운 마음으로 시작했으나 점차 진지한 자세가 더해갔다. 우리는 우치무라 간조 선생의 『로마서 강해』를 함께 읽으며 토론을 거듭했다.

나는 「로마서」에서 나타나는 사도 바울의 확신이 부러웠다. 그 진위를 떠나 그렇게 확신에 찬 신앙을 지닌다는 것 자체가 축복이라 여겨졌다.

내가 복음을 부끄러워 아니하노니 이 복음은 모든 믿는 이에게 구원을 주시는 하나님의 능력이 됨이라. 복음에는 하나님의 의가 나타나서 믿음으로 믿음에 이르게 하나니 오직 의인은 믿음으로 말미암아 살리라.

• 신약성서 「로마서」 1장 16~17절

나는 이 성경 구절을 읽으며 바울과 같은 확신에 찬 믿음을 달라고 기도했다. 그런 확신이 내 영혼 속에 깃들인다면 비록 가시밭길을 걸어갈지라도 행복해질 수 있을 것 같았다.

「로마서」를 읽어나가던 중에 3장의 한 부분에 이르러 눈길이 멈춰져 그 뜻을 음미하기를 거듭했다. 가히 성서적 진리의 핵심에 해당하는 부분이라고 여겨졌기 때문이다.

23절 : 모든 사람이 죄를 지었기 때문에 하나님이 주셨던 본래의 모습을 잃어버렸습니다.

24절 : 하나님께서는 그리스도 예수를 통해서 모든 사람을 죄에서 풀어주시고 당신과 올바른 관계를 가질 수 있는 은총을 거저 베풀어주셨습니다.

25절 : 그리스도를 믿는 사람에게는 죄를 용서해주시려고 하나님께서 그리스도를 제물로 내어주셔서 피를 흘리게 하셨습니다. 이리하여 하나님께서 당신의 정의를 나타내셨습니다. 과거에는 하나님께서 인간의 죄를 참고 눈감아주심으로 당신의 정의를 나타내셨고

26절 : 오늘날에 와서는 죄를 물으심으로써 당신의 정의를 나타내셨습니다. 이렇게 해서 하나님께서는 당신이 올바르시다는 것과 예수를 믿는 사람이면 누구나 당신과 올바른 관계에 놓아주신다는 것을 보여주십니다.

나는 본문을 바로 이해해보려고 짧게 풀어 분석하며 살펴보았다.

- 인간은 본래의 모습을 상실했다.
- 그 본래의 모습은 신이 주셨던 모습이다.
- 그 본래의 모습을 상실한 이유는 죄를 지었기 때문이다.
- 인간이 본래의 모습을 상실하였다 함은 신과의 관계가 단절되었음을 뜻한다.
- 신은 인간과의 끊어진 관계를 회복시키기를 원했다.
- 신과 인간의 관계가 끊어진 것은 인간이 죄를 지어 끊어진 것이기에 그 회복은 인간의 죄가 용서되고 죄에서 해방되어야 한다.
- 신은 인간을 죄에서 해방시킬 수 있는 방법을 찾아냈다.
- 그 방법은 예수 그리스도를 통한 방법이다.
- 그 일을 이루기 위해 예수가 행한 일은 자신이 제물이 되어 피 흘려 죽는 일이다.
- 죄지은 사람은 그 죄값을 치르기 위하여 피 흘려야 하는 법인데, 사람들이 그렇게 하는 대신에 예수가 대신 피 흘려 죽게 하였다.
- 신은 예수란 이름으로 이 땅에 직접 왔고 예수가 피를 흘리게 함으로써 인간을 죄에서 해방시키고 신과의 관계를 회복시켰다.
- 이 인간 회복은 신이 은총을 베풀어주신 길이고 인간으로서는 공짜로 받은 길이다.
- 그렇다면 인간이 해야 할 일은 무엇인가?
- 예수가 이미 이루어놓은 사실을 믿는 것이다.
- 신은 예수를 믿는 사람들의 그 믿음을 보시고 죄를 용서해

주기로 했다.

- 그런데 신은 왜 이렇게 복잡한 경로를 거쳐 인간을 죄에서 구원시켜야만 했는가?
- 왜 예수가 피를 흘려야 했는가?
- 신은 이 우주에서 자신의 정의를 나타내야 할 필요가 있었기 때문이다.
- 죄를 지은 인간의 피 흘림이 없으면 신의 정의가 서지 않기 때문이다.
- 예수가 피 흘리기 전인 과거에는 신은 인간의 죄를 눈감아줌으로써 정의를 나타냈다.
- 예수가 피 흘린 후에는 인간의 죄를 추궁하여 물음으로써 정의를 나타냈다.
- 이것은 두 가지 필요를 만족시켜주었다. 첫째는 신은 정당하다는 것과, 둘째는 인간은 누구든 예수를 믿는 조건에서 죄가 용서되고 신과의 관계가 회복된다는 것이다.
- 그렇게 관계가 회복됨이 곧 인간이 잃어버린 본래의 모습을 되찾는 것이다.

나는 성경 본문을 조목조목 풀어 살피며 생각했다. 그러나 논리적으로는 납득이 가다가도 가슴으로는 받아들여지지 않았다. 머리로는 수긍이 가나 가슴에 와닿지를 않는 것이었다. 읽을수록 의문이 일어나고, 의문은 또 다른 의문을 낳았다.

그런 의문들 가운데 첫째는 '인간이 죄를 지었다' 할 때의 죄가 무엇인가 하는, 죄의 개념이 파악되지 않는 점이었다.

둘째는 예수가 피 흘려 죽은 것과 인간의 죄를 용서받는 것 사이가 연결이 되지 않았다.

셋째는 인간이 자기를 대신하여 피 흘린 예수를 '믿는다' 할 때 그 믿는다는 말이 구체적으로 어떤 내용을 가리키는지 이해되지 않았다.

넷째는 신이 이 우주에서 왜 정의를 나타내야 하는지? 자신이 창조한 우주에 왜 자신의 정의를 나타내야 하는지? 누구를 위하여 정의를 나타내야 하는지? 자기 스스로에게 그렇게 해야 하는지? 아니면 타인을 위해서인지? 누가 신에게 정의를 요구했는지? 하는 의문들이 풀리지 않았다.

다섯째는 인간이 죄를 용서받음으로써 신과의 관계가 회복되었다고 할 때 그렇게 회복된 관계란 어떤 상태인지? 본래의 인간과 타락한 인간의 관계는 어떻게 다르며, 구원받기 이전의 인간과 구원받은 후의 인간은 어떻게 달라지는지가 의문이었다.

생각할수록 의문만 쌓였다. 그런 의문 속에서도 로마서 연구를 계속 진행해갔다. 로마서 연구를 계속하면서 나는 바울이란 인간에게 깊은 매력을 느꼈다. 바울에게서 느낀 인간적인 매력 중에서도 「로마서」 7장 24절에 나타나는 그의 탄식은 내 탄식과 같은 느낌을 주었다.

"오호라, 나는 곤고한 사람이라. 이 사망의 몸에서 누가 나를 건져내랴."

나는 바울의 탄식을 읽으며 실존철학자들의 삶에 대한 절규를 생각했다. 바울의 탄식을 실존철학자들의 언어로 표현해보자.

"오호라, 나는 비극적 실존이로다. 이 죽음의 한계상황에서 누가 나를 초극(超克)시켜주겠는가!"

흔히 실존철학의 시조로 니체나 키에르케고르를 들지만, 「로마서」 7장 24절의 말로 미루어보건대 실존철학의 시조는 바울이라 할 수 있겠다. '신앙의 용장' 바울의 뜨거웠던 신앙 역정의 뒷그늘에는 이렇게 처절한 자기 갈등이 있었던 것이다. 「로마서」가 시작되는 1장에서 "의인은 오직 믿음으로 살리라" 했던 바울이 7장에 와서는 "이 죽음의 자리에서 누가 나를 건져내랴"고 탄식하고 있는 것이다. 크리스 크리스토퍼의 시구에 "반은 허구, 반은 진실인 살아 있는 모습"이란 구절이 있듯이 바울의 내면세계에도 절망과 확신이 공존하고 있었을까?

나는 바울이 지녔던 영혼의 갈등이 내가 지닌 문제와 상통한다는 사실에 깊은 공감을 느꼈다. 그리고 이러한 바울이 인생을 통째로 걸고 충성할 수 있었던 예수라면 나도 그에게 삶을 바칠 만한 무언가가 있을 수 있겠다는 기대감이 일었다.

그러는 사이에도 세월은 흘렀다. 여름에 시작되었던 로마서 연구는 가을을 지나 겨울에 접어들었다. 그간에 매주 한 번씩 가졌던 성서 연구는 이제 수시로 열리게 될 만큼 불이 붙었다.

우치무라 간조 선생의 책은 내게 큰 도움을 주었다. 그의 글은 서양 성서학자들이 쓴 글과는 다른 느낌이 들었다. 서양학자들의 글은 논리적 전개에는 능하나 직관적인 통찰력이 부족했다. 독자들의 혼에 부딪쳐 호소하는 통합적 능력이 부족했던 것이다. 우치무라 간조의 글은 바로 이 점에서 탁월했다. 나는 그의 글을 읽으며 성서를 연구하는 일에 점차 관심이 높아졌다.

그의 저서 중에 『구안록』(求安錄)이 있다. 자서전적인 책으로,

그가 예수 안에서 안심입명(安心立命)을 누리기까지 거쳤던 방황과 고뇌, 그리고 예수 안에서 평강을 얻게 되는 과정을 기록한 내용이다. 그 내용이 내게 큰 도전이 되었다.

우치무라 간조 선생은 1841년 일본의 한 하급 사무라이 가정에서 태어났다. 10대에 미국인 클라크 선교사를 통해 기독교 신앙에 입신하게 되었다. 그는 미국에서 신학을 공부하고 돌아오면서 성서의 하나님을 사랑하는 일과 일본 민족을 사랑하는 일, 이 두 가지 사랑에 인생을 걸기로 다짐했다. 그 후 성서 사랑과 민족 사랑이 그의 평생의 길이 되었다.

그는 일본 제국주의 시대에 일본이 전쟁을 일으키는 것을 반대하고, 일본이 복받는 길은 서구 제국주의의 침략주의를 본받지 말고 평화로써 세계에 기여하는 것이라고 설교했다. 이로 인해 군부의 미움을 받아 일터에서 쫓겨난 그는 도쿄의 6평짜리 다다미방에서 젊은이들을 모아 성서를 가르쳤다. 성서의 진리로 신(新)일본 세우기를 삶의 목표로 삼았다.

그렇게 길러진 인재들은 전후 일본을 이끌어가는 기둥이 되었다. 그의 성경공부반 출신 중에서 도쿄대학 총장이 셋이나 배출되었으며, 정치인들 중에도 오히라 수상이 그의 문하생이다. 그리고 일본 사회당 창당 멤버들도 그가 인도한 성경공부반 출신들이었다. 그래서 일본 사회는 메이지 유신 이후 1백 년간 오늘의 일본을 일으킨 20명의 선각자를 뽑을 때 우치무라 간조를 포함시켰다. 그는 죽음에 임하여 "내가 죽으면 나의 묘비에 이 글을 새겨달라"고 유언을 남겼다.

나는 일본을 위한 나다

일본은 세계를 위한 일본이다

세계는 그리스도를 위한 세계이다

그리고 모든 것은 하나님을 위해서이다

I for the Japan

Japan for the world

The world for Christ

and all for God

나는 우치무라 간조의 신앙이 예수에 대한 충성과 자기 조국
에 대한 충성이 하나로 어우러져 균형을 이루고 있음에 감명을
받았다. 그래서 나는 이렇게 기도했다.

"예수님, 저에게도 믿음을 주시려면 '예수님께 대한 믿음'과
'조국에 대한 사랑'을 함께 이루어나갈 수 있는 믿음을 주시옵소
서. 그래서 내 삶을 '예수 사랑'과 '겨레 사랑'을 함께 이루어나
가는 일에 헌신할 수 있도록 이끌어주시옵소서. 그런 믿음을 허
락해주신다면 멋진 인생을 한번 살아보겠습니다."

우리 나라에서 우치무라 간조의 영향을 받았던 인물로는 김교
신과 함석헌을 들 수 있다. 나는 우치무라 간조를 좋아하게 되면
서 김교신 선생의 글과 함석헌 선생의 글도 열심히 탐독했다. 그
리고 이런 글들을 읽으면서 예수를 믿고 따르는 삶은 교회당 안
에서만 머무는 생활에서 벗어나 백성들의 삶의 현장에서 이루어
져야 하는 것임을 느끼게 되었다.

그러던 차에 드디어 역사적인 날이 내게 다가왔다. 내 삶을 근

본으로부터 변화시킨, 내 삶에 코페르니쿠스적인 전환을 일으킨 사건의 날이 다가온 것이다.

1968년 12월 4일이었다. 그날 홍응표 선배는 성경공부 시간에 최광수란 선배 한 분과 함께 왔다. 계명대 교육학과 출신 선배였다. 우리 셋은 함께 신약성서 중의 「에베소서」를 읽게 되었다.

"하나님의 뜻으로…… 예수의 사도 된 바울은 에베소에 있는 성도들……에게 편지하노니……"로 시작된 바울의 서신을 읽어 내려가던 중에 1장 7절에 이르자 무언가 번쩍 하는 느낌이 본문에서 느껴졌다. 순간적으로 내 영혼에 헤드라이트 불빛 같은 빛이 비쳤다. 나는 숨을 멈추고 7절을 다시 읽었다.

"우리가 그리스도 안에서 그의 은혜의 풍성함을 따라 그의 피로 말미암아 구속 곧 죄 사함을 받았으니……."

두번째 읽었을 때 내 머릿속에서 천둥이 울리는 듯했다. 아니, 내 영혼에 지진이 일어났다고 하는 편이 좋겠다.

'그리스도 안에서'

이 일곱 글자가 나를 강렬히 압도했다. 문제의 열쇠는 거기에 있었다. '그리스도 안에서'란 말에 해답이 있었다.

'그리스도 안'이란 어떤 곳인가? 인간을 향한 신의 사랑이 결집된 곳이다. 신은 잃어버린 파트너인 인간을 찾아 세상으로 들어왔다. 그분을 우리는 예수 그리스도라 부른다. 이 땅에 온 하나님인 그리스도는 고난을 당하고 피 흘려 죽음으로써 인간에 대한 자신의 사랑을 나타냈다. 그러한 하나님의 사랑을 깨닫고 그 사랑에 나를 기투(企投)할 때 나는 하나님과 합일된다. 일컬어 구원받는다고 표현한다.

그간에 나는 구원의 길을 어디에서 찾았던가? 내가 방황하고 다녔던 공간은 어디였던가? 분명히 '그리스도 안'이 아닌 '그리스도 밖'이었다. 'in Christ'가 아닌 'out of Christ'였다. 나는 진리를 찾되 '철학 안'에서 찾으려 했고 '인간 안'에서 찾으려 했다. 나는 '철학 안'에는 길이 없으리란 것까지는 짐작했으나 '인간 안'에도 길이 없음을 인식하지는 못했던 것이다.

나는 그날 밤 그리스도 밖에서 방황했고 구원에 이를 수 없는 죄인인 나를 볼 수 있었다. 내 안에 있었던 것은 고뇌와 방황이었다. 그리고 그 고뇌와 방황의 뿌리에 죄가 있었다. 고뇌와 방황은 죄가 낳은 자식이었다. 내 영혼을 병들게 하고 있는 고뇌와 방황을 끝내게 하려면 내 영혼을 점령하고 있는 죄를 해결해야 했다. '죄'에서 해방되어 자유를 누리게 된 뒤에라야 고뇌와 방황에서 해방될 수 있음을 알게 되었다.

그런데 놀랍게도 그날 밤 한순간에 그리스도께서 내 어깨에서 죄의 짐을 내려주었다. 내 영혼을 점령했던 죄의 세력을 추방하고 죄에서 해방된 자유인의 기쁨을 누리게 해주었다. 갑자기 그리스도가 온 우주보다 크게 느껴졌고, 그 크신 품에 안겨 안식을 누리고 있는 자신을 깨닫게 되었다. 긴 세월 동안 미로를 헤매게 했던 의문은 일시에 사라지고, 예수 그리스도가 모든 질문에 대한 해답으로 내 앞에 나타났다.

나는 예수 그리스도 앞에 무릎을 꿇었다. 그리고 그분을 평생의 주인으로 모시기로 다짐했다. 내가 무릎을 꿇었을 때 예수는 나를 품어주었고 나는 예수 안으로 들어갔다. 그래서 나는 나의 한계상황을 넘어섰고 새로운 존재(New Being)로 하나님의 아들이 되었다. 땅의 아들에서 하늘의 아들로 신분이 변하게 된 것이었다. 기쁨의 강이 내 심장을 흘렀고 세포세포마다 내 새로운 출생을 감사드리는 듯했다. 1968년 12월 4일 밤 열한시에서 5일 새벽 한시 사이에 일어난 사건이었다.

나는 신약성서 「고린도후서」 5장 17절을 소리 높여 읽었다.

"그런즉 누구든지 그리스도 안에 있으면 새로운 피조물이라 이전 것은 지나갔으니 보라 새것이 되었도다."

그리고 찬송가 210장을 소리 높여 불렀다. 감격의 눈물을 흘리며 불렀고 일어서서 손뼉을 치며 불렀다.

내 죄 사함 받고서 예수를 안 뒤 나의 모든 것 다 변했네
지금 내가 밟는 길 천국 길이요 주의 피가 내 죄를 씻었네
나의 모든 것 변하고 그 피로 구속받았네
하나님은 나의 구원이시도다 내게 정죄함 없어라

내가 변하여 완전한 사람 되어 예수의 이름 빛내도다
내가 변하여 완전하게 된 것은 그리스도를 힘입음이라
나의 모든 것 변하고 그 피로 구속받았네
하나님은 나의 구원이시도다 내게 정죄함 없어라

예수의 사랑 내 맘에 가득한 뒤 성령이 마음에 늘 계시며
모든 두려움 주께서 물리친 뒤 나의 희망이 하늘에 있네
나의 모든 것 변하고 그 피로 구속받았네
하나님은 나의 구원이시도다 내게 정죄함 없어라

다음날 아침에 떠오른 태양은 이전의 태양과는 다른 태양이었다. 부는 바람도 이전의 바람이 아니었다. 새로운 태양과 새로운 바람이 새롭게 태어난 나를 환영해주었다. 길거리에서 스쳐가는 모든 사람들이 선하게만 보였고 길가의 돌 하나, 풀 한 포기에도 하나님의 사랑이 깃들여 있는 듯했다.

그 해 12월 4일 밤에 일어났던 이 사건은 나에게 일생 동안 가야 할 길을 분명히 결정해주었다. '예수 그리스도의 종이 되어 교회와 백성을 섬기는 일'에 평생을 바치겠다는 결심이었다. 그 길을 걸으려면 신학교로 가서 목사가 되는 과정을 밟아야 했다.

누구보다 기뻐한 사람은 어머니였다.

"진홍이를 하나님의 종이 되게 하여 주시옵소서!"

그렇게 수십 년간 새벽마다 드려오던 기도가 이제 응답되었으니 그 기쁨이 어떠하였으랴.

그런데 내가 신학교에 진학하게 되면 누가 어머니를 모시느냐가 문제였다. 어머니 홀로 어떻게 지내시나 하는 염려로 의논드렸더니 어머니는 거침없이 말씀하셨다.

"야야, 염려 말아라. 이미 다 계획이 되어 있다. 니는 가서 공부나 열심히 해라. 나는 그저 니가 목사 되는 거이 감사하고 감사할 따름이다. 내 걱정은 조금도 하지 말그라."

나는 어머니 말만 믿고 이듬해인 1969년 3월 서울에 있는 장로회신학대학에 입학했다. 그런데 몇 달간 공부하다가 대구로 어머니를 뵈러 갔더니 놀랍게도 어머니는 어느 집에서 가정부로 일하고 계셨다. 나는 깜짝 놀라 어머니께 말씀드렸다.

"어머니, 이게 무슨 일입니까? 대책이 다 되어 있다시기에 그대로만 믿었더니, 이렇게 식모살이를 하십니까? 안 되겠습니다. 신학교는 휴학하고 취직하여 어머니를 모셔야겠습니다. 아무리 목사 되는 일이 중해도 어머니를 이렇게 두고 신학교에 다닐 수는 없습니다."

어머니는 펄쩍 뛸 듯이 놀라며 말씀하셨다.

"야가 뭐라카노? 내가 지금 어때서. 이래 있어도 기쁨이 넘친다. 그라고 직업에는 귀천이 없는 기다. 식모가 어떻노? 내 염려는 당최 말그라. 내가 이러고 있어도 프라이드가 있다. 집주인 아들이 셋이다만, 내가 보기에는 셋 다 합쳐도 니 하나만 못하겠더라. 그러니 니는 아무 걱정 말고 얼른 가서 공부를 계속 해라. 야가 큰일날 소리를 하네."

어머니는 가정부로 일하면서도 자부심이 대단했고 내게 대한 확신이 있으셨다. 진홍이는 장차 큰 인물(?)이 된다는 확신이 그 바탕이었다. 그래서 대수롭지 않은 일에도 내가 신통한 일을 할라치면 어머니는 말씀하시곤 했다.

"잘했다. 장차 큰일 할 녀석이라 다르구먼."

그런 내가 신학교에 갔으니 장차 큰 목사가 되리라는 것이 바로 어머니의 믿음이었고 꿈이었다. 그런 꿈이 있었기에 비록 가정부로 일해도 기쁨에 넘치셨다.

낮에는 커닝하고 밤에는 방언 기도

장로회신학대학은 대학 졸업자가 입학해 3년 과정을 이수하는 엘리트 코스였다. 전국 각 대학에서 졸업한 40명의 동기생들은 앞으로 한국 교회를 이끌어나가겠다는 사명감에 불타 있었다. 저녁마다 워커힐 뒤의 아차산에 올라가 광나루를 내려다보며 장차 한국 교회의 기둥이 되고 겨레의 정신적 지도자가 되겠다는 생각을 함께 나누곤 했다.

우리는 무덤 사이사이에서 무릎 꿇고 기도했다. 급우들 중에는 유별난 친구들이 있었다. 기도 중에 몸을 심히 떨거나 요란스레 '방언 기도'를 드리는 것이었다. 나는 그런 체험이 없었던 터라 약간 거부감이 느껴졌다. 기도를 왜 저렇게 요란을 떨며 할까? 성경에는 하나님께 은밀한 중에 기도드리라고 했는데, 저렇듯 야단스럽게 기도드리는 것은 성경적이 아니잖은가 하는 생각이 들었다.

"전도사님은 중풍기가 있는 거요? 기도하면서 웬 몸을 그리

떠는 거예요? 그리고 영어도 아니고, 독어도 아니고, '다다 다……따따따……'는 어느 나라 말이요? 한글을 애용함이 어떻 겠어요?"

그런 내 물음에 방언하는 전도사가 답했다.

"김형, 그렇게 생각할 일이 아니에요. 말세에 목회하려면 영권 (靈權)이 있어야 합니다. 영권을 받으려면 방언 기도가 제일입니 다. 김형도 그렇게 비판적으로만 보지 말고 방언 은사를 구하세 요. 김형은 보아하니 성격도 기질도 적극적이라 은사 체험이 깊 어지면 한국 교회를 흔들어놓을 거요."

"아뇨. 난 한국말이나 제대로 할라요. 한글로도 하나님과 의사 소통이 충분한데 뭘 할려고 그런 다따다따 하는 외마디 소리를 냅니까?"

어느 날 방언 기도를 깊이 하는 급우와 함께 한 가정에 초청받 아 갔다. 저녁식사 대접을 잘 받고 나서려는데 첫돌배기인 그 집 아이가 자지러질 듯 울어대기 시작했다. 고열이 나면서 까무러칠 듯 울어대자 젊은 어머니는 어쩔 줄 모르고 허둥댔다. 나는 혹시 나 소아마비열이 아닐까 염려스러워 아기 엄마에게 말했다.

"아주머니, 제가 가서 택시 불러올까요? 아무래도 병원에 가 봐야 될 것 같은데요. 혹시 소아마비열인지도 모르니 서둘러 병 원에 가보는 게 좋겠습니다."

내가 급히 택시를 부르러 나가려는 참에 친구 전도사가 침착 스레 말했다.

"아기를 저에게 주십시오."

아기를 받아 품에 안은 그는 아기 머리에 손을 얹고 '두루

루……' 방언 기도를 드렸다. 얼마간 그렇게 기도를 드리더니 이윽고 "나사렛 예수 이름으로 명하노니 병마야 물러나라" 하고는 기도를 마쳤다. 그 순간 아기는 울음을 뚝 그치고 열이 내리는 것이었다. 나는 기가 팍 죽었다.

야, 방언 기도를 해야겠구나! 앞으로 목회하려면 저 정도는 돼야지, 나처럼 "택시 불러올까요?" 하는 수준으로는 곤란하겠구나 하는 생각이 들었다. 그날 저녁 나는 그 친구의 방을 찾아갔다. 그리고 솔직하게 사정했다.

"형, 나도 방언 기도 할 수 있게 지도 좀 해주시오. 오늘 형이 방언 기도 해서 아이 병 고치는 것을 보고 나도 방언 은사를 받아야겠다는 생각이 들었수다. 앞으로 목회하려면 그 정도는 돼야지, 나처럼 당황해서 택시 불러올 생각만 해서는 안 되겠다는 생각이 들었수다."

"이제 김형이 방언 은사를 인정하는구면요. 좋은 일입니다. 그런데 김형, 거 방언 받는 것이 그렇게 쉬운 일이 아닙니다."

"아니, 막상 방언 받으려니 또 왜 그렇게 말하는 거요? 어려워도 형이 하라는 대로 따를 터이니 지도해주시구려."

"김형, 내 말은 안 된다는 것이 아니라 쉽게 생각지 말라는 거요. 방언 은사 받으려면 소나무 한 그루는 뽑아야 합니다."

"아니, 방언 은사 받는 것하고 소나무하고 무슨 관계가 있지요?"

"다름 아니라 김형이 방언 은사 받기에 합당한 마음가짐을 가지라는 것이지요. 내가 아는 시골 교회 목사님이 한 분 있어요. 교인들은 부흥회다, 산기도다 다녀와서 방언 기도를 드리는데,

목사인 자신은 방언 기도를 못하니 교인들을 지도하는 데 지장이 있다고 느꼈지요. 그래서 '나도 방언 기도 드려야 방언하는 교인들을 지도할 수 있겠습니다. 하나님, 내게 방언 은사를 허락해주십시오' 하고 기도드렸답니다. 그러나 열심히 기도해도 방언 은사가 임하지 않으니까 마음에 조바심이 일어 달밤에 담요 한 장을 들고 산으로 갔습니다. 그리고 산비탈에 엎드려 소나무 한 그루를 붙잡고 방언 은사 달라고 기도드렸습니다.

그런데도 방언 기도가 터져나오지 않으니까 소나무를 어찌나 심히 흔들며 기도를 드렸던지 새벽녘에 소나무가 뿌리째 왹 뽑혀 버렸습니다. 그러자 목사님은 소나무가 뽑힐 때의 반동으로 산비탈에서 서너 바퀴 굴러떨어져 골짜기에 콱 처박혔습니다. 그런데 골짜기에 처박히는 바로 그 순간에 방언이 탁 터졌답니다. 그러니 김형도 방언 은사를 받으시려면 그만큼 간절히 구하라는 것입니다."

나는 그 말이 이해가 갔다. 그래서 나도 소나무 한 그루 뽑기로 마음먹었다. 마음은 그렇게 먹었으나 주중에는 공부하고 주말에는 교회를 섬겼기에 소나무 뽑을 만한 시간이 나지 않았다. 고심하던 끝에 공휴일을 이용하기로 하고 5월 5일 어린이날을 디데이로 잡았다. 그리고 준비 기도를 먼저 드렸다.

"하나님 아버지, 간절히 기도드립니다. 저도 은사를 받아 능력 있는 목회자가 될 바탕을 닦아나가야겠습니다. 방언 은사, 병 고치는 은사를 함께 받아 능력 있는 종이 되어야겠습니다. 5월 5일에 산기도를 가겠습니다. 산에 가서 소나무가 뽑히도록 간절히 기도드리겠사오니 그날 방언을 주시옵소서. 주실 줄 믿고 기도드립니다."

5월 5일이 되자 나는 아침 일찍 서둘러 청와대 뒤편을 돌아 삼각산의 특별기도원으로 갔다. 열시쯤 기도원에 도착해 뒷산으로 올라가니 한적한 곳에 판판한 바위가 있고 바위 곁에 소나무 한 그루가 다소곳이 서 있었다. 나는 바위를 덮고 있는 낙엽 위에 무릎을 꿇고 소나무를 두 손으로 잡은 채 기도하기 시작했다.

"여호와 아버지, 오늘 이 자리에서 방언 주실 줄 믿습니다. 방언 주시지 않으면 이 자리에서 움직이지 않겠습니다. 방언을 주셔야만 이 자리에서 일어나겠습니다."

그렇게 확고한 다짐으로 기도를 시작했으나 3, 4분도 채 지나지 않아서 아차, 자리를 잘못 잡았구나 하는 생각이 들었다. 바위에 닿은 무릎이 빠개질 듯이 아파오는 것이었다. 방석이나 담요를 깔고 앉았어야 하는데, 무식하면 용감하다고 낙엽 쌓인 것만 의지하고 그냥 앉아놓으니 그 통증을 배겨내기 힘들었다. 그러나 방언 주시지 않으면 이 자리에서 움직이지 않겠다고 다짐하는 기도를 드린 터여서 취소할 수도 없었다. 나는 이를 악물었다.

아파도 그냥 참자. 그냥 참고 기도드리면 하나님께서 기특하게 여기시고 방언 주시겠지. 무릎 아프다고 설마 죽기야 하겠나.

이런 생각에 억지로 참기를 계속했다. 얼마간 시간이 지나자 무릎에서 감각이 없어지고 허리가 아파왔다. 그래도 참으며 "방언 주시옵소서" 하고 되풀이 기도했으나 오후 세시쯤에는 기진맥진하여 기도할 기력조차 없어졌다. 입 안은 마르고 허리는 몽둥이로 맞은 듯 뻣뻣했다. 그러나 방언은 소식도 없었다. 나는 기진하여 고개를 떨구며 기도했다.

"아이고, 하나님, 방언 안 주시는 겁니까?"

그때 신약성서 중의 「로마서」 한 구절이 떠올랐다. 8장 32절이었다.

자기 아들을 아끼지 아니하시고 우리 모든 사람을 위하여 내어주신 이가 어찌 그 아들과 함께 모든 것을 우리에게 은사로 주지 아니하시겠느뇨.

이 말씀을 되씹어보니 방언을 구하는 내 마음이 합당치 못하다는 생각이 들었다. 내가 아직 방언 은사는 못 받았어도 이미 받은 것이 있는데, 이미 받은 것에 대해서는 감사하고 실천할 줄 모르고 아직 못 받은 것만 자꾸 구하는 자세가 합당치 못하다는 생각이었다.

내가 이미 받은 것이란 예수를 믿음으로써 얻은 구원의 확신이었고 내가 하나님의 아들이 되었다는 확신이었다. 그리고 지금 죽어도 천국에 들어가게 된다는 흔들림 없는 믿음이었다. 이런 귀중한 것을 받았으면서도 제대로 감사드리지 않고, 친구가 병 고치고 방언하는 것을 보고는 후끈 달아올라 그것부터 구하려 했던 것이다.

그렇다, 내가 다른 것은 못 받았어도 예수를 믿음으로써 생명을 얻었고 천국 소망을 이미 지녔는데, 이것을 밖에 나가 전하고 실천하자. 그런 다음 방언이 필요하면 방언을 구하고 병 고치는 능력이 필요하면 그때 가서 구하자!

나는 자리를 털고 일어나 다리를 절룩거리며 동대문 로터리에 있는 고속버스 터미널로 갔다. 터미널 휴게실에는 부산 가는 손님들이 버스를 기다리고 있었다. 나는 빈 의자에 신발 벗고 올라서서 웅변조로 전도 설교를 시작했다.

"여러분, 장거리 여행을 앞두시고 잠시 귀를 빌려주시기 바랍니다. 여러분, 고속도로는 사망 길이요 예수 그리스도는 생명 길입니다. 여러분, 예수를 믿음으로써 생명을 누리십시오. 바로 지금입니다. 지금이 여러분께서 생명을 선택할 때입니다!"

내가 열을 올려 침을 튀기며 전도 연설을 하고 있는데 터미널 경비원이 오더니 무조건 내 멱살부터 잡았다. 그리고 나를 치려는 듯 한쪽 손을 들어올리며 말했다.

"이 자슥이, 뭐이 어쩌고 어째? 고속도로가 사망 길이라고? 야, 임마, 너 누구 회사 망하라고 악쓰는 거냐?"

"아이고, 선생님, 내가 말을 잘못했습니다. 지가 예수가 생명인 것을 강조하다 보니 말에 실수가 있었습니다."

"뭐이라고? 선생이라고! 난 너 같은 제자 가르친 적이 없어. 예수쟁이들은 입만 살아가지고서……."

"아니, 잘못했다는데 왜 이러세요. 이 손 좀 풀어주세요. 목졸려 죽겠습니다."

"그래, 임마, 목은 풀어줄 테니 당장 내 눈앞에서 사라져. 한 번만 더 내 눈에 띄었다가는 다리를 분질러놓을 테다. 야 임마! 그래, 생각을 해봐라. 고속버스회사에 와서 고속도로는 사망 길이라고 나팔 부는 거이 제정신 있는 짓거리냐?"

그는 내 엉덩이를 차서 내쫓았다. 그렇게 쫓겨난 나로서는 자존심이 상하고 창피스럽기도 할 노릇이었다. 그러나 그런 기분은 전혀 들지 않았다. 오히려 기분이 가뿐하고 몸이 날아갈 듯이 상쾌했다. 나는 혼잣말로 중얼거렸다.

"그래, 바로 이거다. 아직 못 받은 은사를 달라고 구하기 전에, 이미 받은 은혜를 전하고 실천하면 때를 따라 기쁨 주시고 힘 주시는 거다. 자기 아들 예수를 주시기까지 하신 하나님이 어떤 은사인들 아까워 주시지 않겠나? 이미 받은 생명의 신앙부터 전하고 실천하고 살자!"

큰뜻을 품고 시작한 신학교 생활도 시간이 흐름에 따라 새로운 고민을 낳게 했다. 제도화된 신앙생활에서 파생하는 부작용을 피부로 느끼면서 나는 갈등에 빠졌다.

예수 그리스도의 도(道)를 이어받은 교회가 처음에는 진실에서 출발했으나 시간이 지남에 따라 그 진실이 제도화하고 교리라는 껍질을 쓰면서 왜곡된다. 출발하던 때의 진실은 약화되고 교리의 껍질이 점차 두터워져 가다가, 드디어 그 껍질이 인간 영혼을 구속한다. 인간을 해방시키려던 복음이 인간을 구속하는 종교로 변질하는 것이다. 그런 증상이 가장 실감나게 느껴지는 곳이 신학교인 듯했다.

신학교에 들어간 후 첫 시험을 치르면서부터 갈등이 시작되었다. 동급생들 중에 커닝하는 동료들이 상당수 있음을 보게 되면서부터였다. 나는 커닝에 몰두하고 있는 동급생들의 모습을 보고 아연실색했다.

앞으로 목사가 되어 백성들의 정신세계를 이끌어갈 사람들이 어떻게 커닝을 할 수 있을까? 이런 수준의 사람들이 모인 곳에서 굳이 3년이란 세월을 보낼 필요가 있을까?

이런 생각을 하며 나는 고개를 갸우뚱하곤 했다. 내가 몸담은 신학교는 아차산에 터를 잡고 있었다. 옛날 백제 의자왕이 이곳에 호화궁궐을 짓고 호사를 부리며 바둑만 두다가 나라를 잃고 만 자리다. 아차산 한편에는 워커힐이 있고 다른 한편에 신학교가 있었다.

우리 신학도들은 저녁이 되면 아차산에 올라가 무덤들 사이에 자리를 잡고 기도드리곤 했다. 그런데 낮에 커닝을 했던 동급생 한 명이 방언 기도를 하면서 몸을 사시나무 떨듯 했다. 나는 그런 모습을 보고 생각했다.

역시 신학도라 다르구나. 낮에 커닝한 것이 양심에 걸려 저렇게 회개의 기도를 드리고 있는 게로구나!

그러나 다음날도 그는 여전히 커닝을 하는 게 아닌가. 이해할 수 없었다.

낮에는 커닝하고, 밤에는 방언 기도 하고, 도대체 어떻게 된 걸까?

그는 신학교를 졸업할 때까지 커닝을 했다. 그런 그를 몇 년 전 서울에서 우연히 만났다. 서울 중심가에서 3, 4천 명이 모이는 교회의 담임목사로 있었다. 졸업 후 20여 년 세월이 흐른 뒤라 반갑게 인사를 나누었다. 그런데 그는 인사할 때 허리를 앞으로 숙이는 게 아니라 뒤로 젖히며 말했다.

"허허, 김진홍 목사, 오랜만이야. 알렐루야!"

그는 '할렐루야'를 말할 때 목에서 가래 끓는 소리를 내며 '알렐루야'로 발음했다. 그런 음성을 들으니 예전에 커닝하던 그의 모습이 떠올랐다. 나는 20년 전에 커닝하던 사람이 그간에 목사 노릇 하느라고 목소리가 갔구나 하는 생각이 들어 말을 건넸다.

"아니, 이 목사, 목에 부스럼 났나? 왜 목에서 개구리 우는 소리가 나는 기여?"

"어허, 김 목사는 여전하구먼. 알렐루야!"

나는 쓴웃음을 지으며 개구리 목사와 헤어졌다. 종교인에게 가장 큰 적은 위선이다. 자기 기만이다. 종교에 위선이 터를 잡을 때 인간 정신은 녹슬고 좀벌레가 생기게 마련이다. 그런 연후에는 종교의 이름으로 자기를 속이고 하늘을 속인다. 나아가 서로가 서로를 속인다. 기독교 역시 그 점에서 예외일 수 없었다.

신학교 안의 위선적인 분위기 때문에 내 갈등은 깊어갔다. 여기까지 오는 데 얼마나 큰 값을 치렀던가! 지난날 초상집 개처럼 방황하던 세월에서 벗어나 그리스도를 믿는 신앙에 귀의한 이후 신학교에 오기까지 치렀던 고난의 세월들이 떠올랐다. 나는 신학교에 입학하는 것으로 모든 방황과 고뇌가 끝나고 평정과 환희의 세계가 펼쳐질 것이라고 생각했다. 그러나 막상 여기에 도달해보니 역시 인간이 모이는 곳이었다.

그렇게 몇 달간 고민하다가 마침내 결심했다. 목사라는 직업인이 아니라 순수한 인간으로서 그리스도의 사랑을 실천하겠다는 결심이었다. 목사라는 칭호를 가질 때 거기에 타성과 위선이 따르게 마련이다. 그러니 아무것에도 매이지 말고, 누구에게도 거리낌없는 맨몸으로 살자. 그래서 나를 필요로 하는 이웃을 찾아 그들과 더불어 사는 길을 찾자.

덴마크의 철학자 키에르케고르가 말했던가? 자신이 목숨 걸고

추구하는 철학의 최종 목표는 '어떻게 신 앞에 단독자(單獨者)로 설 수 있을까, 어떻게 맨몸으로 신 앞에 설 것인가'의 문제라고. 나도 그렇게 한번 살아보자. 목사니 교파니 하는 부질없는 껍질을 벗고 순수하게 벗은 몸으로, 예수가 살았던 모습 그대로 한번 살아보자.

그렇게 다짐한 나는 신학교를 떠나기로 했다. 2학기 기말시험이 시작되는 날, 짐을 싸서 대구로 내려갔다. 동급생들이 진심으로 만류했으나 나는 단호히 말했다.

"자네들은 머물러라. 나는 떠난다. 머무르는 자네들이 나쁘다는 것이 아니다. 다만 나는 나 자신에게 진실해지고 싶을 따름이다. 나는 직업적인 성직자로 살기를 포기한다. 나는 길가의 잡초처럼 민중들 속에서 살아가고 싶다. 그들과 함께 울고 웃고 고민하며 살고 싶다. 그렇게 사는 삶을 내 주인 예수께서도 기뻐하실 것이란 확신이 서기에 내 인생을 걸고자 한다. 입으로 설교하는 목사가 아니라 온몸으로 증거하는 예수의 제자가 되고 싶을 따름이다."

그 시절 나는 이미 결혼한 몸이었다. 신학교 1학년 여름방학 때 나는 결혼식을 올렸다. 비극으로 끝난 결혼이었지만, 내가 걸어온 삶의 자취니 이야기를 하고 넘어가자.

아내 된 여성을 만난 것은 내가 계명대 철학과에 다닐 때였다. 이화여대 사회사업과 졸업반으로 가정부를 셋이나 둔 부잣집 딸이었다. 몇 번 만나는 사이에 서로 사랑을 느낀 우리는 신학교에 함께 입학하게 되었다.

처가에서는 그녀가 나와 사귀는 것을 극단적으로 반대했다.

반대하는 이유인즉슨 "귀한 딸을 그런 백수건달에게 시집보낼 수 없다"는 것이었다. 어떻게나 반대가 심했던지 그녀는 다른 도리가 없어 나를 따라 신학교에 입학했고 당연히 친정과는 관계가 끊어지고 말았다.

우리는 여름방학 때 결혼식을 올렸다. 가나안 농군학교에서 김용기 장로님의 주례로 결혼식을 올린 우리는 신혼여행 갈 비용조차 없어 기차를 타고 인천으로 가서 한 여인숙에 묵으며 첫날밤을 보냈다.

지난날들을 차분한 마음으로 되돌아보면 처가에서 그렇게 반대했을 때 부모의 뜻을 거스르지 말았어야 했다는 생각이 든다. 나는 결혼을 앞둔 후학들에게 내 경험을 바탕으로 이렇게 권한다.

"그래도 자식을 가장 사랑하는 것은 부모님이다. 웬만하면 부모님의 뜻을 거스르며 결혼할 것 없다. 최소한 부모님을 설득할 때까지 기다리는 게 좋다. 그리고 그 기간을 서로의 사랑과 마음가짐을 재삼 되새겨보는 기회로 삼는 것이 좋다."

이런 충고는 나 자신이 살아오는 동안 몸소 겪었던 시행착오를 거쳐 체득한 경험을 통해 우러나온 것이다.

이야기를 바꾸어 신학교를 중퇴하고 대구로 내려갔던 때로 되돌아가자. 나는 대구에 내려가 노동자들의 친구가 되기를 원했다. 그렇게 하려면 나 자신이 노동자가 되어야 했다. 나는 최종학력을 초등학교 졸업이라고 쓴 이력서를 들고 일자리를 찾다가 대구 칠성동에 있는 한 철공소에 입사했다.

나는 원래 체격이 빈약하고 볼품없는 생김새라 무학(無學)이라 해도 모두 수긍할 만한 인상이다. 초등학교 졸업이라고 쓴 이력서를 들고 그 철공소를 찾아가니 내 외모를 보고는 그런 줄로만 알고 취직을 시켜주었다. 태어나서 처음으로 외모 덕을 본 셈이다.

그 철공소 사장은 보수교단 소속 장로로, 여러 곳에 교회를 세우고 큰 액수의 헌금을 내어 전도사업에 쓰고 있는 모범 신앙인이요, 모범 기업인으로 알려진 사람이었다.

나는 일당 270원의 화부(火夫)로 채용되었다. 용광로를 관리하는 일로 일주일마다 낮 근무와 밤 근무를 교대하는 자리였다. 그런데 출근한 지 얼마 안 되어 회사 분위기가 이상하다는 느낌이 들기 시작했다. 일하는 틈틈이 동료들에게 예수님에 관한 이야기를 하노라면 대개 불쾌한 반응을 보이며 반감에 젖은 말을 내뱉었다.

"예수쟁이라면 말도 마……."

"예수라면 신물난다."

처음에는 의아했으나 회사 사정에 익숙해지면서 그들의 심정을 이해할 수 있게 되었다. 그 철공소는 사장이 교회의 장로다 보니 간부들 모두가 장로 아니면 집사로 교회에서 중책을 맡은 사람들이었다. 그런데 노동자들이 받는 일당은 같은 업종의 다른 회사들에 비해 10퍼센트 정도 낮은 임금이었다. 게다가 작업시간은 다른 회사보다 한 시간 가량 더 길었다.

더욱 나쁜 것은 매일 아침 전체 종업원이 예배를 드렸는데, 이 시간이 노동시간에 포함되지 않는 점이었다. 아침예배 때문에 노동자들은 30분 더 일찍 출근해야 했다. 노동자들에게 아침에 30

분 더 일찍 일어나야 하는 것은 큰 부담이다. 그러나 아침예배 때마다 출석을 부르고 출석률이 월급 봉투에 반영되어 노동자들은 마지못해 따르고 있었다.

상황이 이러니 노동자들의 입에서 예수나 교회에 대해 거침없는 악담이 나올 수밖에 없었다. 그들에게 예수는 그들의 새벽잠을 앗아가는 악당이었다. 그들이 아침예배를 드리고 나서 작업장으로 흩어지며 내뱉는 말이 있었다.

"개새끼들, 자식새끼 낳아 예배당 보내면 나도 개새끼다."

나는 동료 노동자들에게 예수 믿자고 전도하기 전에 먼저 해야 할 일이 있음을 느꼈다. 노동자들의 마음에 불만을 일으키고 있는 이런 상황부터 고쳐야겠다는 생각이었다. 그런 판에 예수 운운해봤자 "임마, 예수 너그끼리나 해먹어라"고 욕이나 얻어먹기 십상이었다.

나는 서서히 일에 착수했다. 작업시간 중에는 같은 부서의 동료들과 대화했고, 점심시간이나 출퇴근시간에는 다른 부서의 노동자들을 만나 이야기를 나누었다.

"우리가 이 공장에서 더 열심히 일을 하되 회사측에서도 합당치 못한 노동조건을 고치게 하자. 그렇게 하려면 개인이 나서는 것은 별효과가 없으니 노동조합을 만들어야 한다. 노동조합 만들기가 그렇게 어려운 일도 아니고, 또 나쁜 짓 하는 것도 아니다. 회사에도 좋고 우리 노동자들에게도 좋은 노동조합을 만들면 된다. 지금처럼 불만에만 가득 차 있으면 회사도 손해고 우리도 손해다."

동료들의 처음 반응은 해봐야 헛일이란 것이었다. 그동안 왜 안해보았겠느냐, 몇 번이나 시도해봤지만 번번이 몇 사람만 희생되고 흐지부지 끝나고 말았다는 것이다. 그러나 나는 꾸준히 설득했다. 그랬더니 차츰 동참하겠다는 동료들이 생겨나고 짬짬이 모여 의논하는 시간이 늘어갔다.

그런 상태로 얼마가 지나니 회사측에서는 무언가 심상치 않은 일이 일어나고 있다고 생각하고 진상을 파악하려 했다. 작업시간 중에 몇 명이 사무실로 호출돼 가고 오고 하더니 드디어 화살이 내게로 날아왔다. 나는 사무실에 불려가 취조 아닌 취조를 받게 되었다.

"김씨, 요즘 가만히 있는 사람들을 선동해서 일을 꾸미고 있는 모양이던데, 왜 그런 짓을 하요? 정신나간 사람 아이요! 그런 짓 하면 빨갱이로 몰린다는 걸 모르요? 당장 그만두고 그간에 호응한 녀석들 이름을 대봐요. 그렇게 하면 선처할 수도 있어요."

"내가 한 일을 그런 식으로 나쁘게 생각하지 마십시오. 더군다나 빨갱이 운운하는 말은 듣기 안 좋네요. 이 회사가 부당한 노동 조건 아래에서 강제 예배를 드리고 있는 것은 한마디로 웃기는 일입니다. 예배드리는 게 나쁘다는 것은 아닙니다. 적어도 다른 회사와 같은 수준의 급료를 지급하고 작업시간도 같은 수준으로 맞춘 후에 예배를 드리십시오. 급료는 낮고 작업시간은 더 긴데 아침마다 예배를 드린다는 건 정신없는 짓입니다.

나는 노동운동하자는 사람도 아니고 말썽 일으키는 것을 좋아하는 사람도 아닙니다. 회사가 두 가지만 고쳐주십시오. 그러면 저도 가만히 있겠습니다. 임금 정상화와 작업시간 단축, 두 가지입니다. 만일 사정상 작업시간이 늘어나야 한다면 거기에 알맞은 수당을 지급해주십시오. 그렇게 두 가지를 갖춰준 후에 예배를 드려주십시오."

"못하겠다면?"

"그렇게 못하겠다면 나도 별수없이 하던 일을 계속해야 하지 않겠습니까? 그리고 나 개인으로는 대답할 입장이 못 되니 여럿이 의논해서 대답하겠습니다."

"이거 어디서 순 빨갱이 새끼가 한 마리 굴러들어왔어! 그래, 어디 두고 보자. 얼마나 길게 가나. 너 임마, 잘난 척하는데, 하늘 높은 줄 모르고 설치다가 나중에 살려달라고 애걸복걸하지나 마라!"

"그래요, 나 잘났습니다. 잘난 회사에서 잘난 사람 일 좀 해봅시다."

"일 좋아하시네. 이 동네가 뭐 네깐놈 일하라고 멍석 깔아놓은 곳인 줄 알아?"

"이왕 이렇게 되었으니 우리는 노동법이 허락하는 범위 안에서 행동할 테니 회사에서도 부당한 방해는 하지 말아주십시오. 어디까지나 서로 법 테두리 안에서 일합시다. 노동자들만 나쁘게만 보려 하지 마십시오. 한번 입장을 바꿔놓고 생각해보십시오. 일당은 적고 작업시간은 긴데, 예배는 날마다 드리니 말이 됩니까? 나도 예수 믿는 사람이지만 회사가 하는 처사는 예수님 욕먹게 하는 처사입니다. 그리고 앞으로는 나를 대할 때 신경써주세요. 그렇게 마구잡이로 대하다가는 큰코다칠 겁니다."

나는 세게 나갔다. 이왕지사 일이 이렇게 돼버렸으니 흐지부지 끝날 일은 아니란 생각이 들어서였다. 그러나 큰소리는 쳤지만 막연하기만 했다. 이런 일에 경험도 없는 터에 일이 커지게 되었으니…….

다음날 회사 경영진 한 사람이 작업장으로 나를 찾아왔다. 퇴근시간에 만나 저녁이라도 같이하자고 했다. 나는 식사 대접 받을 일 한 것도 없고, 꼭 식사를 하겠다면 몇 사람이 같이 나가겠노라고 대답했다. 그는 싱긋이 웃으며 말했다.

"그러시지 말고 퇴근시간에 회사차로 모시겠으니 그리 아시오. 아니, 대화해서 순리로 풀어나가자는데 그렇게 딱딱하게 나올 건 없잖소. 일단 만나서 김씨 의도가 뭔지나 들어봅시다."

그가 사라지자 같은 부서의 동료들이 비꼬는 말투로 이죽거렸다.

"김씨, 잘 허믄 출세하겠시다. 높은 자리 가거든 우리 좀 잘 봐주소."

나는 퍽이나 거북스러웠다. 회사가 갑자기 부드럽게 나오니까 대처하기가 더 어려웠다. 그리고 동료들이 빈정대는 것도 부담스러웠다.

작업 종료 벨이 울리고 퇴근 채비를 해서 정문을 나서니 회사 승용차가 대기하고 있었다. 어느 한식요릿집으로 가서 푸짐한 식사를 했다. 낮에 만났던 간부가 말했다.

"선생님, 저희는 선생님이 누구신 줄 미처 몰랐습니다. 이력을 감추고 입사하는 법이 어디 있습니까? 그간에 우리가 너무 예의에 벗어나게 대접한 것 같아 사과드립니다. 용서하시오. 그러나 김 선생님께서도 신원을 숨기고 계셨으니 절반은 책임이 있습니다.

뭐, 지금 그걸 따지자는 건 아니구요. 결론부터 말하자면 우리 같은 작은 회사는 선생님 같은 실력자를 모실 만한 수준이 못 되오. 그러니 좀더 좋은 일터에 가서 그 정신과 실력을 발휘해보시는 것이 피차에 좋을 듯합니다. 이건 얼마 안 되는 액수입니다만 그간 수고하신 노력에 대해 저희 회사가 보이는 인사 표시니 받아주시기 바랍니다."

그는 두툼한 봉투 하나를 내 호주머니에 찔러넣으려 했다. 짐작건대 그간 내 신원조사를 해본 것 같았다. 말하자면 내 뒷조사를 해보니 자기네 회사에 두었다간 재미없는 인물인 것 같으므로 돈 먹고 사라져달라는 이야기였다.

나는 그 봉투를 돌려주며 말했다.

"호의는 감사합니다. 그러나 나도 이 회사에 들어올 때는 나름대로 생각이 있었던 것이고, 또 그간에 시작해놓은 일도 있으니 지금 회사를 그만두는 것은 어렵겠습니다. 내가 그만둘 때가 되었다고 생각되면 그때 말씀드리지요."

"그러지 마십시오. 선생님이 우리 회사에서 하겠다는 일이 무슨 일인지 대충은 짐작이 갑니다. 하지만 그런 일을 해서 서로 뭐가 유익하겠습니까? 또 이런 말 할 건 아닙니다만, 선생님은 우리 회사에 임시고용인으로 들어온 처지입니다. 임시고용인은 아무런 법적 보장이 없는 자리입니다. 회사로서는 언제든지 그만두게 할 수 있지요. 그러나 우리가 다 신앙인으로 서로 원만하게, 덕스럽게 해결하자는 뜻에서 오늘 저녁 이런 시간을 만들었습니다. 선생님께서 우리 호의를 받아들이지 않는다면 우리에게도 다른 방법이 없는 것은 아닙니다."

"무슨 말인지 이해가 갑니다. 하지만 제 의사는 확실합니다. 저 스스로가 이 회사를 그만둘 생각은 절대로 없습니다. 회사가 당장에라도 날 해고하면 그만두어야겠지요. 별도리 있겠습니까? 저는 법을 어겨가면서 일할 생각은 없습니다. 아무튼 나는 단지 착취당하는 노동자들을 위해서 내가 할 수 있는 만큼만 일하겠습니다."

"거 보아하니 듣기 거북한 말만 하네요. 방금 착취란 말을 했는데, 누가 누구를 착취한다는 게지요? 그런 말은 평양 방송에서나 쓰는 말 아닙니까? 선생께서 평양 다녀오신 분도 아닐 테고, 말 좀 삼갑시다. 그게 신상에 좋지 않겠어요?

아무튼 회사로서는 선생께 섭섭찮게 해드리자는 뜻에서 성의를 표했으니 알아서 처신하시기 바랍니다. 만약 선생께서 다른 일을 하시는 데 우리 도움이 필요하다면 언제든 힘이 돼드릴 수도 있습니다. 예를 들어 김 선생께서 신학공부를 계속하실 뜻이 있으시다면 사장님께 건의해 장학금을 지원해줄 수도 있겠고, 또 개척교회를 하실 의향이 있으시다면 지원하도록 건의할 의사도 있습니다."

"사장님께서 개척교회를 좋아하시나 본데, 예수 뼉다구 울궈먹지 말고 근로자들 대우나 잘해주라 카소!"

"보자 허니 별소릴 다 듣겠구먼. 사람이 존 말 할 때 알아들어야지. 당신, 뭘 믿고 그리 떵떵거리는 거요. 우리가 이 판에서 잔뼈가 굵은 사람인데, 당신쯤 밟아뻐리기야 식은 죽 먹기야."

그는 화를 삭이느라 씨근거렸다. 아들뻘 되는 내게 화를 참느라 애쓰는 그가 딱하기도 하고 미안하기도 해서 나는 음성을 낮춰 말했다.

"내 말이 지나쳤으면 사과드립니다. 그러나 다시 한 번 생각해보십시오. 예수 믿는 사람들이 경영하는 공장이 예수 안 믿는 사람들이 경영하는 공장보다 월급을 더 주지는 못할망정 십 퍼센트나 더 적게 주는데다 작업시간도 길어 실제 월급이 이십 퍼센트는 낮은 셈이지요. 그렇게 돈 모아서 개척교회를 여럿 세워 하나님께 바쳤다니, 하나님께서 기뻐하시겠습니까? 내 말은 개척교회를 세우기 전에 노동자들 급료부터 제대로 달라는 겁니다. 노동자들의 급료를 아껴 교회당을 짓는다면 사리에 안 맞잖습니까? 그래놓고 억지로 예배드린다고 그 예배가 하나님께 통하겠습니까? 사람에게 통하겠습니까? 이만 합시다. 좌우지간 오늘 대접 잘 받아 고맙습니다."

그렇게 말하고 일어서려니 그가 나를 붙들어 앉히며 말했다.

"내 마지막으로 한마디만 더 합시다. 내가 나잇살이나 더 먹었으니 자식 같고 동생 같아 하는 말인데, 거 몸 아끼시오. 세상살이란 게 그렇게 쉽지 않아요. 그렇게 고집부리다가 다치기라도 하면 어디 가서 하소연할 데도 없소. 선생은 아직 세상물정을 몰라 그러는 거요. 신앙과 기업을 혼동해선 안 돼요. 지금의 한국 기업 풍토에서 기업 경영을 교회 운영처럼 하다간 석 달도 못 가 회사 거덜나고 맙니다.

아, 옛말에 개같이 벌어 정승같이 쓰라고 했잖소. 회사 경영에 다소 무리가 있더라도 그렇게 자금을 모아 하나님 사업에 쓰는 것도 좋은 일 아니겠어요. 내가 사장은 아니지만 사장의 입장이란 것도 있는 거외다. 그러니 회사가 표시하는 이 성의나 받고,

그간에 우리 회사에서 인생 공부 한 셈치고 이쯤에서 헤어집시다. 우리 이 좁은 대구 바닥에서 늘 만나며 살 사람들 아니오?"

"제가 고집부리는 거 같아서 죄송합니다. 내가 무슨 힘이 있거나 욕심이 있어 그러는 게 아닙니다. 전 단순히 노동자들의 친구가 되어 노동자들에게 예수님을 전하였으면 하는 뜻에서 오다 보니 이 회사에 들어오게 되었는데, 들어와 같이 살아보니 노동자들의 처지가 하도 딱해 그들에게 조금이라도 도움이 되었으면 하고 움직인 것뿐입니다. 이렇게 하는 것을 예수님께서 기뻐하실 거라는 확신이 들어서 움직이는 것이지요.

내 생각으로는 회사측에서 조금만 여유를 가지고 돌려 생각하면 문제가 해결될 것 같습니다. 어차피 어떤 변화가 와야지, 지금 같은 식으로 계속할 수는 없잖겠습니까? 만일 가까운 시일 내에 노동조건의 개선이 없이 지금처럼 나가다가는 내가 아니더라도 문제가 일어날 겁니다. 그때 가서는 합리적인 수습이 어려울 겁니다."

그렇게 헤어진 다음날부터 나는 노동조합 결성을 시작했다. 부서별로 대표를 뽑아 용광로실에서 대표자회의를 열었다. 부서 책임자들에게 노동조합 가입 지원자들의 서명날인을 받게 하고, 매일 작업이 끝난 후 모여서 상황보고와 토론, 그리고 앞으로의 대책을 세워나가기로 했다. 그러자 사내 분위기가 살벌해지고, 회사는 우리를 중심으로 한 일꾼들이 다른 노동자들과 접촉하지 못하도록 하면서 개개인을 불러 설득도 하고 엄포를 놓기도 했다.

일주일이 지나고 밤근무하는 주간이 되었다. 밤근무는 정말 피곤했다. 본디 노동을 하던 체질이 아닌데다 긴장까지 쌓이니 피로가 갑절로 늘어났다. 저녁 일곱시에서 다음날 새벽 여섯시까지 열한 시간을 용광로 앞에 섰다가 아침나절 퇴근할 때가 되면 다리가 붓고 눈이 핑핑 돌았다. 어떤 날은 길을 걷다가도 현기증이 일어 담벽에 기대섰다가 가곤 했다.

정식으로 노동조합 결성을 시작한 뒤 처음 밤근무하는 날이었다. 새벽 두시경이 졸음이 가장 쏟아지는 시간이다. 나는 졸음을 주체할 수 없어 바깥바람을 쐬러 나가곤 했다.

내가 일하는 부서에는 용광로가 두 대 있었다. 말이 용광로지, 쇠에 열을 가하는 불가마 같은 모양이었다. 말하자면 쇠를 녹이는 용광로가 아니라 숯 굽는 가마와 비슷했다.

내가 맡은 것은 큰 가마였고, 옆에 놓인 조금 작은 가마는 다른 사람이 맡고 있었다. 내가 하는 일은 공기와 기름이 나오는 두 파이프의 도수를 조절하는 일과 가마 속에 반제품을 넣고 일정한 열이 가해지면 끄집어내어 식히는 작업이었다. 일은 고되고 위험했다. 만일 바람과 기름이 나오는 도수를 잘못 조절하면 가마가 폭발할 수도 있어서 화부들은 각별히 주의했다.

그날 새벽 세시쯤 잠시 밖에 나가 바람을 쐬고 돌아오니 함께 일하던 조원이 보이지 않았다. 용광로실에서는 항상 2인조가 일하게 되어 있었고, 한 사람이 자리를 비울 경우에는 다른 한 사람이 반드시 자리를 지키는 것이 원칙 중의 원칙이었다. 나는 내 짝이 자리를 비운 것을 이상히 여기며 양쪽 가마에 이상이 없는지 살폈다. 그런데 작은 가마 쪽에 뭔가 이상이 있는 것 같았다. 무엇이 잘못됐는지 확인하려고 조절기에 손을 대는 순간 꽝! 하는 소리와 함께 불길이 얼굴을 확 덮쳤다. 그 순간 나는 의식을 잃고 쓰러졌다.

얼마나 시간이 흘렀을까. 내 귀에 김씨, 김씨 하고 부르는 소리가 모기 소리만큼이나 작게 들렸다. 눈을 떠보니 7, 8명의 일꾼들이 나를 내려다보고 있었다. 의식을 회복한 후 살펴보니 다친 데는 별로 없었다. 앞머리칼과 눈썹이 타버렸고 얼굴에 가벼운 화상을 입었다. 사무실 쪽에 연락이 된 것 같았으나 아무도 얼씬하지 않았다.

나는 집으로 돌아와 며칠을 앓아누웠다. 화상 입은 얼굴이 화끈거리고 온몸이 몽둥이로 맞은 듯 아팠다. 화상연고를 사다가 바르고 집에 머물면서 타버린 머리칼과 눈썹이 자라기를 기다렸다.

며칠 후 회사에서 보낸 등기우편이 왔다. 그동안 일한 날짜에 따른 임금과 해고통지서가 들어 있었다. 해고 이유는 무단 장기 결근이었다. 나는 속절없이 주저앉을 수밖에 없었다. 노동운동에 대한 전문적인 훈련을 받은 것도 아니었고 주위에 자문받을 만한 전문가도 없었다. 구겨진 자존심과 체면도 말이 아니었다. 몸도 마음도 거지발싸개처럼 됐으나 뾰족한 대책이 있을 리 없었다. 나 혼자 힘을 써보았자 어디에서도 반응이나 호응이 없었다.

그리하여 나는 기업주의 횡포에 저항해 노동자의 권익을 지킴으로써 현대판 예수가 되어보겠다던 기백을 잃고 패잔병처럼 방에 틀어박혀 있었다.

얼마 후 나는 대구 근교인 경산에 있는 메노나이트 고등학교에 성경교사로 들어갔다. 거기서 학생들에게 성경을 가르치며 몇 달을 지낸 뒤 1971년 3월 다시 신학교로 돌아갔다.

제도화된 종교는 생명력이 없고 직업화된 성직자는 위선에 빠지게 된다며 신학교를 떠난 지 불과 일년 만에 다시 신학교로 돌아가게 되었다. 어떻게 다시 돌아오게 되었느냐고 묻는 동급생들에게 이렇게 말했다.

"일을 하려니 혼자서는 안 되겠더라. 제도와 조직을 활용해 효과적으로 대처해야지, 혼자의 의욕만으로는 바보되기 십상이더라. 교회라는 조직이 생명을 잃었다면 그 속에 생명력을 불어넣어 선한 일에 쓰이도록 해야겠더라. 교회란 조직이 그릇되어 제구실을 하지 못한다면 제대로 된 조직을 개혁해 성령이 쓰시는 그릇이 될 수 있도록 해야겠다는 생각을 품고 다시 돌아왔다."

신학교에 복학한 나는 다소 철이 들고 안정을 찾게 되었다. 말로만 듣던 칼뱅의 책도 읽고 기도생활과 신학수업에 열성을 기울이며 알맹이 있는 날들을 보냈다.

그 해 여름 나는 평생의 사역을 결정지을 체험을 하게 되었다. 활빈선교(活貧宣敎)와 두레공동체운동의 계기가 되는 첫 경험이었다.

여름방학 때 나는 연세대학교 부설 도시문제연구소가 주관한 도시선교 실무자 훈련에 참여하게 되었다. 도시 빈민들에 대한 연구와 선교를 전담하는 이 연구소는 도시선교 실무자 훈련 프로그램을 실시하고 있었다. 나를 포함한 7명의 훈련생들이 신상길 목사의 지도 아래 방학 동안에 실시되는 훈련과정에 참가해 연희동 빈민지구에 투입되었다.

연희동 산비탈에 밀집해 있는 판자촌에는 200여 세대가 모여 살고 있었다. 주로 농촌에서 올라온 이농민들이었다. 우리가 판자촌으로 들어간 날부터 폭우가 쏟아지더니 급기야 산사태가 일어나 판잣집 다섯 채가 무너지는 바람에 거기에 깔려 몇 사람이 죽고 다쳤다.

죽은 사람 가운데 초등학교 3학년 아이가 있었다. 아이의 부모는 큰 부상을 입어 병원으로 실려갔고 죽은 아이의 시체는 여름 뙤약볕 아래 가마니 한 장 덮인 채 방치돼 있었다. 파리떼가 들끓었고 아이 곁에는 '100점'이라고 씌어진 산수공책이 펼쳐져 있었다. 마을 사람들 말로는 장례를 치러야겠는데 아이의 부모는 아직 병원에 입원 중이고 동사무소에서는 바빠서 손이 미치지 않는다는 것이었다.

신상길 목사는 우리 훈련생들에게 그 아이의 장례를 과제로 맡겼다. 장례를 치르되 우리가 가진 돈으로 치러서는 안 되고 맨손으로 알아서 해결하라면서 우리의 주머닛돈을 다 거둬가버렸다.

이웃집들을 방문해서 알아보니 죽은 아이의 가정은 산비탈 아래 부자마을에 있는 교회에 다니고 있었다고 했다. 우리는 즉시 교회로 달려가 목사님을 찾아뵙고 사정을 설명한 뒤 도움을 청했다.

"저 위 산비탈 동네에 산사태가 나서 여러 사람이 죽고 다쳤습니다. 피해를 입은 가정 중에 목사님 교회에 다니는 한 가정이 있습니다. 그런데 부모는 다쳐서 입원 중이고 어린 아들이 죽어 방치돼 있습니다. 우리가 아이의 장례를 치르려 하니 교회에서 장례비를 도와주시면 고맙겠습니다."

나는 목사님이 당연히 도와주리라 생각했다. 그러나 뜻밖에도 목사님은 난처한 표정을 지으며 대답했다.

"이번 주일에 당회를 열어서 의논한 뒤 결과를 알려드리겠습니다."

"아니, 목사님, 오늘이 목요일입니다. 이미 시체가 부패해가고 있는데 주일 당회로 미루면 어떡합니까? 목사님은 그 가정을 잘 모르시는 것 같으나, 동네 사람들 말로는 이 교회의 교인이라기에 찾아왔습니다. 게다가 설사 그 가정이 이 교회 교인이 아니더라도 도와주시는 게 옳지 않겠습니까? 주일까지 결정을 미룰 수는 없습니다."

"이 문제는 장례비 전체를 교회에서 부담해야 할 것 같은데, 나 혼자서 결정할 수는 없고 아무래도 당회의 의결을 거쳐야겠습니다."

"목사님, 물론 교회에도 사정이 있고 절차가 있겠지만, 사정이 급하니 먼저 장례비를 지출하고 결정은 후에 하시는 건 어떻겠습니까?"

"난 이제 들어가봐야겠습니다. 여러분 말씀대로 즉각 도와드리지 못해서 죄송합니다."

나는 교회로 들어가버리는 목사를 향해 안 좋은 소리를 하고 싶었으나, 신학생이 목사 욕 하는 모습을 보여줄 수는 없어 그냥 물러났다. 하지만 교회가 이웃을 돕는 일에 이렇게 기동성이 없어선 안 되는데 하는 착잡한 마음이 들었다.

"아마 우리가 단정치 못한 옷차림으로 찾아와 이야기를 하니까 우리를 돈 뜯으러 다니는 사람들로 오해했는지도 모르겠는데."

그런 말로 얼버무리며 돌아섰지만 속마음은 편치 않았다.

우리는 동네로 돌아와 아이의 시체 옆에 앉아 다시 회의를 열었다.

"자, 그러면 장례는 어떻게 치른다지?"

"……."

그러나 당장 돈이 필요한 일이어서 무일푼인 우리에게 뾰족한 수가 있을 리 없었다. 그때 한 신사가 다가와 우리에게 말을 걸었다.

"선생님들이 죽은 아이의 장례를 치르려는 분들입니까?"

"예, 사정이 하도 딱해서 어떻게 도와줄까 의논하고 있던 참입니다."

"아, 그러세요. 고마운 일입니다. 듣자 하니 아이의 부모는 병원에 있다던데, 제가 장례를 좀 도울까요? 무엇이든 도움될 만한 일을 맡고 싶습니다."

나는 훌륭한 분이구나 생각하면서 한 발짝 뒤로 물러나 주위의 아낙네들에게 물었다.

"저 어른이 누군지 아세요?"

"호랭이교 선생입니다."

"호랭이교가 뭡니까?"

"왜 거 있잖수? 아침마다 냉수 한 그릇 떠놓고 일본 쪽을 향해 절하며 '남무 호랭이새끼' 하고 경을 외는 교예요. 경을 외울 때마다 호랭이새끼를 찾는다고 호랭이교라고들 한답니다. 그 교를 여섯 달만 믿으면 병이 낫고 3년 믿으면 부자가 된다던데요."

그제야 나는 그가 일본 종교인 일련정종 창가학회(日蓮正宗 創價學會)의 포교사임을 알아차렸다. 나는 동기 훈련생들이 그 포교사와 대화를 나누고 있는 틈에 끼여들어 말했다.

"이 아이의 장례는 우리가 이미 준비하고 있습니다. 다음 기회에 도움을 청할 일이 있으면 그때 부탁드리겠습니다. 이렇게 관심을 가져주셔서 감사합니다."

나는 그가 이 일에 끼여들지 못하게 막았다. 물론 그가 왜색 종교의 포교사란 점이 꺼림칙했기 때문이다. 그는 의아한 듯이 나를 보며 말했다.

"그러세요? 그러시다면 장례 비용에 보탬이 되게 기부라도 좀 하지요. 설마 이런 호의마저 막지는 않겠지요?"

그는 선뜻 5천 원을 내주고는 사라졌다. 그런 상황을 곁에서 지켜보고 있던 주민들이 말했다.

"일본 거든 어떻든 사람들은 된 사람들이랑게. 저래야 쓰는 기여. 그놈의 예배당 예수쟁이들은 몇 번씩이나 연락해도 와보지도 않았잖은가!"

나는 얼굴이 화끈 달아올랐다. 우리는 시계 하나를 전당포에 잡힌 돈과 그 포교사가 주고 간 돈을 합해 아이의 장례를 치렀다.

몇 번씩 연락해도 와보지 않는 교회와 일부러 찾아와 장례비까지 주고 가는 창가학회. 이 둘을 두고 주민들의 관심이 어느 쪽으로 쏠릴 것인지는 불보듯 뻔했다. 백성들은 언제나 자신들의 처지와 아픔에 관심을 가진 종교, 성의를 품은 지도자 쪽으로 쏠리게 마련이다.

창가학회는 일본에서 들어온 신흥종교로 도시 빈민층, 농어촌 영세민에게 파고들어 자칭 23만 세대, 1백만 신도를 갖고 있었다. 그들이 빈민들에게 전하는 메시지는 간단했다. 신심을 지니고 경을 외우면 질병이 물러가고 물질의 복을 받아 부자 되고 장수한다는 것이었다. 그들은 가난과 질병에 시달리고 있는 빈민들에게 그런 치병기복신앙(治病祈福信仰)을 전파하며, 눈에 보이고 손에 잡히는 복을 약속했다.

절복이라 부르는 그들의 포교 방법은 철저했고 효과가 있었다. 교회식으로 말하자면 일대일로 전도하는 개인전도 방법이었다. 훈련받은 신도들이 주민들 속에 살면서 한 사람 한 사람씩 만나 간증과 성공 사례를 제시하면서 신도 수를 늘려나간다. 그 뒤 지역별로 모임을 만들고 이웃을 초청하여 병 나은 체험과 부자된 사례를 소개하면서 가난하고 병든 이들의 허점을 파고들고 있었다. 그들을 그냥 방치한 채 왜색 종교 운운하고만 있다가는 영세민 지역에선 교회가 그들에게 밀려날 것이란 생각이 들었다.

나는 그날 이후 서울 시내 판자촌 주민들의 실태에 대해 깊은 관심을 가지고 살펴보기 시작했다. 현장을 찾아가 주민들과 대화를 나누고 자료를 읽고 연구했다. 판자촌 지역의 실상을 알아갈수록 그들을 위해 무언가 해야겠다는 생각이 자라기 시작했다.

판자촌에 들어가다

 1970년대 초 서울에는 18만 5천 채의 무허가 판잣집이 있었다. 판잣집 한 채에 세들어 살고 있는 사람들은 평균 2.2세대였다. 따라서 서울시 전체의 판자촌 인구는 18만 5천 채 곱하기 2.2세대, 즉 40만 7천 세대가 되는 셈이었다. 세대당 평균 식구를 5명으로 잡을 때 200만이 넘는 인구가 판자촌에 살고 있었다. 요즈음 서울시 변두리를 그린벨트가 둘러싸고 있듯이 1970년대 서울시는 판자촌 벨트에 둘러싸여 있었다.

 서울시 중심에도 청계천부터 중랑천을 거쳐 뚝섬에 이르기까지 판자촌이 집단으로 형성돼 있었다. 당시 서울시 인구 600만 가운데 3분의 1이 판자촌에 거주하고 있는 처지였다. 이렇게 방대한 판자촌 인구에 대한 교회의 영향력은 어떠했는가? 한마디로 거의 전무한 상태였다. 반면 창가학회는 판자촌에 뿌리를 내리고 영향력을 계속 넓혀나가고 있었다.

 그러나 실제로 판자촌에 영향력을 미치고 있는 존재는 무당들이었다. 판자촌 주민들 의식의 심층에는 샤머니즘이 뿌리를 내리고 있었기에 골목마다 무당의 깃발이 꽂혀 있어 그들이 성업 중임을 나타내고 있었다. 나는 판자촌을 골고루 답사하면서 주민들이 교회에 대해 어떤 인식을 가지고 있는지 살폈다. 하루는 한 주민을 만나 이야기를 나누게 되었다. 그는 이전엔 교회에 다녔으나 지금은 다니지 않는다고 했다.

"왜 교회에 나가시다가 그만두셨습니까?"

"교회요? 좋지요. 나가야지요. 하지만 돈을 벌어야 나가지요."

"교회 나가는데 왜 돈이 필요합니까? 성경에는 누구든지 와서 값 없이, 돈 없이 구원받으라 했고, 예수 그리스도는 가난한 자, 힘없는 자들을 위해 왔다고 하셨는데요."

"이 양반이 뭘 몰라도 한참 모르시네. 예수 그리스도가 가난한 자를 위해 왔다는 건 성경책에나 있는 얘기고 예배당이야 가난한 사람들이 다닐 곳인가? 돈쟁이들이 나가는 곳이지. 우리 같은 노가다가 교회에 가봤자 어디 끼여들 자리나 있겠소?"

나는 그의 말을 곰곰이 생각해보았다.

예수는 가난한 사람들을 위해 이 땅에 왔다고 했지만 교회는 부자들이 다니는 곳이다…… 왜 그런 생각을 하게 되었을까?

나는 그의 말을 단순히 흘려들을 게 아니라 한국 교회 전체가 듣고 깊이 반성해야 할 말이라고 생각했다. 그의 말은 한국 교회의 현실에 대한 하나의 고발이었다.

이런 대화를 나누면서 나는 가난한 사람들이 마음 편히 다닐 수 있는 교회가 세워져야 한다고 생각하기 시작했다. 그래서 한여름의 무더위를 무릅쓰고 판자촌 순회를 계속했다. 어깨에 메는

가방에 전도지를 잔뜩 넣은 채 판자촌으로 들어가 한 장씩 전하며 전도했다. 그 시절에 「박군의 심정」이란 제목의 전도지가 있었다.

방문하는 집마다 그 전도지를 주고 "예수 믿고 구원받읍시다" "예수 믿으세요" "이 작은 책에 인간답게 사는 길이 적혀 있습니다. 찬찬히 읽어보시고 가까운 교회에 나가시기 바랍니다" 하며 골목골목을 다녔다. 그야말로 가장 원시적이고 초보적인 전도 방법이었다. 어떻게 보면 안일한 전도 방법이기도 했다. 그러나 당시 나로서는 그 이상의 전도 방법을 알지 못했다.

그렇게 다니던 발길이 청계천을 찾아들었다. 청계천은 서울의 번화가를 가로질러 뚝섬을 돌아 한강으로 흘러들어간다. 옛날엔 물이 맑아 청계천(淸溪川)이라 불렸으나 지금은 온갖 오물과 폐수가 흘러들어 악취를 풍기는 물로 바뀌었다. 이 청계천 6가를 지나 3·1고가도로가 끝나는 지점부터 판자촌이 밀집돼 있었다. 양편 둑을 끼고 1만 2천여 세대, 6만 명에 이르는 주민들이 게딱지같이 다닥다닥 붙은 판잣집에 살고 있었다. 글자 그대로 인간 이하의 조건에서 살고 있었다.

나는 고가도로가 끝나는 곳에서 시작해 하류로 내려갔다. 청계천 하류를 지나 한양대학교 뒤편에 이르니 그곳은 판자촌 중에서도 최악의 수준이었다. 행정구역을 물으니 성동구 송정동 74번지라 했고, 이 번지 내에만 무려 1천 600여 세대가 살고 있었다.

나는 그곳이 마음에 끌렸다. 동네에서 김종길이란 젊은이를 만났다. 아내와 아들 세 식구의 가장이었다. 그는 판자촌에서 일하고 싶다는 내 말을 듣고 쌍수를 들어 환영하며 송정동 판자촌에서 일하자고 했다. 우리는 만난 첫날부터 의기투합하는 사이가 되었다. 그의 집에 초대되어 수제비를 대접받으며 우리는 이야기를 나누었다. 그는 전남 장흥 출신으로 나보다 한 살 위인 1940년생이었다. 헌신적이고 의협심 강하며 종교심도 깊은 사람이었다.

그날부터 나는 송정동 74번지 내의 한 집 한 집을 방문하여 전도지를 나눠주면서 어떻게들 살고 있는지 살피기 시작했다.

1971년 8월 6일이었다. 오후 두시쯤 한 가정에 들어가 "여보세요" 하고 몇 번을 불렀으나 아무런 응답이 없었다. 문이 열려 있고 문 앞에 신발이 놓여 있는데도 아무런 대답이 없기에 나는 문 앞으로 다가가 방 안을 들여다보았다.

순간 나는 그 자리에 선 채 몸이 굳어버렸다. 어둠침침한 방 한구석에 병든 소년이 누워 있었다. 열두세 살쯤 됨직한 소년이었다. 내가 놀라 숨을 죽인 것은 그 소년의 모습이 너무나 끔찍했기 때문이다. 몸은 젓가락같이 여위었는데 배는 올챙이처럼 부풀어 있었다. 배꼽 아래 한치가 됨직한 곳은 구멍이 뚫려 고름이 흘러내리고 있었다. 그 고름은 등줄기를 타고 내려 방바닥으로 흐르고 있었다. 그런데 고름이 흘러내린 방바닥에는 구더기가 열댓 마리 굼실굼실거리고 있었다. 구더기들은 고름을 좋아하는지 고름이 흘러내리는 등 밑으로 자꾸만 파고들었다.

나는 충격을 받아 할말을 잃었다. 그리고 그런 모습을 보고서 그냥 되돌아 나올 수는 없었다. 방 안으로 들어서면서 소년에게 물었다.

"애야, 너 왜 이러니?"

소년은 반응이 없었다. 눈동자가 움직이는 것으로 보아 살아 있음은 분명한데 아무런 반응도 나타내지 않았다. 나는 소년을 찬찬히 살피는 동안 창자가 뒤틀리는 듯한 아픔을 느꼈다. 도대체 인간이 이렇게 비참해질 수 있을까? 움푹 팬 눈동자는 이미 죽음의 그림자가 깃들인 듯 거뭇거뭇했다. 나는 빗자루와 걸레를 찾아 구더기들을 쓸어내고 방바닥을 걸레로 훔쳤다.

지옥이 있다면 바로 이런 모습일 것이다. 나는 누군가에 대한 분노가 치밀었다. 왜 한 생명이 이토록 방치돼 있어야 할까? 누구의 죄로 이 어린 생명이 이 지경에 이르게 되었을까?

나는 이 소년이 이렇게까지 된 것은 우리 모두의 죄 때문이란 생각이 들었다. 어른들의 탐욕과 이기심으로 인해 어린 생명이 지옥에 떨어져 있는 것이라 생각했다. 우리 모두가 제 자신만을 생각하고 이웃 돌아보기를 게을리했기에 이 어린 것이 이런 처지에 이른 것이라 여겨졌다.

나는 이 아이를 회복시키는 일에 전심전력을 다해야겠다고 다짐했다. 결코 이 소년을 이대로 죽게 해서는 안 된다고 생각하고 기도를 시작했다.

"예수님, 이 소년을 절대로 살려야겠습니다. 왜 이렇게까지 되었는지 저는 모르지만 예수님은 아십니다. 이 소년이 이 상태로 죽는다는 것은 인간 양심의 죽음입니다. 절대로 살려야 합니다. 예수님은 어떻게 하면 이 소년을 살릴 수 있는지 아십니다. 분명히 아십니다. 그걸 모르신다면 예수님이 아닙니다. 예수님, 제가 이 소년을 살리는 일에 전심전력을 다하겠사오니 예수님이 밀어주십시오."

그러고는 누군가 오기를 기다렸다. 두 시간 정도 지난 후 40대 중반의 한 부인이 들어왔다. 그녀는 나를 보더니 머뭇머뭇 물었다.

"누구신지요?"

"저는 이 동네에 전도하러 왔다가 이 소년의 모습을 보고 도저히 그냥 지나칠 수 없어 누군가 오기를 기다리고 있었습니다. 아주머니가 이 아이의 어머니 되십니까?"

"예, 그렇습니다."

"얘가 왜 이렇게 되었지요?"

"아이고, 저 녀석이 이 에미를 못 잡아먹어서……. 자식이 아니라 웬수요, 웬수! 저렇게 누워 죽지도 살지도 않고 이 에미 속을 뒤집어놓으니……."

"아주머니, 아드님이 언제부터 아팠습니까?"

"대여섯 살 때부터 감기를 자주 앓더라구요. 아스피린이라도 사먹이면 나았다가 다시 도졌다가 거듭하더니, 지난해부터는 갑자기 더 심해지더구먼요."

"배에서 고름이 나오기 시작한 건 언제부텁니까?"

"두 달 전부터예요."

"병원에 가서 진찰은 해보셨나요?"

"진찰이 다 뭡니까? 입에 풀칠하기도 어려운데……. 약국에 가서 옥도정기하고 소독수 사다가 발라주고 있구먼요. 그리고 자식 병 고친다고 남무호랭개교를 다니는데, 여섯 달 댕기면 병 낫는다더니 벌써 댕긴 지 일년이 다 돼가는데 자식 병도 안 낫고 이젠 고만 다녀야 될랑가 봐요."

"아주머니, 우리 힘을 합해 애를 살립시다."

"말씀은 고맙지만 이젠 늦은 것 같습니다. 그래도 죽기 전에 진찰이라도 한 번 제대로 받아보게 하고 싶었는데, 지 에미 애비 가 죄가 많아서 애를 저렇게 죽게 하니……."

"아주머니, 허락해주신다면 내일이라도 제가 병원에 데리고 가서 종합진찰을 받아보도록 하겠습니다."

"말씀은 고맙습니다만 그기 한두 푼 드는 일도 아니고 그래도 기만 원은 손에 쥐어야 할 텐데, 초면에 어찌 그런 신세를 지겠습 니까?"

"아닙니다, 아주머니, 저에게는 큰 보람이지요. 저는 앞으로 목사가 될 신학생입니다. 목사는 본래 이런 일을 하라고 있는 자 리입니다. 그러면 아주머니께서 허락하신 줄로 알고 병원에 데려 갈 준비를 해서 내일 아침에 다시 오겠습니다."

"말만 들어도 고맙습니다요. 내일 못 오셔도 괜찮응게 무리하 질랑 마세요."

"아닙니다, 절대로 무리하는 일이 아닙니다. 저는 벌써 신바람 이 나는데요."

소년의 이름은 김학형이었고 나이는 열두 살이었다. 어렸을 때부터 몸이 약해 자주 아팠으나 약국에서 약 사다먹고 침 맞으 러 다녔지 병원에는 못 가보았다고 했다. 지금은 아버지가 약국 에서 옥도정기와 알코올을 사다가 자주 소독해주는 정도라고 했 다. 고름을 하루에 한 종지씩 받아낸다고 했다.

그날 저녁 나는 신학교 기숙사에서 동급생들의 방문마다 두드리고 들어가 모금을 했다.

"전도사님들, 주머니를 털어주세요. 죽을 사람 살리는 일에 써야 합니다."

역시 신학생들이 달랐다. 모두들 기꺼이 모금에 응해주었다. 나는 다음날 아침 수업에 들어가지 않고 택시를 하루 대절하여 송정동 74번지로 갔다. 학형이의 손을 잡고 기도부터 했다.

"살아 계신 주님, 상한 갈대도 꺾지 않고 꺼져 가는 촛불도 끄지 않으신다 하신 주님, 이 소년을 죽게 내버려두진 않으시겠지요? 주님 심정도 저와 동감이시겠지요? 이 소년을 절대로 살려야 한다는 심정 말입니다. 주님, 이 소년에게만은 너무하시지 않으셨습니까? 어른들이 잘못한 건 어른들에게 갚으셔야지, 왜 이 티없는 소년이 이토록 고통당하도록 내버려두셨습니까? 주님, 제가 먼저 간절히 기도드리오니 이 소년을 살려주시옵소서. 이 소년으로 하여금 밝은 웃음을 되찾게 하시고 빛나는 눈동자를 되찾게 하여 주시옵소서. 인간의 죄와 고통과 약함을 구원하시기 위하여 피 흘려 죽으시고 묻히시고 부활하신 예수님의 이름으로 기도드렸습니다. 아멘."

기도를 마치자 소년의 아버지가 왔다. 50대 초반의 다부진 체격이었다. 서로 인사를 나눈 뒤 말했다.

"제가 어제 이곳에 전도하러 왔다가 댁의 아드님을 만나고 오늘 병원에 갈 채비를 해 왔습니다. 어르신께서 시간을 내실 수 있다면 함께 가주셨으면 합니다만……."

"내 자식을 위해 그렇게까지 염려해주시니 고맙기 그지없습니다. 그러나 보시다시피 이미 버린 자식이니 새삼스레 수고를 끼칠 필요가 없겠습니다."

"그렇지 않습니다. 한 생명이 천하보다 귀하다 했는데, 어찌 죽어가는 생명을 보고만 있겠습니까? 댁의 아드님이라고만 생각 하시면 안 됩니다. 댁의 아드님이자 하늘의 아들이고 또 나라의 아들입니다. 그리고 댁의 아드님이자 저의 동생이기도 합니다. 제 짐작으로도 학형이를 살려내기가 어려울 것 같습니다. 그러나 인명은 재천이란 말도 있잖습니까? 이 세상에는 기적이 없는 것 도 아니니 한번 최선을 다해봅시다."

"낸들 어찌 내 살붙이를 살리고 싶지 않겠소이까마는, 워낙에 생활고에 시달리다 보니 호구지책에 급급해서 저애를 병원에 한 번 못 데려가보고 저꼴로 만들어놓았수다. 저애가 저렇게 죽고 나면 내 남은 평생에 한이 맺힐 일이지요. 꼬챙이같이 마른 몸에 서 고름을 한 종지씩 받아낼 때마다 차라리 내 손으로 목을 눌러 죽여버렸으면 고생이나마 끝내주련만 하고 한숨 쉴 때가 하루에 도 몇 번씩이지요. 요사이는 울화통이 터져 먹던 술도 더 먹게 됩 니다."

"그 심정 십분 이해가 갑니다. 대절한 택시를 길에 세워두고 왔으니 함께 병원으로 좀 가주십시오. 오늘 쓸 비용은 제가 마련 했습니다."

나는 학형이와 그의 아버지와 함께 택시를 타고 을지로 6가에 있는 중앙의료원(현재 국립의료원)으로 갔다. 무료진료 혜택을 받고 싶다고 했더니 사직공원 옆에 있는 시립아동병원으로 가서 절차를 밟아 다시 오라고 했다. 시립아동병원에 가서 중앙의료원 에서 보내서 왔는데 무료치료 절차를 밟게 해달라고 하니 "생보자 증명서를 해오세요"라고 말했다. 처음 듣는 말이라 되물었다.

"생보자 증명서란 게 뭡니까?"

"동사무소에 가면 해줍니다."

"동사무소 가면 누구든 해줍니까? 안해주면 어쩝니까?"

의사는 인상을 팍 쓰면서 내뱉듯 말했다.

"그러면 약국에 가서 약이나 사먹이시오."

나는 그렇게 거만하게 나오는 의사의 태도가 비위에 거슬려 한마디하지 않으면 급성 심장병으로 쓰러질 것 같았다.

"젠장, 거 존 자리에 있을 때 좀 봐주소. 와 그리 딱딱거리요? 딱따구리 삶아 묵었소?"

의사는 뱀눈을 하고 나를 째려보았다.

나는 돌아서서 나오며 의과대학에 가지 않은 것을 처음으로 후회했다. 내가 고등학생 시절 2년 가까이 무전여행을 다니다가 소록도에 가서 나병환자들의 모습을 보고 의사가 돼 섬기는 삶을 살아야겠다고 다짐하고는 머리를 빡빡 밀고 방에 들어앉아 수험 준비에 열중했던 것은 앞에서 이미 말했다. 그러나 병원 복도에서 맡은 약 냄새에 질려 어떻게 평생 이런 냄새를 맡으며 살 수 있겠는가 생각하고 법과대학을 가서 판사가 되기로 마음을 바꾸었다. 그 길이 적성에도 맞고 출세도 빠를 것 같았기 때문이다.

그러나 막상 대학에 입학 원서를 낼 때는 철학과로 결정했다. 내가 대문호가 될 수 있는 자질이 있다고 생각하고, 문호가 되려면 사상성이 있어야 할 터인데 그런 사상성을 지니려면 철학을 공부해야겠다 하여 철학과를 간 것이었다. 그러나 철학공부는 했으되 위대한 문호가 되기는커녕 수필 하나도 제대로 쓰지 못하고 방황자가 되어 헤매다가 예수를 만난 덕에 이제나마 겨우 사람 구실 하는 처지에 이른 셈이다.

그날 나는 숨결조차 고르지 못한 학형이를 택시에 태우고 이 병원 저 병원을 돌다가 아무 소득도 없이 집으로 되돌아왔다. 나는 학형이와 그의 아버지에게 온종일 고생만 시킨 것이 미안해 진심으로 사과했다.

"오늘 고생만 시켜 죄송합니다."

"아닙니다. 제 자식인데요. 우리보다 김 선생님께서 고생하시고 비용만 쓰셔서⋯⋯."

"별말씀을 다 하십니다. 저는 괜찮습니다만 소득 없이 집으로 오게 돼 죄송스럽기 이를 데 없습니다. 그런데 생보자 증명서가 뭘 말하는 걸까요?"

"글쎄요? 동사무소에 가끔 가서 구호용 밀가루를 타서 먹는데, 그걸 증명하는 게 아닐까요?"

"아, 그럴지도 모르겠습니다. 정부로부터 구호받는 가정이라는 증명서를 말하는 것 같습니다. 학형이 아버님이 동사무소에 가셔서 한번 알아봐주시겠습니까?"

"예, 이 길로 곧바로 동사무소에 가서 알아보고, 그런 것이 있으면 해달라겠습니다."

"좋습니다. 그럼, 저는 내일 다시 오겠습니다. 그 증명서가 있으면 치료해준다 했으니 준비되면 내일 아침 다시 가서 부딪쳐봅시다."

이렇게 의논을 마치고 학형이를 방에 누인 뒤 신학교 기숙사로 돌아왔다. 그날 저녁 나는 아차산으로 올라가 무덤 사이에 무를을 꿇고 예수님께서 학형이 치료받을 길을 열어달라고 밤늦도록 간절히 기도했다. 기도를 끝내고 일어서니 마음이 편해지고 모든 것이 잘될 것 같다는 생각이 들었다.

다음날 아침 일찍 다시 학형이네 집으로 갔다. 학형이 아버지가 '생활보호자 증명서' 란 것을 떼어놓고 나를 기다리고 있었다. 우리 셋은 다시 시립아동병원으로 갔다. 병원으로 들어서며 이렇게 다시 올 줄 알았으면 어제 그 의사에게 나쁜 말은 하지 말걸 하는 후회가 생겼으나 이미 엎질러진 물이었다.

얼굴 두껍게 시치미 떼고 부딪쳐보는 수밖에 없다고 마음먹고 의사에게로 갔다. 말없이 생보자 증명서를 들이밀었더니 그도 말없이 사무직원을 불러 절차를 밟게 해주었다. 의사는 다시 욕을 먹을까봐 신경이 쓰였던지 일처리를 서둘러주었다.

학형이는 척추사진을 거듭 찍었다. 사흘 뒤에 환자는 집에 두고 보호자만 오라고 했다. 그러나 나는 3일 후 학형이를 데리고 병원으로 갔다. 의사의 진단은 척추결핵이라 했다. 엑스레이에 나타난 바로는 척추 셋은 아예 사라졌고, 척추 둘은 절반씩이나 망가져 있었다. 의사는 결핵균이 그렇게 만든 것이라고 설명해주며 어떻게 이렇게 나빠질 때까지 그냥 있었느냐고 고개를 갸웃거렸다. 나는 진찰대에 누워 있는 학형이의 손을 잡으며 의사에게 물었다.

"선생님, 어떻게 하면 치료할 수 있겠습니까?"

"너무 심해서 손을 대기가 어렵겠는데요. 치료를 하려면 수술을 해야 하는데, 워낙 큰 수술이라 핏값만 해도 수만 원은 되겠어요. 척추에서 상한 부분 다섯 마디를 들어내고 인조 뼈를 대신 넣어야 하는데, 여간 어려운 수술이 아닙니다."

"그렇다면 수술하지 않고는 치료가 어렵습니까?"

"증세가 워낙 좋지 않아서 수술 외에는 생각도 할 수 없는 형편입니다. 잘되면 더 이상 나빠지지 않는 선에서 한번 시도해볼 수 있을지 모르겠는데요."

"더 이상 나빠지지 않는다는 건 어떤 상태를 말하는 거죠?"

"심한 꼽추가 되는 상태라 할 수 있겠지요. 그것도 잘될 경우고, 지금으로서는 생명을 건지기도 쉽지 않을 듯합니다."

의사는 그렇게 말했어도 나는 학형이가 꼽추도 안 되고 죽지도 않을 것이라는 믿음이 들었다. 사람이 할 수 있는 최대한의 정성을 기울이면 하나님의 돌보심이 있으리라는 확신이 들었다.

나는 의사에게 부탁해 2, 3개월분의 약을 받아왔다. 파스, 나이드라지드, 스트렙토마이신, 주사제, 소화제 등이었다. 영양제와 제독제는 사먹이라고 일러주었다.

학형이를 데리고 집으로 온 나는 그를 방에 누이고는 차근차근 일러주었다.

"학형아, 너도 의사선생님이 하시는 말 들었지? 네 병은 척추에 폐병균이 들어가서 생긴 거래. 척추 다섯 마디가 상해 있다는구나. 그래서 오늘부터 약을 먹어야 한다. 그런데 의사선생님 말로는 약만으로는 나아질 상태가 아니란 거야. 그러니 기도를 드려야 한다. 기도를 드리면 하나님이 너를 도와주실 거다. 그럼 기도만 하면 되지 약은 왜 먹느냐 하면, 사람이 할 도리는 다 하고 그러고 나서 하나님께 도움을 청해야 하기 때문이란다. 약도 하나님이 주신 거니 약을 먹으면서 하나님의 도우심이 있기를 기도

드리는 거야. 그런데, 너 기도드릴 줄 아니?"

"기도해본 적 없어요."

"그래? 그렇다면 한글은 읽을 줄 아니?"

"예, 한글은 읽을 수 있어요."

"됐다. 그러면 내가 종이에 기도문을 적어줄 테니 밥먹을 때마다, 약 먹을 때마다 기도문을 큰 소리로 읽는 거다. 기도하는 것은 어려운 일이 아니란다. 그냥 아버지께 이야기하듯이 예수님께 이야기하면 되는 거야. 너, 나와 함께 있을 때면 마음이 편안하지? 바로 그런 마음이 중요한 거다. 예수님께 편안한 마음으로 이야기하는 거야. 예수님, 저 낫게 해주세요, 나도 동무들과 함께 뛰어놀고 싶어요. 그런 식으로 기도하면 되는 거다. 예수님께서 네 기도를 꼭 들어주실 거다."

나는 공책에 기도문을 적어주었다.

"예수님, 저는 낫고 싶어요. 저를 도와주세요. 저도 다른 동무들처럼 뛰어다니며 놀고 싶어요. 제 건강을 되찾게 도와주신다면 장차 예수님의 일꾼이 되어 어려움에 빠진 사람들을 돕겠습니다. 예수님, 저를 꼭 도와주세요. 이 약 먹고 효력이 있어 건강을 되찾게 될 줄 믿습니다."

학형이는 착했다. 그 후 한 끼도 거르지 않고 식사하고는 약을 먹었고, 약을 먹고는 기도문을 큰 소리로 읽었다. 그렇게 열흘 정도를 계속하니 눈에 생기가 도는 것 같았고 고름이 멈추었다. 그리고 식성이 좋아져 갔다.

우리는 희망을 품기 시작했다. 그러기를 20여 일 지나니 그의 얼굴에 불그레한 혈색이 돌았다. 그쯤 되니 부모들도 목소리가 밝아지고 아들 돌보는 일에 열심을 내기 시작했다.

하루는 내가 신학교 수업을 마치고 그 집을 찾아가니 학형이 어머니가 기도를 드리고 있었다. 그런데 그 기도란 것이 우스웠다. 방 윗목에 상을 차려놓고 상 위에 냉수 한 그릇을 떠놓고는 양손바닥을 비벼대고 있었다. 기도 내용 역시 가관이었다.

"비나이다, 비나이다, 하늘님, 비나이다. 우리 학형이 병 고쳐주시어 건강 부귀 장수토록 복 내려주시기를 비나이다. 비나이다, 비나이다, 지성으로 비나이다."

이렇게 반복하여 기도드리고 있었다. 나는 놀랍기도 하고 우습기도 해서 물었다.

"학형이 엄마, 지금 뭐 하는 거예요?"

"예, 기도하지라요."

"뭔 기도를 그렇게 하십니까? 세상에 그런 기도가 어디 있습니까?"

"예, 기도라고 제대로 해보지를 않아서 나름대로 생각해서 하는 게지요."

"그라고 그 물은 왜 떠놓았습니까?"

"아무것도 없응게 허전해서 물이라도 떠놓았구먼요."

"그러세요? 정 허전하시다면 제가 성경을 드릴 테니 앞으로는 물그릇 대신 상 위에 성경을 놓고 기도하십시오. 그리고 '비나이다, 비나이다' 그렇게 하시는 게 아닙니다. 산신령에게 기도할 때나 그렇게 하는 거지 하나님께 기도드릴 땐 그렇게 비는 게 아닙니다. 예수님, 기도드립니다. 우리 아들 학형이에게 건강을 허락해주시옵소서, 이런 식으로 마치 친정아버지께 부탁드릴 때처럼 대화하듯이 기도드리면 됩니다. 그리고 기도가 끝날 때에는 꼭 '예수님 이름으로 기도드렸습니다'로 끝내는 겁니다."

나는 학형이 어머니에게 기도하는 법을 가르쳐주었다. 학형이 어머니는 그날부터 상 위에 성경을 놓고 격식에 맞게 기도를 드렸다. 물론 학형이도 식사 때마다 거르지 않고 기도를 드렸다. 나는 신학교 동급생들에게도 학형이를 위한 기도를 부탁했다. 또 결핵 약이 위장장애를 일으키기 쉽다는 말을 듣고는 '에비오제'란 건위제(健胃劑)를 사다 먹이고 종합비타민과 철분을 구해 먹였다. 나는 송정동 판자촌을 열심히 드나들며 학형이의 회복을 위해 정성을 쏟았다.

학형이의 건강 상태는 날로 좋아졌다. 하루는 아이가 눈을 반짝이며 물었다.

"선생님, 이제 약 그만 먹으면 안 될까요? 몸이 좋아졌으니까요."

"아냐. 예수님은 약을 열심히 먹으며 기도하는 사람을 도와주신단다. 약 먹지 않고 기도만 하면 게으르고 공짜만 바라는 사람이라고 해서 기뻐하시지 않는단다."

약의 양이 너무 많아 먹기에 힘들었던 모양이다.

나는 학형이가 회복돼가는 모습을 보며 큰 보람을 느꼈다. 얼마 후 학형이는 일어나 앉을 수 있게까지 되었다.

그러나 의사는 수술하지 않으면 그 이상 나아지기 어렵다고 말했다. 수술 비용이 최소한 300만 원이고 수술받은 후에는 일년 가까이 깁스를 한 채 침대에 누워 있어야 한다고 했다. 그런 말을 들은 학형이 아버지는 300만 원은커녕 30만 원도 없다면서 한숨만 쉴 따름이었다.

나는 희망을 버리지 않았다. 틀림없이 길이 있을 것이라 생각하고 백방으로 학형이가 수술받을 수 있는 길을 찾아다녔다. 그러던 중 미국 침례교 선교사인 민 목사를 만나게 됐다. 학형이 이야기를 했더니 부산 침례병원에서 수술받을 수 있도록 주선해보겠노라고 약속했다.

얼마 후 민 선교사로부터 반가운 소식이 왔다. 부산 침례병원으로 아이를 데려가면 무료로 수술받을 수 있도록 조치를 해놓았으니 어서 부산으로 가보라는 전갈이었다. 우리는 기쁨에 차 부산으로 내려갔다.

그러나 부산 침례병원에서 검진받은 결과 체력이 너무 떨어져 수술을 감당키 어려우니 체력을 길러오라는 것이었다. 집으로 되돌아온 우리는 체력을 높이는 일에 힘썼다. 그러나 이미 기적은 일어나고 있었다. 다만 우리가 모르고 있었을 뿐이었다.

부산에서 돌아온 후 학형이의 건강은 하루가 다르게 좋아지더니 얼마 뒤에는 골목길을 뛰어다닐 정도가 되었다. 나는 학형이가 뜀박질하는 것을 보면 가슴이 조마조마했다. 척추가 몹시 상해 있는 것을 사진으로 보았던지라 뛰어다니다가 혹시 척추뼈가 내려앉기라도 하면 어쩌나 하는 염려에서였다. 나는 학형이에게 걸을 때도 조심조심 걷는 것이 좋겠다고 당부했다. 그러나 당사자인 학형이는 태연하게 말했다.

"이제 괜찮아요!"

어느 날 학교 수업을 마치고 송정동 판자촌으로 학형이를 찾아가던 길에 골목에서 학형이를 보고 소스라치게 놀랐다. 제 또

래 아이와 씨름을 하고 있는 게 아닌가. 나는 질겁하여 학형이를 불렀다.

"학형아, 너 정신 있니 없니? 어쩌려고 그렇게 허리에 힘을 쓰니? 너 조심 없이 그렇게 하다간 허리가 결딴나."

"선생님, 나 이제 괜찮아요. 정말 다 나았어요."

나는 학형이의 말이 믿어지지 않았다. 다음날 나는 학형이 어머니와 함께 시립아동병원으로 갔다. 아이를 진찰하고 난 의사는 확실하게 말했다.

"이 아이는 완치되었습니다. 그동안 고생 많았습니다."

나는 어안이벙벙해서 의사에게 물었다.

"아니, 선생님, 얼마 전에는 수술하지 않으면 회복할 수 없다고 하셨잖습니까? 그런데 갑자기 완치되었다고 하시니 잘 믿어지지가 않는군요."

"그랬었지요. 그러나 그때는 그때 판단이고 지금은 지금입니다. 의학은 과학이라 현재의 과학적인 증거로 판단합니다."

"선생님, 혹시 오진이랄까, 잘못 판단하실 경우도 있지 않을까요? 다른 사람 엑스레이 사진을 잘못 보았다든가 말입니다."

"아니에요. 오늘 첫번째 온 환자라 사진이 바뀔 리 없습니다. 진단이 의심스러우면 다른 병원으로 가보세요!"

그는 뚝 잘라 말하고는 다음 환자를 부르는 것이었다. 나는 무안을 당했어도 조금도 섭섭하지 않았다. 학형이가 나았다는데 내 기분 상하는 것쯤이야 무슨 문제가 되겠는가!

그때 학형이 어머니와 내가 느낀 기쁨이란 말로 표현할 수 없었다. 학형이 어머니는 얼굴이 상기된 채 내 손을 잡고 연방 "고맙습니다, 이 신세를 어떻게 갚지요" 하고 되풀이 말했다.

병원을 나온 나는 수중의 돈을 몽땅 털어 과자와 과일을 샀다. 그리고 판자촌으로 돌아오자마자 아이들을 몽땅 불러모아 잔치판을 벌였다.

"얘들아, 예수님이 우리 학형이를 고쳐주셨단다. 축하잔치를 할 테니 다들 모여라. 실컷 먹고 놀자!"

그 뒤로 내가 그곳에 가면 동네 노인들이 나를 보며 말하곤 했다.

"저 어른이 김 아무개네 아들 꼽추병 고친 선생이야. 저 어른께 이 동네에 예배당 세워달래세. 이 사람들아, 동리에 예배당이 세워지면 손주 녀석들 교육에 좀 좋겠는가."

노인들만 그렇게 말하는 것이 아니라 젊은 아낙네들도 이렇게 말했다.

"선상님, 이 동네에 언제 예배당 서는 기라예? 예배당 서면 애기아빠하고 예배당 댕기기로 했심더."

이런 말을 자주 듣게 되자 나는 생각하게 되었다.

혹시 이 빈민촌에 교회를 세우고 동네 주민들을 돌보라는 예수님의 명령이 아닐까?

이 생각은 확신으로 바뀌었고, 확신은 실천으로 옮겨졌다. 이리하여 빈민선교가 시작되었고 뒷날 활빈교회가 탄생했다. 학형이가 빈민선교에 다리를 놓은 셈이었다.

학형이는 나로 하여금 평생을 투자할 길을 가르쳐주었기에 나에게는 누구보다 소중한 사람이 아닐 수 없다. 말하자면 사명감을 깨닫게 해준 은인인 셈이다.

서울시 성동구 송정동 74번지 내에 살고 있던 1천 600여 세대는 거의가 피폐해진 농촌을 떠나 무작정 상경한 이농민들이었다. 그들은 농촌을 등지고 서울에 올라올 때 지게꾼 노릇이라도 하겠다는 마음이었으나, 지게꾼 일을 용달차에 다 빼앗기고 일자리를 얻지 못한 채 극심한 가난에 시달리고 있었다.

일터를 찾지 못한 그들은 대낮에도 모여 화투장을 뒤적이거나 값싼 술에 취해 해롱대고 있었다. 부인과 아이들이 품팔이를 나가거나 구멍가게 같은 공장에서 몇 푼씩 벌어오는 돈으로 겨우 목숨을 부지하고 있는 터였다.

나는 청계천 둑 위를 걸으며 상상했다. 지금 예수님께서 서울에 오신다면 어느 곳부터 방문하실까? 분명 세종로나 명동 같은 곳은 찾지 않으실 거다. 이 악취나는 청계천을 찾으실 것이다. 예수님은 지금 내가 걷고 있는 이 둑길을 걸으며 말씀하실 거다. 수고하고 무거운 짐진 판자촌 주민들이여, 다 모이시오. 내가 여러분들을 푹 쉬게 하는 동민 위안의 밤을 열어드릴 것이오. 그렇게 말씀하시고 예수님은 밀가루 다섯 포대와 동태 두 마리로 청계천 판자촌 주민들을 배불리 먹이실 것이다.

나는 계속해서 상상력을 펼쳤다. 내가 여기쯤에다 예배당을 세우고 몸도 마음도 가난한 주민들과 함께 살아가노라면 예수님께서 이 둑을 내려오시다가 들르실 거다. 그리고 말씀하실 거다.

"잘한다, 진홍아, 네 하는 일이 맘에 든다! 네가 이 동네에서 내 일을 맡아주었으니 저녁 뷔페에 널 초청하고 싶구나."

이런 생각에 미치자 나는 확신이 들었다. 그래, 이곳에 교회를 세우고 동네 사람들과 함께 살자. 그것이 예수님이 기뻐하시는 일이다. 빈민선교에 내 인생을 걸어보자. 하나님의 뜻이다.

마음이 정해지자 나는 가까이 지내는 신학교 동급생들에게 말했다. 청계천 빈민촌에 들어가 교회를 세우고 빈민들과 함께 살겠다는 내 생각에 동급생들이 나타내는 반응은 가지각색이었다. 어떤 친구는 신학생 시절엔 열심히 공부만 하고 졸업 후에 일을 하는 것이 좋을 거라고 충고했고, 어떤 친구는 빈민선교가 의미가 없는 것은 아니지만 선교도 효율성을 생각해야 하는 것이니 대학생 선교나 지식인들에게 선교하는 게 민족 복음화에 더 효과적이지 않겠느냐고 말했다. 또 어떤 친구는 "김형 같은 친구는 신학을 학문적으로 깊이 파고들어 학자로서 한국 교회에 기여해야 한다"고 권하기도 했다.

"김형, 훌륭한 결단이오. 빈민선교는 한국 교회가 가장 소홀히 하고 있는 부분이오. 김형이 고양이 목에 방울을 다는 심정으로 헌신하기 바라오" 하고 격려해주는 동급생도 있었다.

어느 날 아침, 묵상시간에 나는 「이사서」 61장을 읽다가 큰 감명을 받았다. 이 말씀이야말로 빈민선교에 헌신하라는 예수님의 명령인 듯했다.

주 여호와의 신이 내게 임하셨으니 이는 여호와께서 내게 기름을 부으사 가난한 자에게 아름다운 소식을 전하게 하려 하심이라. 나를 보내사 마음이 상한 자를 고치며 포로 된 자에게 자유를, 갇힌 자에게 놓임을 전파하며 여호와의 은혜의 해와 우리 하나님의 신원(伸怨)의 날을 전파하여 모든 슬픈 자를 위로하되…….

여호와의 신, 즉 성령이 내게 임했다. 왜 임했는가? 기름을 부어 사명을 주려고 임했다. 무슨 사명이냐? 가난한 자들에게 아름다운 소식, 즉 복음을 전하라는 사명이다. 빈민선교에의 사명이다. 빈민선교란 무엇이냐? 빈민촌에 들어가 마음 상한 자의 상한 마음을 고치는 일이요, 가난에 포로 된 자들을 가난에서 해방시키는 일이요, 질병에 갇힌 자들을 질병에서 놓임받게 하는 일이다. 그들에게 희망의 소식을 전하고 그들의 한을 풀어주는 일이다. 그래서 빈민촌에서 가난한 이웃들과 함께 살면서 가난하기에 슬픈 삶을 위로하며 함께 울고 함께 웃는 삶, 그것이 빈민선교다. 그 일에 내 삶을 통째로 걸라고 명령하심을 느꼈다.

이런 내 느낌을 들은 한 동급생이 내게 물었다.

"김 형, 빈민촌에 들어가 빈민선교를 시작하는 일에 재정적인 뒷받침을 받을 대책은 마련되었나요?"

"글쎄요. 난 아직 그런 일은 생각도 안해봤는데요."

"그렇게 의욕만 가지고 맨주먹으로 시작할 일은 아니야요. 큰 교회로부터 재정 지원을 약속받거나 재력 있는 독지가의 지원 약속을 확보한 뒤에 시작해야지, 빈손으로 시작했다가 중도에 지치면 시작하지 않음만 못하게 되는 게 아닐까요?"

타당한 말이었다. 그 문제에 대해 나는 3일 기간을 정해 기도하면서 곰곰이 생각했다. 그러고는 결론을 내렸다. 결론이래야 단순했다. 단순했지만 중요한 내용이었다. 그리고 그것은 그때 이후 지금까지 내가 30년 가까이 지켜오고 있는 원칙이 되었다. 그 원칙을 한마디로 말하자면 철두철미하게 예수님의 머슴이 되자는 것이었다.

머슴은 신명을 바쳐 주인의 일만 하고, 그렇게 일하는 머슴에게 필요한 모든 것은 주인이 뒷감당한다. 그와 같이 나는 주인인 예수님의 일만 열심히 하면 내게 필요한 재정적인 면은 예수님이 알아서 뒷바라지해주실 것이라는 결론이었다.

내가 어릴 적 살던 두메산골 외가에는 큰 농장이 있었고 머슴이 셋이나 있었다. 나는 외할머니가 머슴들에게 일 시키던 방법을 생각하였다. 머슴들은 아침에 일 나갈 때면 외할머니께 와서 어느 일터로 나간다고만 말하면 되었다. 그러면 외할머니는 알았다는 뜻으로 고개만 끄덕이시고는 시간에 맞추어 참때는 참, 점심때는 점심을 정확히 보내주셨다. 나도 가끔 일터에 나가 있는 머슴에게 식사를 나르는 심부름을 했다. 머슴은 자신이 할 일만 열심히 했지 의식주 문제는 주인에게 완전히 맡기고 살았다. 어린 시절에 익히 보았던 주인과 머슴의 관계를 생각하고는 나도 예수님의 일을 시작함에 그런 관계로 임해야겠다고 다짐했다.

빈민촌에서 예수님의 머슴으로 일을 시작하는 데 관심을 기울여야 할 것은 재정적인 뒷받침이나 후원자를 염려할 것이 아니라 일 자체가 주인이신 예수님의 뜻에 합당한가 아닌가였다. 만일 예수님께서 제때에 뒷받침해주시지 않는 경우가 생긴다면 그 이유는 둘 중 하나일 것이다. 첫번째는 내가 하는 일이 주인인 예수님의 뜻에 합당치 않았을 경우이고, 두번째는 애초에 나를 뒷받침해줄 주인이 없을 경우이다. 두번째 경우는 아예 생각조차 할 필요가 없는 일이었기에 다만 첫번째 경우인 내가 하려는 일이 예수님의 뜻에 합당한가 아닌가만 남는다. 그 문제는 이미 「이사야」 61장을 통해 확고부동한 사명으로 받아들인 터였으므로 나는 아무 거리낌 없이 맨몸으로 부딪쳐나가기로 작정했다.

이렇게 마음을 다져먹은 나는 틈나는 대로 청계천 판자촌을 찾아가 골목골목을 누비며 생각했다. 이곳에서 교회를 시작하기 전에 먼저 해야 할 일이 무엇일까? 교회를 시작한다면 어떤 원칙으로 어떤 교회를 세워야 할까를 찬찬히 생각했다. 그 결과 먼저 주민들과 친해지는 일부터 시작해 주민들의 요청에 의해 교회를 세우는 방식으로 접근해야겠다고 마음먹었다.

그래서 먼저 60세 이상 노인들을 초청하여 노인잔치를 열었다. 동네 앞 널찍한 공터에 잔치판을 벌여놓고 노인들에게 국밥을 대접하고 담배 한 갑씩을 돌렸다. 그리고 막걸리 몇 말을 받아 분위기를 흥겹게 돋우었다. 분위기가 한창 좋아졌을 때 노인들에게 나를 소개하면서 "이 동네에서 여러 어른들을 모시고 예배당을 세우고 싶으니 어르신네들의 도움을 바랍니다"라고 말했다. 이어 학형이 아버지 김인옥 씨의 찬조연설이 있었다.

"이 선생으로 말할 것 같으면 우리 아들 꼽추병을 고친 선생이신데, 말하자면 하늘이 낸 사람이외다. 이 어른이 믿자는 것이면 무엇이든 따라 믿어도 손해볼 건 없을 터잉게 우리 동네에서 받들어 모십시다. 여러분들이 내 말에 찬성하신다면 박수로 호응해주시라요."

그의 말이 끝나자 동네 노인들은 박수로 호응했다. 그때쯤 되니 장내 분위기는 무르익고 모두들 즐거워했다. 노랫가락이 나오고 노인들은 덩실덩실 춤을 추며 놀았다.

그 뒤 동네 분위기가 좋은 방향으로 흐르기 시작했다. 잔치에

왔던 노인들이 나를 지지하고 선전하는 대변인이 된 덕분이었다. 노인들은 골목골목에서 열을 올려 말했다.

"김 아무개네 아들 병 고친 사람이 예배당 선생이라는구먼. 그 사람 된사람이야. 인사성 밝고 어른 모실 줄 아는 사람이드랑게. 이 동네에 예배당 세우자고 권해야 쓰겄어. 이 사람들아, 동네에 예배당이 들어서면 손주새끼덜 교육에 을매나 도움이 크겄는가. 옛날 서당서 가르쳤던 공자님 도리나 요즘 예배당서 가르치는 예수님 도리나 근본은 다 좋은 기여. 사람다운 사람 되라는 도리닝게 우리가 밀어줘야 되는 기여."

동네 노인들의 분위기가 이렇게 흘러가자 다음으로 어린이들에게 공작(?)을 펴기 시작했다. 주머니마다 알사탕을 가득 채우고는 골목골목을 다니며 아이들을 불러모았다. 만나는 아이들마다 사탕을 나눠주며 친구들을 불러오너라, 재미있는 동화를 들려주겠노라고 일렀다. 그러면 잠깐 사이에 200여 명의 아이들이 모였다. 나는 아이들에게 『장발장』 동화를 들려주고는 헤어질 때 내 이름은 김진홍이고 이 동네에 예배당을 세우려는 사람이라고 일러주곤 했다. 그 뒤 동네에 가면 골목이 비좁게 아이들이 따르며 물어왔다.

"선생님, 예배당 언제 열어요?"

아이들과 친해지면 그 부모들과도 친해지게 마련이다. 아이 부모들이 골목길에서 내게 물었다.

"선생님이 동네 예배당 세운다는 분이신가요? 우리 애들이 예배당 서면 재미있는 동화 듣게 될 거라고 기다리고 있던데요."

노인들과 아이들에 이어 동네 젊은이들에게로 방향을 돌렸다.

동네에서 말깨나 하고 힘깨나 쓴다는 젊은이들을 찾아다니며 인사를 나누었다. 내가 이 동네에 들어와 하고 싶은 일의 내용들을 솔직히 이야기하고 협력을 부탁했다. 거친 사람들일수록 내면은 순진한 데가 있는지라 일대일로 찾아가 도움을 청하니 힘은 없지만 돕겠다고들 했다.

물론 개중에는 빈정거리는 젊은이들도 있었다.

"예수 선생, 잘해보쇼. 술이나 자주 받아주시라요. 난 매사에 술이라면 오케이요."

나는 그런 반응에도 개의치 않고 시원시원하게 말했다.

"고맙습니다. 예수만 믿으시겠다면 술 사드리는 것이 문제가 아니라 쥐약이라도 사드리겠습니다."

마지막 남은 문제는 아내를 설득하는 일이었다. 이미 아들 동혁이가 태어난 뒤라 아들을 데리고 빈민촌으로 들어가 살자고 권하기가 여간 어려운 일이 아니었다.

아내는 출신부터가 빈민촌에 적합치 않았다. 그녀가 빈민촌에 들어가 적응할 수 있을지 큰 고민거리였다. 더욱이 아들 동혁이가 빈민촌에서 건강을 해치지나 않을까 하는 염려도 들었다. 이런 갈등을 겪으며 빈민촌에 들어가 일할 계획을 말했더니 아내는 뜻밖에도 선선히 말했다.

"예수님이 기뻐하시는 일이고 당신의 뜻이 그렇다면 같이 들어가 살겠어요."

"그렇게 말해주니 고맙소. 그러나 당신과 동혁이에게 지나친 희생을 강요하는 것만 같아 심히 부담스럽구려."

"그렇다고 우리는 밖에 살고 당신만 빈민촌에 들어가 살면서 일할 수는 없잖아요?"

"그래서 고민하는 거요. 내가 결혼하기 전에 빈민선교를 하겠다고 생각했더라면 혼잣몸으로 빈민촌에 들어갈 수 있었을 텐데."

"아니지요. 나도 동혁이도 예수님 일에 함께 동참하게 되는 거니 너무 부담 갖지 마세요."

함께 빈민촌으로 들어가기로 합의한 우리 부부는 푼푼이 모아두었던 30만 원 전부를 빈민촌에 투자하기로 했다. 언젠가 때가 되면 한국에서 가장 좋은 일을 하는 데 쓰자고 모아두었던 돈이었다. 그 돈으로 방이 셋 있는 판잣집 한 채를 14만 5천 원에 구입해 내부를 수리하는 작업에 들어갔다. 방 두 칸은 교회로, 한 칸은 살림방으로 쓰기로 했다. 집을 구입하는 일은 학형이 아버지 김인옥 씨가 맡아주었고 집 수리하는 일은 김종길 씨가 앞장서주었다.

그렇게 일이 진행되어가는 중에 좋은 일꾼 한 명이 오게 되었다. 내가 대구 근교의 경산 메노나이트 학교에서 성경교사로 있을 때 가르쳤던 김영준 군이 소문을 듣고 찾아와 빈민선교에 합류하겠노라고 했다. 키는 자그마하나 신중하고 진실하고 다부진데다 유능한 젊은이였다. 그래서 나와 김종길, 김인옥, 김영준 합하여 네 김씨가 팀을 이뤄 교회 창립을 서두르게 되었다.

김인옥 씨는 온 동네를 누비고 다니며 김진홍 선생이 세울 교회 이야기를 열심히 퍼뜨렸다. 워낙 열심히 하니까 "저 양반 하루 일당 얼마를 받기에 저렇게 선전하고 다니는 게야" 하고 주민들이 빈정거릴 정도였다.

학형이 아버지 김인옥 씨는 일제시대 만주에서 마적단에 있다가 후에 독립군에 가담했던 분이다. 해방 이후 조병옥 박사 밑에서 정치활동에도 가담했었지만, 그 후 몰락해 빈민촌으로 흘러들어오게 되었다. 몸이 날쌔고 정의감이 깊은 그는 자기가 젊은 날 교회 생활에서 겪은 경험담을 들려주면서 앞으로 조심하라고 일러주었다.

6·25전쟁 이후 그는 한 성결교회에서 신앙생활을 충실히 하고 있었다. 전쟁 후였던지라 미국에서 보내오는 구호물자가 교회로 많이 들어왔다. 구호물자가 들어올 때마다 목사는 좋은 것을 골라 사택에 갖다주라고 그에게 심부름을 시켰다. 사택으로 가져가면 목사의 부인과 자녀들이 골라서 입고 신고 했다. 그러기를 거듭하니 옳지 않게 여겨져 목사에게 그러지 말라고 충고했다. 그러나 목사가 오히려 제사장에게 대적한다고 나무라기에 그 인격에 환멸을 느껴 교회를 떠나게 되었다고 했다.

그렇게 교회를 떠난 후 그는 이래저래 신앙 생활에서 멀어졌다. 화투장도 만지고 술잔을 들이켜며 세상 물결에 휩쓸려 떠돌다가 오늘에 이르렀다.

김인옥 씨의 말로는 자기가 이 지경이 된 데에는 그 목사의 책임도 있다고 했다. 그러니 김 선생도 앞으로 전도 일을 하려면 사심을 버려야 한다고 거듭 충고했다. 사심을 품은 지도자들은 본인이 잘못되는 것은 물론이거니와 추종자들까지 병들게 한다는 사실을 자신의 경험을 예로 들어 몇 번씩이나 강조했다.

나는 그의 말을 듣고 앞으로 물질만큼은 깨끗하고 담백히 해야겠다고 다짐하고 청빈(淸貧)을 인생신조로 삼기로 했다. 시간이 흐를수록 빈민선교에 대한 사명의식이 깊어지는 만큼 보람도 커져 갔다. 이런 일에 부름받아 몸을 바치게 되었다는 사실 자체가 감격스러웠다.

예수 그리스도가 전한 복음의 진수가 바로 이것 아니었던가! 이 일을 한마디로 줄여 말한다면 '하나님 나라의 건설'이라 할 수 있다. 교회는 지난 2천 년 세월 동안 하나님 나라 건설을 위해 숱한 피를 흘리며 자라왔다. 그러한 역사가 이 땅 한반도에 시작된 지 100년 만에 한국 교회는 양적으로나 질적으로나 성장했다. 그러나 한국 교회 내부에 문제가 생겼다. 선교 초기에는 바닥 사람들인 민초(民草)들 사이에서 받아들여 그 속에서 자라기 시작했던 교회가 시간이 흐르는 사이에 중상층 이상의 교회, 이른바 '부르주아 교회'로 탈바꿈했다. 그리하여 우리 사회의 다수를 이루고 있는 기층민들인 빈민과 노동자, 농민들은 교회에서 소외당하는 처지에 이르렀다.

빈민촌 주민들 가운데 이전에 교회를 다니다가 그만둔 분들이 꽤 있었다. 그들의 한결같은 생각은 자기들같이 가난한 사람들은 교회에 나가면 그 분위기에 적응하기가 어렵다는 것이었다. 일주일 내내 노동판에서 일하다가 주일을 맞아 교회에 가면 교회 분위기가 너무 깨끗하고 고상해서 앉아 있기가 불편하고 마치 못 올 곳에 온 사람만 같아 그만 나와버린다는 것이었다. 이런 이야기를 듣다 보면 마음속에서 온갖 생각이 떠올랐다.

교회는 가난한 사람들을 위해 그들 속으로 들어가야 하는 것이 아니라 교회 자체의 존립을 위해 가난한 사람들에게로 들어가야 한다. 만약 국제 정세가 미묘하게 흐르는 이때에 시세 역전하여 교회가 잃어버린 기층민들, 무산계층들이 공산주의로 기운다면 화려하게 장식한 교회당이 무슨 소용 있겠는가? 교인들을 가두는 감옥으로 변할 수도 있을 것이다. 도대체가 교회당 짓는 데 엄청난 예산을 투자하고 있는 교회 지도자들의 의식구조가 한심하다. 그 예산을 백성들 돌보는 일에 쓴다면 겨레 사정이 얼마나 달라질 것인가!

본래 건물을 요란스레 짓고 장식을 화려하게 꾸미는 것은 바알 종교였다. 야웨 하나님의 종교는 건물이 아니라 민중의 삶에 관심을 기울여왔다. 이때에 한국 교회는 심기일전하여 민중들의 삶에 관심을 기울여야 한다. 그래서 민중들의 삶의 구심점이 되고 민족사의 선두에 서서 민족의 활로를 열어나가는 교회가 되어야 한다. 그러기 위해서 교회는 물(物)에 투자할 것이 아니라 민(民)에 투자해야 한다. 교회는 수(數)에 ·관심을 기울이기 전에 질(質)에, 백성들의 삶의 질에 관심을 기울여야 한다. 교회는 위로 솟고 옆으로 뻗으려 하기 전에 백성들의 가슴 깊은 곳으로 파고들어가는 깊이 있는 교회가 되어야 한다.

서울 시내 교회들이 건축과 관리에 들이는 정성과 예산의 절반만이라도 빈민과 노동자를 위한 사업에 투자한다면 한국 사회는 큰 발전을 이룰 수 있을 것이고, 아울러 한국 교회도 획기적인 성장을 이룩하게 될 것이다.

우리는 청계천 빈민촌에 교회를 세우는 데 필요한 것들을 하나씩 갖추어나갔다. 이제 교회 이름을 무엇으로 정할 것인지에까지 이르렀다. 우리들의 신학적 · 사상적 발상에 적합하면서도 빈민촌 현장에 걸맞는 교회 이름을 찾기란 쉽지 않았다.

고심하던 끝에 현상모집하기로 했다. 22킬로그램짜리 밀가루 한 포를 상품으로 걸었다. 이런 내용을 적어 동네 곳곳에 방을 붙였다. 교회 이름 짓는 일부터 주민들의 관심과 참여를 끌어내려는 아이디어였다. 결과는 대성공이었다. 여러 가지 이름이 주민들로부터 제안되었다. 이름을 제안한 당사자는 사람들 앞에서 그 뜻을 설명하기로 했다.

설명회가 열리던 날 많은 주민들이 모여 제안자의 설명을 듣고 난 후 투표를 했다. 이 과정에서 일등으로 뽑힌 이름이 '활빈교회'였다.

제안자는 열을 내어 그 뜻을 설명했다.

"여러분, 홍길동전 소설에 나오는 활빈당을 아시지요? 우리가 그 활빈당의 전통을 이어나가는 교회가 되자 이겁니다. 물론 활빈당 당수 홍길동은 도적이었습니다. 그런데 보통 도적이 아니라 의적이었습니다. 부잣집 곳간에서 썩어가는 양식을 털어다가 굶주리는 백성들에게 나누어 준 의적이었습니다.

우리가 홍길동처럼 도적이 되자는 것은 아닙니다. 예수님의 사랑을 본받아 가난한 사람들에게 희망을 주고 가난한 사람들의 한을 풀어주는 교회를 이루자는 뜻입니다. 즉 활빈당 홍길동 장군의 정신과 방법을 따라 세우는 활빈교회가 아니라, 예수님의 정신과 방법으로 세우는 활빈교회! 이것이 내 제안입니다."

사람들이 "옳소!" "계속하시오!" 하고 호응하자 신바람이 난 제안자는 계속 열변을 토했다.

"여러분, 홍길동 장군이 합천 해인사 절간을 털어 굶주리는 농민들을 살렸던 이야기를 아시지요? 홍길동전을 읽은 분이나 어릴 때 그 이야기를 들었던 분은 알고 있을 겁니다. 활빈당 행수(行首) 홍길동은 당시 썩은 정치 권력자들이 부정축재하여 쌓아 놓은 재산을 털어 힘없는 백성들에게 나누어 주었습니다. 당시 해인사는 종교 특혜를 이용해 부를 쌓고 절 주변의 영세 농민들을 고리채로 울린 절간이었습니다. 농민들은 나무껍질을 벗겨가며 연명하고 있을 때 해인사 절간에는 쌓인 곡식이 썩어나고 있었지요. 활빈당 동지들은 절간에 쌓여 있는 이들 재물과 양식을 털어 빈농들에게 나누어 주었습니다. 지금 서울에는 그때 해인사 같은 교회당들이 있습니다. 그래서 지금도 활빈당 같은 교회, 즉 활빈교회가 필요합니다. 그래서 나는 활빈당의 이런 전통을 이어받는 교회가 되자는 뜻에서 우리가 세울 교회 이름을 활빈교회로 붙이기를 목숨 걸고 주장하는 바입니다."

그는 그날 모였던 사람들로부터 가장 많은 박수를 받았고 투표 결과 절대 다수의 지지를 받았다. 그는 밀가루 한 포를 상품으로 받았고 교회 이름은 활빈교회로 정해졌다.

이름이 그렇게 정해지자 그 이름에 성서적이고도 신학적인 의미를 더해 사람들이 활빈교회란 이름에 담긴 신앙적인 뜻을 확실히 터득하게끔 힘썼다. 『홍길동전』에 나오는 활빈당은 수난의 역사 속에서 백성들의 핏속에, 뼛속에 흐르던 이름이었다. 일제시대에도 일본 제국주의자들의 수탈에 대한 농민들의 저항운동이 있었다. 그 단체의 이름도 활빈당이었다. 호남지방을 중심으로 일어난 이 농민저항운동은 양반들이나 지식인들이 참여하지 않았던 순수한 농민들만의 운동이었다. 활빈교회는 조상들의 이러한 얼을 이어받아 성서적인 방법으로 그리고 그리스도의 사랑운 동으로 교회를 일으키자는 뜻을 굳혔다.

물론 기독교 신앙은 예수를 믿음으로써 영혼이 구원받고 죽어서는 천국 가는 신앙이다. 그런 신앙고백을 빼버린다면 기독교가 설 자리가 없어진다. 그러나 천국에 머물러서도 안 된다. 믿어 구원받고 천국 가는 신앙임엔 틀림없으되, 천국 가기 전에 이 땅에서 사람답게 사는 신앙을 가져야 한다. 이 땅에서는 빈곤 속에서 인간 대접도 못 받고 살다가 죽은 영혼이 천국에 간다고 해서 그 천국이 제대로 된 천국일 수는 없는 것이다. 그래서 이 땅에서부터 가난을 극복하고 인간다움을 누리며 천국 생활을 누리자고 강조했다. 이것이 활빈신앙이요, 이런 활빈신앙을 백성들 속에서 길러나가는 교회가 되자고 설명했다.

이 설명은 가난에 찌들어 기를 못 펴고 살던 빈민촌 주민들의 가슴에 쉽게 닿았고 공감대를 이루었다. 그런 공감대는 교회가 어렵지 않게 동네의 중심에 뿌리내리는 계기가 되었다.

먼저 기도 모임부터 시작했다. 우리는 합심하여 활빈교회가 이 사회의 경제적 불균형, 사회적 불평등, 정치적 부자유 등을 진리의 힘으로 바로잡아나가는 일에 쓰이게 해달라고 기도했다. 우리 개개인들에게 구원의 삶을 주신 예수께서 사회도 구원해주시고 민족도 새롭게 해주시기를 기도했다.

교회당으로 쓸 판잣집도 수리가 끝나자 10월 첫 주일에 창립 예배를 드리기로 했다. 마침 1971년 10월 3일 개천절이 주일이어서 안성맞춤이었다. 글자 그대로 하늘이 열려 겨레의 역사가 시작된 개천절에 활빈교회가 시작된다는 것이 더욱 뜻깊었다.

그러나 호사다마일까, 뜻하지 않은 일이 일어났다. 9월 29일에 서울시청 철거반이 들이닥쳐 교회당으로 쓸 집을 헐어버린 것이다. 철거반은 무허가 판잣집의 경우 우선 살게는 해주지만 비가 새거나 문짝이 떨어져도 수리하지 못하도록 단속하고 있었다. 그런데 판잣집을 교회당으로 개조한다고 보름이 넘도록 뜯고 고치고 소란을 떨었으니 철거반이 오지 않을 리 없었다. 나는 아찔했다. 허물어지는 벽을 바라보며 예수님께 기도했다.

　"예수님, 다시 시작할 용기를 주십시오. 앞으로 교회가 자리잡아나가려면 온갖 어려움이 닥칠 것입니다. 첫판부터 낙심하여 물러서지 않도록 힘을 주십시오."

　교회당 건물은 무너졌지만 전화위복으로 좋은 일도 일어났다. 그간 주민들에게 뿌려놓았던 씨앗들이 열매를 맺어 주민들이 너도나도 교회당 복구에 나선 것이다. 밤낮으로 복구작업을 서둘렀더니 창립 예배에는 지장이 없을 만큼 되었다.

　겨우 한시름놓고 이제 마무리 작업을 하려는데, 이 또 무슨 날벼락인가? 쌓아놓은 벽 한쪽이 제풀에 풀썩 무너져내렸다. 공사를 서두르느라 시멘트가 굳기도 전에 높이 쌓아올린 까닭이었다. 우리는 다시 시멘트 모래 블록을 날라다 쌓아올렸다. 나도 질통을 메고 모래를 져나르고 삽질을 하느라 손바닥에 피가 나고 어깨가 부어 오르고 잠이 밀려와 어디에나 앉기만 하면 꾸벅꾸벅 졸곤 했다.

　10월 2일 밤늦게까지 남아 지붕과 벽의 뼈대만 세운 후 우리는 잠에 곯아떨어졌다. 그만하면 창립예배를 드리기에는 지장이 없을 것 같았다.

1971년 10월 3일 세시, 활빈교회는 드디어 창립예배를 드렸다. 비록 창문도 달지 못했고 바닥이래야 흙바닥에 가마니를 깔았지만 우리는 흥겹기만 했다. 사과궤짝 둘을 구해다 강대상으로 삼고 흰 종이를 덮었다.

창립예배에서 나는 「이사야서」 61장 1절에서 4절까지를 본문으로 읽고 활빈교회를 왜 창립하는지 설교했다. 그날의 설교에서 나는 활빈교회를 창립하는 목적을 다섯 조항으로 설명했다. 그때 내 나이 서른 살이었다. 30여 년이 다 된 지금 읽어도 가슴에 와 닿는 내용들이다.

첫째, 예수께서 세우시고 예수께서 머리가 되시는 교회는 가난한 자, 눌린 자, 착취당하는 자들의 해방의 종교로 시작되었다.

한국 교회가 선교 100년이 채 못 된 세월에 오늘과 같이 발전한 데에는 선교 초기에 소외당하고 있었던 기층민들 속으로 파고들어 깊이 뿌리를 내렸기 때문이다. 그러나 오늘에 와서 한국 교회는 귀족화하여 한국 사회의 저변을 이루는 빈민, 저임금 근로자, 영세농민이 교회로부터 소외당하고 있다.

한국 교회가 지금과 같이 가진 자들의 교회가 되어 갖지 못한 자들의 부르짖음에 귀를 막고 현 체제(Status Quo)를 유지해주는 시녀 노릇을 계속한다면, 한반도의 역사에서 심판을 면치 못할 것이다. 역사에서 버림받는 교회가 되고 말 것이다.

그래서 오늘 깃발을 올리는 활빈교회는 갖지 못한 자들(Have-not class)의 교회가 되고자 한다. 빈민들과 저임금 근로자들, 농민들에게 예수를 심는 교회가 되고자 한다. 물론 예수 그리스도가 전한 복음에는 계급이 없고 차별이 있을 수 없다. 만인이 구원받는 복음이요, 만인에게 공히 열린 은총이다. 부자들도 구원받아야 하고 지식인들도 하나님은 사랑하신다.

그러나 성경은 가난한 자들에 대한 관심을 거듭거듭 강조하고 있다. 우리 활빈교회는 성경의 그러한 가르침을 따라 가난한 자들 속에서 복음을 전함을 사명으로 하여 오늘 그 첫발을 내딛는다.

둘째, 한국 교회는 교회가 속해 있는 지역사회에 공헌하지 못하고 지역사회와 격리되어 있다. 활빈교회는 교회가 속해 있는 지역사회를 섬기고 개발하는 일에 앞장서는 교회로 시작한다.

교회는 어느 시대, 어느 곳에 세워지든지 그 교회가 속한 지역사회의 정신적 · 사회적 · 문화적, 그리고 때로는 정치적 구심점이 되어야 하고, 지역사회 내의 육체적 · 도덕적 · 사회적인 온갖 질병을 치료하는 교회가 되어야 한다.

거듭 말해 교회는 그 교회가 속해 있는 지역사회 내의 모든 문제를 성서적인 기준에 따라 그리고 인간 존중의 가치에 따라 해결해나가기를 힘쓰는 교회가 되어야 한다.

셋째, 예수께서 가르치신 진리의 알맹이는 '믿음으로 구원받음'과 '사랑으로 살아가는 삶'에 있다. 우리들도 구원받게 하는 믿음이 밖으로 드러날 때는 사랑으로 표현된다. 믿음으로 구원받고 사랑으로 살아가는 것이다.

그래서 교회가 땅 위에 존재해야 하는 이유 중 하나는 이 사랑의 실천이다. 그럼에도 오늘의 한국 교회는 이 사랑을 잃고 형식과 도그마에 열중하고 있다. 한국 교회의 이런 현실을 고쳐나가기 위해 활빈교회는 모름지기 '사랑하기'에 뜨거운 교회가 되어야 한다. 사랑하기를 가르치고 훈련시키는 교회가 되어야 한다.

사랑하기를 실천하고 넓혀나가는 교회가 되어야 한다.

신약성서 「야고보서」에 분명히 말하고 있다. 사랑의 실천이 없는 믿음은 죽은 믿음이요, 행함이 따르는 믿음이 살아 있는 믿음이라 했다. 한국 교회 교인들의 믿음이 죽은 믿음이 되지 않고 살아 있는 믿음이 되어 이 땅의 병든 역사를 고쳐나가기 위해서는 먼저 우리들 활빈교회 교인들부터 사랑을 실천하는 일에 앞장서 나가야 한다. 우리들부터 사랑을 훈련하고 실천하고 확장해나가야 한다.

넷째, 교회는 그 교회가 속한 민족과 사회, 좁게는 지역사회를 복음화함에 그 시대와 그 장소에 적합한 전략과 기동성을 지녀야 한다.

서양 선교사들이 가져다준 신학과 선교 방법이나 교회 구조에 대한 집착은 변화하는 시대에 적용할 수 없는 교회로 만들고 있다. 복음이 시대와 장소를 초월한 영원한 진리일진대, 그 복음을 담는 그릇으로서의 신학과 선교 방법은 역사의 변화와 발전에 따라 함께 변하고 적응하고 발전해야 한다. 서구의 풍토와 서양인들의 논리에서 발전된 신학과 교회제도 및 선교 방법이 우리 한국인들의 심성에 적합치 못하리란 것은 너무나 당연한 일이다.

그래서 활빈교회는 한국인의 심성과 체질에 맞는 신학과 교회제도 및 선교 방법을 창출하여 민족 복음화로의 전략과 기동력을 개발해나가는 교회가 되어야 한다.

다섯째, 어느 시대나 그 시대를 살아가는 교회가 수행해야 할 사명 가운데 하나는 사회 정의의 선포와 그 실현이다.

예수 그리스도의 교회는 구약시대 예언자들의 전통을 계승하면서 사회적 평등과 정치적 자유 및 참된 인간성 구현을 위해 피를 흘리며 자라왔다. 교회가 이 전통과 사명을 잊고 안일과 타락의 길을 걸을 때 교회 자신이 설 자리를 잃었을 뿐 아니라 그 시대와 사회 자체가 몰락케 되었음은 2천 년의 교회사와 세계사가 가르쳐주고 있다.

이에 한국 교회는 한국 사회의 정치적 억압, 경제적 불균형, 사회적 불평등 곧 온갖 비인간화 현상에 강력히 도전해야 한다. 활빈교회는 이를 수행하는 교회가 되어야 한다.

1971년 10월 3일 창립일에 활빈교회는 이 다섯 가지 설립 목적을 분명히 내걸고 이를 성취해나가는 교회가 되자는 다짐을 굳게 했다.

느그덜이 천당 가면 나는 만당 갈 끼다

청계천 판자촌에 세워진 활빈교회가 그 설립 목적을 달성해가려면 먼저 선교지역 안의 문제들을 자세히 파악하고 그 해결책을 찾아야 했다. 작게는 주민 개개인의 문제에서 시작해 각 가정의 문제들, 그리고 지역사회 전체의 문제들까지 샅샅이 뒤지며 찾아내는 일로 우리들의 선교 사역은 시작되었다.

나는 판자촌 안의 한 집 한 집을 차례로 방문해 인사를 나누면서 그들과 대화의 문을 열어나가기 시작했다. 대화를 통해 그들과 인간관계를 다지고 그 가정이 지닌 문제들을 찾아나갔다. 그리고 그렇게 해서 찾은 문제들을 해결하는 일에 전심전력함으로써 주민들의 신뢰를 쌓았다. 마지막에는 그 신뢰를 바탕으로 선교활동을 펼쳐나갔다. 이런 과정을 일컬어 'DDT 작전'이라고 이름붙였다. DDT란 Door to Door Tackle Operation의 머릿글자를 딴 말이다.

나는 빈민촌 주민들이 품고 있는 문제를 해결해나갈 때 축구

경기를 염두에 두고 있었다. 축구장에서 상대편 공격진이 몰고 들어오는 볼을 과감한 태클로 물리치듯이 그러한 마음가짐으로 문제 해결에 임한다는 생각이었다. 그래서 '태클 작전'(Tackle Operation)이다. 또 빈민촌 각 가정마다 차례로 문을 두드리고 들어가 태클 작전으로 문제를 해결해가기에 '문에서 문으로' (Door to Door)라는 의미인 것이다.

원래 DDT란 채소밭에서 해충을 몰아낼 때 쓰는 약 이름이다. 농부가 DDT로 해충을 몰아내듯 활빈교회도 DDT 작전으로 빈민촌 각 가정을 괴롭히는 문제를 추방하자는 것이다.

이 DDT 작전이란 말과 함께 내가 발전시킨 또 하나의 말은 'TLC 요법'이다. TLC란 Tender Loving Care Therapy의 머릿글자다. 빈민촌에서 한 사람 한 사람, 한 가정 한 가정을 대할 때 그들이 지닌 아픔과 상처들을 부드러운 사랑의 보살핌으로 치료한다는 뜻에서 만든 말이다.

빈민촌 주민 중에는 성장과정이나 사회생활에서 사랑과 인정을 제대로 받지 못한 채 살아온 사람들이 많았다. 말하자면 '사랑 결핍증'에 걸려 있는 사람들이었다. 사람들은 비타민이 부족할 때 생기는 비타민 결핍증에 대해서는 익히 알고 있으면서도 사랑이 결핍될 때 생기는 병인 사랑 결핍증에 대해서는 무지하다. 빈민촌 주민들 중에는 어린 시절부터 성인에 이르기까지 지나친 사랑 결핍으로 인해 고통을 당하는 사람들이 많다. 이 사랑 결핍증 환자들은 누군가가 넉넉한 사랑을 베풀고 극진한 관심을 기울여줄 때 치유된다. TLC 요법은 바로 예수께서 시범을 보이신 사랑 결핍증에 대한 치료법이다. 예수는 이렇게 말했다.

"나는 건강한 사람들을 위하여 온 것이 아니라 상한 마음 (broken heart)을 고치러(bind up) 왔다."

예수는 로마제국의 식민지배에서 억눌려 살아가는 유대 백성의 상한 마음, 깨진 마음을 싸매주고 치료해주는 일에 온 정성을 쏟았다. 그러한 예수의 발자취를 따라 교회는 어느 시대, 어느 곳에서나 상한 심령을 돌보는 일에 헌신해야 한다. 그래서 TLC 요법이다.

TLC 요법이 어찌 빈민촌 주민들에게만 필요하겠는가? 현대인은 거의가 사랑 결핍증에 시달리고 있는 환자들이다. 그래서 TLC 요법은 인간이 살아가는 모든 곳에 꼭 있어야 하는 치료법이다.

나는 가끔 신약성서에 나오는 한 여인의 이야기를 생각한다. 여인은 간음하던 현장에서 잡혀 예수 앞으로 끌려왔다. 그녀를 고소한 자들은 여인을 잡아다 예수 앞에 두고 물었다.

"예수 선생, 이 여인을 어떻게 처리해야 할지 말해보시라요."

만일 예수가 그녀를 용서해주자고 하면 모세의 율법을 어기는 무법자라고 고소할 참이었고, 예수가 그녀를 관례대로 죽이자 하면 사랑 없는 거짓말쟁이, 위선자라고 몰아세울 속셈이었다.

누군가가 말하기를 인간이 똥개보다 못한 이유는 '타인의 과오와 약점을 보고 손뼉치며 의기양양해하는 근성이 인간에게는 있고 똥개에게는 없기 때문'이라 했다. 그들의 비뚤어진 마음을 읽은 예수는 땅바닥에 무언가를 쓰며 말했다.

"너희 중에 죄 없는 자가 먼저 쳐라."

이 말을 들은 소인배들은 여인을 치려던 돌을 버리고 뿔뿔이 흩어졌다. 예수가 그때 땅바닥에 쓴 글이 무슨 내용이었는지는 알려져 있지 않다. 짐작건대 각 사람의 숨겨진 못된 짓거리들을 하나씩 쓴 게 아니었을까 싶다. 고소한 자들이 다 흩어진 후에 예수는 여인에게 물었다.

"누님, 누님을 치려던 사람들은 다 어디로 갔습니까?"

"모두 가버렸습니다."

"나도 누님을 화냥년이다 죽일 년이다 하지 않을 테니 가셔서 다시는 어리석은 짓을 하지 마십시오."

그래서 여인은 정욕에서 해방되고 죽음에서 벗어나 돌아갔다.

나는 이 이야기를 생각할 때면 그때 여인을 보던 예수의 눈을 떠올려본다. 그 눈동자가 어떠했을까? 인간의 약점과 비열함을 이해하고, 그런 인간의 치사스러움에 대해 연민을 지녔던 예수의 눈은 사람을 새로워지게 하는 힘을 지니고 있었으리라. 그리고 그 눈빛에 마주치는 사람마다 그 눈이 지닌 깊이에 감명을 받아 새 삶을 살아갈 용기를 지니게 되었을 것이다.

나는 예수가 인간 영혼의 상처를 치료함에 TLC 요법을 사용했다고 생각한다. 그래서 빈민촌에서 한 가정 한 가정 문을 두드리고 들어가 TLC 요법을 실천키로 한 것이다.

빈민촌 판잣집 구조를 보면 우선 담장도 대문도 없다. 문을 열고 들어가면 바로 부엌이고, 부엌에 들어서면 바로 방문이다. 방문을 열고 들어가면 서너 평 좁은 방에 예닐곱 식구들이 모여 살고 있다. 비가 새거나, 연탄가스가 스며들거나, 습기가 차거나, 통풍이 안 되는 등 문제가 많은 방들이다. 나는 그 문들을 두드리고 다니면서 각 가정에 접근했다.

주민들과 만나는 횟수가 늘어나면서 나는 각 가정이 처해 있는 문제들을 찾아냈다. 그렇게 찾아낸 문제들은 첫째로 그 가정 자체만의 힘으로 해결할 수 있는 문제들, 둘째로 그 가정만의 힘으로는 좀 풀기 어려워서 교회와 힘을 합해 해결해나가야 할 문제들, 셋째로 그 가정의 힘으로는 도저히 해결할 수 없어서 필히 교회나 외부의 도움으로 해결해야만 할 문제들이었다.

나는 먼저 그 가정의 힘으로 해결할 수 있는 첫번째 문제들부터 풀어나갈 수 있도록 격려했다. 첫번째 문제들을 스스로의 노력으로 해결할 수 있게 되면, 그 가정과 교회가 공동의 노력으로 해결해나갈 두번째 문제들에 도전했다. 끝으로 그 가정으로서는 해결할 엄두를 내지 못하는 세번째 문제들은 활빈교회 선교팀이 발벗고 나섰다.

활빈교회가 창립된 후 세번째 맞는 주일이었다. 예배가 중반쯤 접어들었을 때 느닷없이 소주병이 날아들어와 교회 벽에 부딪혀 깨지면서 유릿조각이 사방으로 튀었다. 곧 이어 문이 열리더니 동네 불량배 여섯 명이 교회당 안으로 들어섰다. 술 냄새가 코를 찔렀다.

"왜 동네 시끄럽게 노랠 부르고 야단이야! 내 동네 와서 예배당 영업을 하려면 먼저 이 몸에게 신고를 해야 되는 것이제!"

리더로 보이는 자가 험상궂은 기세로 말했다. 교인들이 그 분위기에 눌려 슬금슬금 나가버렸다. 왕년에 주먹깨나 썼던 김종길 씨는 "이 새끼들, 여기가 어디라고 이러는 거야" 하고 힘으로 해결하려고 나섰다. 나는 그를 만류하며 할 수 있는 한 그들을 조용하게, 정중하게 대했다.

얼만가 실랑이를 벌이다가 리더격인 자가 "야, 이쯤 했으니 가자. 앞으로는 알아서들 기겠제" 하면서 앞장서서 나가자 나머지도 뒤따라 나갔다.

나는 그날 저녁 이슥한 시간에 소주 한 병과 오징어 한 마리를 사들고는 "이쯤 했으니 가자"고 말하던 젊은이의 집을 찾아갔다. 그는 자고 있었다. 가족들에게 그를 깨워달래서 마주앉았다. 그런 사람들일수록 일대일로 마주앉으면 약하고 순한 데가 있는 법이다. 나는 오징어를 구워달래서 소주잔을 마주 들고 앉아 그와 진한 이야기를 나누었다. 내가 예수를 '왕초'로 모시기 전에 어떻게 방황하며 고민했는지, 지금 믿고 따르는 예수가 어떤 멋쟁이인지, 그 예수가 당신을 어떻게 돕고 싶어하는지, 내가 이 동네에 무슨 생각을 품고 들어왔는지 등을 차근차근 이야기했다. 내 이야기가 끝나자 그가 불쑥 무릎을 꿇으며 말했다.

"성님, 오늘부터 성님으로 모시겠심더. 나를 동생으로 받아주시겠지요? 성님, 나도 그런 예수라면 믿고 따를 깁니더."

"고맙네, 동생. 그 말 들으니 내가 이렇게나 기쁜데, 예수 형님은 얼마나 더 기뻐하시겠는가!"

이런 대화가 오고 간 후에 그는 엉뚱하게도 면도날을 찾았다. 예수를 큰형님으로, 김진홍을 작은형님으로 모시고 인생을 새출발하는 뜻으로 혈서를 쓰겠다는 것이었다. 나는 그럴 필요까지는 없다고 만류했다. 피 흘리는 문제라면 예수가 십자가에서 이미 다 흘려놓았으니 더 흘릴 것 없고 마음으로만 굳게 다짐하라고 차근차근 설명하며 타일렀다.

그는 그렇다면 혈서는 안 쓰더라도 각서를 쓰겠다고 했다. 나는 무슨 내용을 쓰겠다는 것인지 궁금하기도 해서 그렇게 하라고 했더니, 그는 담뱃갑 안에 든 은박지를 펴서 각서란 걸 썼다.

〈각서〉
나는 이 시간부터 예수 믿고 예수를 나의 평생 왕초로 모실 것을 맹세함.
1971년 10월 ○일 ○○○

나는 각서를 받아들고 집으로 돌아왔다. 다음 주일이 되었다. 열한시 예배시간이 되었으나 그는 나타나지 않았다. 혹시나 하는 생각으로 기다렸던 나는 실망스러웠다. 그런데 기도드리는 중에 문이 활짝 열리더니 교회당으로 들어오는 거친 발걸음 소리들이 들렸다. 기도가 끝난 후 보니 '미스터 각서'가 그의 패거리들을 데리고 와서는 뒷자리에 떡하니 앉아 있었다.

교인들은 그들이 또 소란피우러 온 줄로 알고 웅성거리기 시작했다. 그들 옆에 앉았던 교인들 중에는 일어나 자리를 옮기려는 이도 있었다. 나는 교인들에게 괜찮으니 앉으라 이르고는, 그들을 불러 앞자리에 앉으라고 권했다. 그들은 앞자리로 나와 일렬로 앉아 예배가 끝날 때까지 순한 양같이 예배를 드렸다.

예배 후 나는 미스터 각서에게 일어서서 교우들에게 인사하고 친구들 소개도 하라고 일렀다. 그는 수줍어하며 몇 마디 했다.

"길 잃었던 양들이 돌아왔심다. 잘 부탁드립니다. 험한 일은 저희들에게 시켜주십쇼."

우리는 박수치며 그들을 기쁨으로 환영했다.

다음날인 월요일에 나는 청계천 빈민촌 중에서 가장 가난한 지역인 9반으로 가서 'DDT 작전'을 폈다. 그 첫 집이 남씨라는 사람이 호주인 가정이었다. 옥천에서 이농해 온 남씨는 쉰여섯으로 일제 때 중학까지 나왔고, 부인 이씨는 과거에 백조 악극단 단원이었다. 슬하에 열 살, 여섯 살, 세 살 난 딸이 있었다.

남씨가 노동품을 팔아 살아오던 중 과로와 영양실조로 쓰러져 좌반신불수로 눕게 되자, 부인이 껌팔이를 하며 살아가고 있었다. 세살배기 딸을 업고 극장 앞이며 다방 등으로 껌을 팔고 다녔다. 하루에 고작 1,2백 원의 수입으로 근근이 살아가고 있었다. 눈이나 비라도 오는 날이면 그나마 수입이 줄어들어 3,40원 버는 날도 있었다.

남씨네는 날마다 연탄 한 장씩을 사다가 방을 덥히고 봉지쌀이나 국수를 사서 끓여먹고 지냈다. 수입이 적은 날은 밀가루 20원어치를 사서 수제비를 끓여 한 끼를 해결했다. 그래서 연탄 한 장 값 20원과 세 끼니 밀가루 값인 60원을 합해 총 80원이면 최저 생활이 된다고 했다.

방은 어둡고 먼지투성이인데 환기구가 없었다. 그래서인지 세 아이 모두 기침감기에 걸려 콜록거리고 있었다. 나는 두 부부와 마주앉아 그 가정의 문제들을 정리했다.

첫째, 호주 남씨의 치료. 둘째, 부인이 껌팔이보다 좀더 수입이 많고 안정된 일감을 구하는 일. 셋째, 막내딸의 눈병 치료. 넷째, 환기창과 채광창을 내는 일. 다섯째, 열 살짜리 첫딸을 학교에 넣는 일. 여섯째, 말소된 주민등록증을 되살리는 일.

나는 다음날부터 문제들을 하나씩 해결하는 일에 몰두했다.

그러는 사이에 그들은 교회에 나오게 되었고 생활에 질서가 잡히면서 남씨의 건강도 눈에 띄게 좋아졌다. 이윽고 남씨는 쓰레기통을 뒤져 쓸 만한 물건들을 모아 팔아서는 푼돈을 벌 수 있을 정도가 되었다. 하루는 부부를 불러 물었다.

"두 분이 자립해서 살아갈 수 있도록 밀어드리고 싶은데, 어떻게 하면 되겠습니까? 두 분이 의논하셔서 내가 도울 수 있는 방법을 말씀해주시면 힘 닿는 데까지 도와드리겠습니다."

"아이고, 황송한 말씀입니다. 미물 같은 우리를 그만큼 생각해주시는 것만도 감지덕지한 일입니다. 안 그래도 우리 부부는 '이를 악물고 한번 일어서보자. 뼈가 으스러지는 한이 있더라도 악착같이 벌어서 한번 사람답게 살아보자'고 다짐하고 있는 중입니다."

"거 참, 귀한 일입니다. 두 분께서 이미 그런 마음을 품고 계시다니 한결 좋습니다. 그런 각오로 살아가신다면 꼭 성공하실 겁니다. 그 각오를 이루어나가시는 데 제가 돕고 싶습니다. 부담 갖지 마시고 말씀해주십시오."

"정 그러시다면 말씀드리지요. 뭐 큰 도움이 필요한 것도 아닙니다. 중고 니아까 한 대만 있으면 둘이서 참새구이장사와 오뎅장사를 해서 자립할 수 있겠습니다."

"그거 좋은 생각입니다. 그렇다면 중고 손수레 한 대가 얼마면 될까요?"

"예, 아쉬운 대로 쓸 만한 게 칠천 원쯤이면 될 거 같습니다."

"그렇습니까? 그럼 제가 칠천 원을 빌려드릴 테니 이자는 그만두고 원금은 갚을 수 있을까요?"

"아이고, 하늘 같은 말씀이네요. 갚고말고요. 그 돈 안 갚으면 마른 하늘에 벼락 맞을 일이지요. 이자를 내더라도 갚을 것인데 원금만 갚는다면야 더 이를 말이 있겠습니까?"

나는 그 길로 시내로 들어가 친구를 찾았다. 이자는 못 주지만 원금은 갚을 테니 1만 원을 빌려달라고 간청했더니, 친구는 회사에서 가불하여 1만 원을 빌려주었다.

나는 남씨에게 그 돈을 주며 말했다.

"남씨, 내 친구한테 일만 원을 빌려왔습니다. 손수레 값이 칠천 원이라 했습니다만 손수레만 있어서야 되겠습니까? 오뎅장사하려면 재료도 있어야 하고 밤에 켤 등도 준비해야 할 테니 일만원을 빌려드리겠습니다. 이 돈을 언제 갚을 수 있겠습니까?"

"두 달이면 넉넉하겠습니다."

"그러면 석 달 기간을 드릴 테니 약속을 지켜주십시오."

그렇게 해서 남씨에게 1만 원을 건네주었으나 웬일인지 며칠이 지나도 손수레를 사는 기미가 보이지 않았다. 염려스러워 물었더니 남씨는 리어카는 아무 때나 사도 되는 것이고 다른 재료들부터 준비 중이라 시간이 걸린다고 하였다. 나는 그러려니 생각했다.

그러던 어느 날 밤늦게 시내에 나갔다가 돌아오는데 동네 어귀에 한 부인이 아기를 업은 채로 쓰러져 있었다. 아직 초겨울이긴 하나 살얼음이 얼 정도로 싸늘한 날씨였다. 등에 업힌 아기가 울고 있었다.

곁에 가보니 남씨의 부인이었다. 왕년의 백조악극단원께서는 술에 곤죽이 돼 얼어붙기 시작하는 길에서 주무시고 계셨다. 내가 일으켜 세우니 그녀는 몸을 가누지 못한 채 흐느적거리며 말했다.

"놔라, 놔, 이 잡놈아. 니가 내 몸을 탐내는 기야?"

나는 진땀을 빼며 그녀를 집까지 데려다주었다. 집에 가서 남씨를 찾았더니 부부는 일심동체라던가, 남편도 술에 곤죽이 돼 혀가 돌아가지 않는 상태였다. 남씨는 게슴츠레한 눈으로 나를 보며 말했다.

"예수 선상, 미안하구만이라요. 이 몸이 또 죄를 지었소이다. 가룟 유다 노릇을 했다 이 말이오. 억―"

그는 억 억 하며 음식물을 토해내고 있었다. 나는 아무 말 없이 집으로 돌아와 잠자리에 들었다. 그냥 슬픈 생각이 들었다.

이틀 후 남씨 옆집에 사는 교인이 찾아와 남씨네가 이사간 걸 아느냐고 물었다. 어제 움막집을 1만 7천 원에 팔아 오늘 새벽 어디론가 떠났다고 했다.

나는 가슴이 아팠다. 돈은 둘째고, 그들이 다른 곳으로 간들 살 길이 열리는 것도 아닐 텐데 하는 걱정이 앞섰다. 그들은 왜 도망치듯 이사를 갔어야만 했을까? 내가 뭔가를 잘못하여 그들이 그릇돼버린 것만 같았다. 그 다섯 식구가 지금은 어디서 고단한 인생을 살고 있을지……

그들이 보고 싶어진다. 어느 하늘 아래서든 부디 사람답게 살아만 주었으면 하고 바랄 뿐이다.

남씨가 살던 집을 지나면 최씨네 집이 있다. 최씨는 서른세 살로 경상도 안동에서 농업고등학교를 졸업한 후 고향에서 농사를 짓다가 더 잘살아보겠다고 서울로 올라왔다. 내가 처음 방문하던 날 맏이인 병규가 혼자 집을 지키고 있었다. 병규는 집안 사정을 알려주었다.

아버지는 직업이 없고, 어머니는 아버지가 너무 때려서 지난 봄에 집을 나가버렸다. 지금은 삼남매와 예순여덟 잡수신 할머니가 있다. 어머니는 몇 년 전에도 한 번 집을 나갔댔는데, 식모살이로 돈을 모아 들어오니 아버지가 좋아하며 다시 살았다. 그러나 돈이 떨어질 때쯤 되자 아버지가 또 술을 먹고 때리기만 해 어머니는 견디지 못하고 나가셨다. 이번에 나간 후로는 아직 소식이 없으시다. 우리 삼남매는 술만 먹고 엄마를 때리기만 하는 아버지가 죽고 엄마가 돌아와 함께 살았으면 좋겠다. 늙은 할머니가 집안일을 보는데 병들고 쇠약하셔서 힘에 부친다. 할머니는 지금 창가학회에 나가시는데, 매일 기도하신다. 할머니의 기도 제목은 아버지 술병 고치는 것과 집이 부자 되는 것 두 가지다. 우리는 굶는 게 제일 싫다. 겨울 내내 밀가루 수제비만 먹어서 이제 수제비라면 냄새조차 맡기 싫다. 오늘 아침에는 배춧국만 끓여 식구들이 한 사발씩 마셨다. 생활비는 삼촌이 가끔 와서 주고 가고, 동네 아줌마들이 할머니와 우리가 불쌍하다고 가끔 먹을것을 가져다준다.

이상이 병규가 내게 들려준 집안 사정이었다. 그들이 사는 집은 너무 낮아 허리를 굽히고 들어가 방바닥에 앉으면 천장에 머리가 닿았다.

며칠 후 병규 아버지 최씨를 만나 이야기를 나누어보니 착하고 온순한 성격이었다. 그러나 술이 웬수였다. 술만 들어가면 난

폭한 사람으로 변했다. 살 길은 술 끊는 길이라고 수차 권했다. 매일 그의 집을 방문하여 술 끊고 새로운 삶을 모색하자고 권했다. 그렇게 날마다 반복하여 열흘쯤 계속했더니 최씨가 눈물을 글썽이며 말했다.

"김 선생, 나 같은 버린 사람에게 관심을 가져주시니 고맙습니다. 참말로 양반이시네요. 목숨 걸고 술 끊기에 한번 도전해볼랍니다."

그 후로 그와 술의 싸움은 처절한 전쟁이었다. 술을 먹고 싶을 때는 자기 손으로 두 발을 묶고 아들 병규에게 손을 묶어달래서 먹고 싶은 술을 참고 견딜 정도였다. 이런 싸움 끝에 그는 술 끊기에 성공하여 다시 직업을 얻게 되었다. 이제 매질에 못 이겨 집을 나간 병규 엄마만 돌아오면 최씨 가정은 행복한 삶을 누릴 수 있을 것이었다.

나는 병규 엄마가 있을 만한 곳을 찾아다녔다. 남편이 변화된 것, 할머니 몸이 편찮으신 것, 삼남매가 눈물로 기다리고 있는 사정 등을 설명하고 집으로 돌아오도록 설득할 작정이었다. 그러나 끝내 병규 엄마의 종적은 찾을 수 없었다. 나는 병규네 집으로 가서 삼남매와 손을 잡고 할머니 병상 곁에 앉아 기도했다.

"예수님, 우리 엄마 집으로 돌아오게 해주세요. 예수님, 우리 엄마께 아버지 술 안 먹는다고 알려주세요. 할머니가 아파서 돌아가시게 된 것도 알려주세요. 예수님, 우리들이 너무너무 보고 싶어하는 것도 엄마께 알려주세요."

삼남매는 그렇게 기도하며 홀짝홀짝 울곤 했다. 나도 따라 눈물이 났다. 그래도 병규네는 아버지가 술을 끊을 수 있게 돼 여간

다행한 일이 아니었다. 한 인간이 좌절과 파탄에서 벗어나 용기와 희망을 갖는 것을 보며 나는 이루 말할 수 없는 보람을 느낄 수 있었다.

최씨 집을 지나면 이씨 가정이다. 막대기를 삼각으로 세워 인디언 움막처럼 지은 움집에 일곱 식구가 살고 있었다. 예순여덟인 이씨의 생업은 동네 입구에 돗자리를 깔고 '사주 관상 택일 궁합' 등을 적은 종이들을 펼쳐놓고 앉아 있는 일이었다.

그의 부인 김씨는 전에는 성당에 다녔으나 지금은 창가학회에 나가고 있었다. 천주교 신자였던 그녀가 창가학회로 발걸음을 돌리게 된 것은 병든 아들 때문이었다. 스물여섯인 아들 원섭이는 노동판에 다녔었는데, 원인 모를 병을 얻어 일년 반이 넘도록 자리에 누워 있었다. 피골이 상접한 원섭에게 병원에 가서 진찰을 받았느냐고 물었더니, 처음 아플 때 보건소에 가서 엑스레이 검사를 받았더니 결핵이 아니라는 것만 알려주었다고 했다. 보건소는 결핵환자만 돌보기 때문에 자신은 도움을 받지 못했다고 했다. 그 후에는 병원에 가보지 못했노라고 했다. 뼈만 남은 앙상한 몸으로 목에서 쌕쌕 하는 소리를 내며 기침을 했다. 기침할 때마다 고통스러운 표정을 짓곤 했다. 이미 기운이 쇠잔할 대로 쇠해서 일어나 앉을 수조차 없어 죽을 날만 기다리고 있는 형국이었다.

곧 병원에 가서 진찰이나마 한번 받아볼 수 있도록 주선해보겠다고 했더니 원섭은 기쁜 표정을 지으며 베갯머리를 뒤지더니 300원을 끄집어냈다. 진찰 비용에 보태달라는 거였다. 병원에 가고 싶어 푼푼이 모은 돈이었다. 오죽이나 병원에 가고 싶었으면 이렇게 푼푼이 돈을 모았을까 생각하니 측은하기 그지없었다.

그러나 안타깝게도 환자의 상태를 보아서는 회복될 가망이 별로 없었다. 빠른 시간 안에 병원에 갈 준비를 하고 다시 오겠노라고 말하고 이씨 집을 나왔다. 나는 활빈교회로 와서 가마니만 깔아놓은 흙바닥에 무릎 꿇고 원섭이를 치료할 수 있는 길을 열어달라고 예수님께 기도했다.

기도 후 점심식사를 하고 있는데 갑자기 골목 어귀에서 귀청이 찢어질 듯한 외마디 소리가 들렸다.

"철거반 왔다!"

이 한마디의 위력은 엄청났다. 온 동네에 갑자기 긴장감이 돌더니 여기저기에서 후닥닥 뛰어다니는 사람들의 발걸음 소리가 요란스러웠다. 단걸음에 밖으로 나가 보니 청계천 둑 위에 철거반 차가 와 있었고, 철거반원 10여 명이 한 집으로 우르르 몰려가고 있었다.

판자촌 주민들은 철거반을 원수같이 여겼다. 그들이 타고 다니는 포장을 친 스리쿼터차를 '염라대왕차' 라 불렀고, 철거반원들을 염라대왕의 졸개인 저승사자라고 불렀다.

이번에는 누구네가 당하려나 하고 온 동네 사람들은 철거반원들의 움직임을 살폈다. 이날은 일곱 집이 당했다. 철거반원들이 해머와 지렛대로 집을 부수기 시작하자 집을 지키고 있던 할머니가 어찌할 바를 모르고 이 사람 저 사람을 번갈아 붙잡으며 소리질렀다.

"이놈들아, 이놈들아. 이 늙은 나를 죽여놓고 부숴라!"

할머니가 그런다고 철거를 멈출 사람들이 아니었다. 철거는 신속하고 거침없이 진행되고 있을 따름이었다. 할머니는 도저히 안 되겠으니까 부엌칼을 갖고 나와 철거반장의 등을 찌르려 했다. 그러나 금세 칼은 빼앗겼고, 그 대가로 지붕 덮는 천막까지 갈가리 찢겼을 뿐이었다. 철거반원들은 철거하는 동안 집주인이 가만히 있으면 건물 재료들을 다시 사용할 수 있을 정도로만 뜯었고, 반항하거나 욕을 하며 덤비면 나무토막 하나까지 분질러 못쓰게 해놓곤 했다.

칼을 빼앗긴 할머니는 길바닥에 퍼질러 앉아 두 다리를 뻗고 울며 사설을 늘어놓았다.

"이 우라질 놈덜아, 똥물에 튀길 놈덜아. 자손 대대로 철거나 해묵어라!"

그 사이 철거반원들은 두번째 집으로 달려들었다. 상이군인이 사는 집이었다. 갑자기 철거반원들이 달려들어 집을 부수기 시작하자 상이군인은 자기 집에서 뽑은 기둥을 바람개비처럼 휘두르며 소리질렀다.

"이 새끼들아, 계고장도 없이 집을 뜯는 법이 어디 있냐? 이 새끼들아, 내가 백마고지에서 죽지 못한 것이 한이다."

그가 기둥 막대를 휘두를 때는 전선의 고지에서 적군을 무찌를 때만큼이나 결사적이었다. 그러나 그 역시 중과부적이었다. 철거반원들에게 기둥을 빼앗기고 발길에 채고 말았다.

관례로는 어느 집이든 철거할 때 며칠 전에 계고장을 발부한다. 계고장이 발부된 지 4, 5일 후 철거가 집행되기 때문에 집주인들은 어느 정도 대처할 수 있었다. 그러나 가끔은 그런 절차 없이 철거하는 경우도 있었다. 상이군인의 집이 그런 경우인 모양이었다.

세번째로 철거된 집은 아주머니가 아기를 안고 방 한가운데 앉아 울고만 있었다. 아기를 안은 채 웅크린 어깨와 머리 위로 온갖 부스러기들이 와르르 쏟아졌다. 그래도 아주머니는 아기를 감싸안은 채 끝내 일어서지 않았다.

이렇게 하고 버티는 데는 이유가 있었다. 방구들을 지키려는 것이었다. 철거반은 다시는 그 집에 살지 못하게 하느라 방바닥을 곡괭이로 파헤쳐버린다. 그래서 철거당하는 사람들은 방구들만큼은 지키려고 필사적이 된다. 집 껍데기는 헐린다 해도 방바닥만 성하면 그 위에 움집을 짓고 다시 살아갈 수 있기 때문이다.

나는 민초들이 살아가려고 애쓰는 모습을 보면서 연민이 일었다. 그리고 그들을 도울 수 없는 안타까움으로 온몸이 젖어들었다. 다행히 아기엄마가 그렇게 애쓴 덕에 철거반원들은 방구들 몇 군데만 곡괭이로 푹푹 찌르고는 지나갔다. 방을 지킨 셈이었다.

그날 철거당한 집들 가운데 맨 나중에 당한 집이 가장 비참했다. 아기를 낳으려고 진통 중에 있는 임산부의 집이었다. 아기가 곧 태어날 기미가 있으니 몸을 풀 며칠 동안만 철거를 미뤄달라고 사정했으나 받아들여지지 않았다. 철거반 반장은 오늘은 특별한 사정이 있어 자기로서도 어쩔 수 없다고 잘라 말하고는 철거를 진행시켰다. 임산부는 무표정하게 방 한가운데 앉아 있다가 가끔 진통이 오는지 고통스러운 표정으로 몸을 움찔움찔하였다.

나는 눈시울이 뜨거워져 돌아서서 눈물을 훔쳤다. 더 참을 수 없어 철거반 반장에게 다가가 그의 소맷자락을 붙들고 따졌다.

"반장님, 당신들도 공무를 집행 중이니 개인 감정으로 이러는 건 아닌 줄로 아오. 그러나 이건 해도 너무하잖소? 아기 낳으려는 산부를 그렇게 대하다니, 어디 사람이 할 짓이오? 그렇게 하는 것이 산모나 태어날 아이에게 얼마나 나쁜 영향을 미치리라는 것쯤 반장님도 짐작할 것 아니오?"

내가 열을 내어 항의했더니 반장은 담배를 한 대 피워 물며 말했다.

"오늘은 우리도 무리인 줄 압니다. 그래서 아침에 철거 안 나오겠다고 했는데 억지로 떠밀려 나온 거요. 듣기로는 내일 높은 사람이 워커힐로 가는 모양인데, 워커힐 가는 큰길에서 보이는 집들은 오늘 중으로 완전히 철거하라는 명령이오. 오늘 철거된 집들은 죄다 큰길에서 지붕이 보이는 집들이에요. 우리도 달리 어찌할 재간이 없습니다.

이렇게 뜯고 사진을 찍어가야 우리 맡은 직책을 완수하는 겁니다. 누군지는 모르겠지만 보아하니 배운 사람 같은데, 우리가 지나가거든 큰길에서 보이지만 않게 움막이라도 꾸려서 밤을 지내도록 하시구려. 우리가 도와드릴 일은 그나마 모른 척하는 것 밖에는 없습니다."

나는 괴로운 심사를 풀고 교회로 와서 혼자 울었다. 아내가 말했다.

"여보, 그 산모를 그냥 두지 말고 우리 방으로 데려옵시다. 태어날 아기가 무슨 죄가 있어 그런 자리에서 태어나게 한단 말이에요. 우리가 예배당 바닥에 이불 깔고 자더라도 그 산모를 집으로 데려옵시다."

나도 옳은 말이라 여겨 손수레에 산모를 태워 방으로 데려왔다. 산모는 고맙다는 말을 거듭하면서도 불안한 마음을 감추지 못했다. 방을 산모에게 비워주고, 교회당 바닥에 베니어판을 깔고 담요를 겹으로 깐 자리에 누운 우리 부부는 밤을 지내며 많은 이야기를 나누었다.

"여보, 오늘 철거 장면을 보고는 어떻게 표현해야 할지 어안이 벙벙할 따름입니다. 사람 사는 사정이 이렇게도 다를 수 있을까 도무지 믿어지지가 않아요. 다리 저편에는 고층건물들에 호화로운 주택들이 즐비한데, 다리 이편은 인간 이하의 삶을 살고 있잖아요. 우리가 여기서 이렇게 하는 일도 밑 빠진 항아리에 물 붓기 아닐까요? 나로서는 이곳에 적응하기가 힘들어 하루라도 속히 밖으로 나가 정상적인 사람들과 정상적인 삶을 살고 싶지만, 당신이 사명으로 알아 헌신하고 있으니 어쩔 수가 없군요. 그래도 그동안 이 지역에 있어 보니 가난한 사람들에 대한 예수님의 마음을 조금은 이해할 것도 같아요."

나는 차분한 소리로 아내에게 말했다.

"서울시는 하나의 시가 아니고 세 개의 시가 모여서 이루어진 도시요. 첫째는 재벌들과 높은 자리에 앉은 사람들 그리고 외국인들이 사는 서울 특별시, 글자 그대로 특별한 사람들이 사는 특별시지요. 둘째는 교수, 교사, 공무원, 장사꾼 등이 살고 있는 서울 보통시, 말하자면 보통 사람들이 보통으로 살고 있는 보통시요. 셋째는 우리가 살고 있는 판자촌인데, 일컬어 서울 하등시(下等市)라 하오. 서울특별시 시장은 양택식이란 사람이고, 서울 보통시는 보통 사람들이니 시장이 필요 없고, 서울 하등시는 아직 시장이 뽑히지 않아 공석이니 우리가 시장으로 출마합시다. 내가 시장으로 당선되면 당신은 시장부인, 사모님이 되는 거고, 우리 아들 동혁이는 시장의 아들로 귀하신 몸이 되는 거요."

우리 부부는 이런 이야기를 나누며 웃었다. 저녁식사로 수제 비 한 그릇씩을 먹고 난 후 낮에 철거당한 집들을 한 바퀴 돌았 다. 양식이 없는 가정에는 먹을것을 보내고 이불이 부족한 집들 에는 담요를 보냈다. 그나마 움집도 꾸리기 어려운 집들에는 추 울 테니 차라리 교회당으로 가서 밤을 지내자고 권했으나, 허물 어진 자리나마 내 집이니 그 자리에서 견디겠노라고 했다. 길가 의 잡초처럼 끈질긴 사람들이었다.

다음날은 원섭이를 치료할 수 있는 길을 뚫기 위해 동분서주 했다. 지성이면 감천이라더니 기독교 의료선교협회에서 길을 찾 았다. 기독교 의료선교협회는 종로 화신백화점(현 국세청 빌딩) 뒤편 감리교 태화관 안에 있었다. 그곳을 방문하여 사정을 설명 했더니 환자를 데려오면 치료해주겠다고 약속했다.

나는 기쁜 마음으로 판자촌으로 돌아왔다. 그런데 오는 길에 가만히 생각해보니 일어설 수도 없는 환자를 종로까지 어떻게 데 려갈 것인지 염려되었다. 버스는 아예 못 탈 거고, 택시를 이용한 다 하더라도 비좁아 불편한데다 왕복과 대기까지 합하면 실로 엄 청난 요금이 나올 것이다. 염려하던 중에 언뜻 선교사들이 타고 다니는 랜드로바 같은 차가 있으면 안성맞춤일 것 같다는 생각이 들었다.

나는 호주선교회의 브라운 선교사를 찾아가 도움을 청했다.

"선교사님, 우리 판자촌에 이원섭이란 불쌍한 환자가 있는데,

내일 그를 병원으로 데려가야겠습니다. 선교사님의 차를 좀 이용토록 배려해주십시오."

"미스터 김, 차만 있으면 됩니까? 운전사까지 있어야 하는 것 아닙니까? 내일이라면 차는 빌려줄 수 있겠으나 내가 회의가 있어 운전을 해줄 수가 없소. 비용은 내가 부담할 테니 차라리 내일은 택시를 이용하시지요."

나는 이원섭의 일이 잘되어나가기에 기운이 솟았다. 어서 내일 병원에 간다는 소식을 전하고 싶어 그의 집에 들렀다. 그런데 아뿔싸! 그의 집에 도착해보니 그가 조금 전에 숨을 거두었다는 게 아닌가. 그는 마지막 숨을 몰아쉬며 예배당 선생 불러달래더니 고개를 떨구며 숨을 거두었다고 했다. 나는 기운이 쑥 빠졌다. 원섭이 어머니가 흐느끼며 말했다.

"이 녀석아, 하룻밤만 더 넘겨 병원에 가보고나 죽제……."

그의 아버지는 자기가 죄가 많아 자식을 앞세웠다고 한탄했다.

빈자는 죽어서 땅에 묻히기도 어렵다. 뼈만 남다시피한 이원섭 군의 얼굴이 푸른빛을 띠고 있었다. 그의 두 눈을 감겨주며 나는 기도를 드렸다. 내가 기도드리는 동안에 가족들은 끓어앉아 고개를 숙이고 있었다. 관상 사주 보는 아버지도, 창가학회 다니는 어머니도, 활빈교회 다니는 여동생도 모두 고개를 숙이고 있었다.

"예수님, 이 젊은이에게 은총을 베풀어주시옵소서. 땅에서는 슬프게 살았지만 하늘에서는 안식을 누리게 허락해주시옵소서. 그리고 이 가정의 비극도 이것으로 끝나게 해주시옵소서. 이 가정도 이제 웃으며 행복을 누리고 살도록 은총을 베푸시옵소서."

기도가 끝나자 가족들과 장례식에 대해 의논했다. 도우려는 환자가 죽어버렸으니 이제는 장례식이라도 도와야겠다는 생각이 들었기 때문이다. 그러나 가족들은 모두 묵묵부답이었다. 한참 후에 아버지가 말끝을 흐리며 말했다.

"내일이라도 실어나갔으면 좋겠는데……."

보아하니 장례비용 때문에 아무 말들을 못하고 있는 듯했다.

나는 동네 사람들을 모아 장례 치를 일을 의논했다. 장례를 치르려니 세 가지가 문제였다. 첫째는 의사가 발행한 사망진단서가 있어야 했다. 동사무소에서 발행하는 매장허가서를 얻으려면 사망진단서가 있어야 하기 때문이다. 둘째는 시체를 염하고 관을 사다가 입관하는 일이다. 셋째는 영구차를 불러 화장터로 가서 화장하는 일이었다.

우리는 일처리를 분담했다. 가장 문제인 사망진단서 떼어오는 문제는 활빈교회가 맡는다. 두번째 염하고 관을 사오는 일은 동네 사람들이 십시일반으로 해결한다. 세번째 영구차 부르는 일은 상가(喪家)에서 부담한다.

이렇게 일을 나누어 맡은 뒤 나는 사망진단서 떼는 일을 서둘렀다. 죽기 전에 병원에 다녔으면 그 병원에 가서 사망진단서를 발급받을 수 있겠으나 원섭은 그렇지 못했다. 보건소에서 결핵이 아니라고 판정받은 것 외에는 아무런 근거가 없으니 퍽 난감한 일이었다. 결국은 의사를 오게 하여 시체나마 검진하고 사망진단서를 받을 도리밖에 없었다. 그 경우 비용을 알아보니 5만 원이나 있어야 했다.

나는 난처해졌다. 동네 사람들은 사망진단서는 교회가 맡아줄

거라고 믿고 있을 터인데, 실상은 의사를 불러올 돈조차 없으니 난처하지 않을 수 없었다. 그러나 어차피 사망진단서가 있어야 시체를 움직인다 하니 어쩔 수 없이 다시 한 번 뛰어보기로 했다. 먼저 교회당으로 들어가 가마니 바닥에 꿇어앉아 기도했다. 그러고는 부딪쳐볼 만한 곳들을 손꼽아보았다.

먼저 기독교 의료선교협회로 갔다. 김 사무장을 만나 통사정을 했다. 그는 사망진단서는 의사라야 발부할 수 있는 것이니 이화여대 부속병원의 이 아무개 의사를 찾아가보라고 메모를 적어주었다. 이대부속병원을 찾아가 그 의사를 만났다. 그는 한마디로 거절했다. 너무 쉽게 거절하니 나도 생각이 달라졌다. 거절하는 것은 그쪽 사정이고, 내 사정은 달랐다. 그냥 물러설 수만은 없지 않은가.

나는 사정사정하며 네 시간이나 따라다녔다. 그가 화장실에 가면 화장실 입구에 섰고 수술실로 들어가면 수술실 입구에서 수술이 끝나기를 기다렸다. 그가 점심식사를 할 때는 식탁 옆에 부동자세를 취하고 서서 식사가 끝나기를 기다렸다. 마침내 진단서를 발급해줄 테니 제발 사라져달라는 말이 그의 입에서 떨어졌다.

개인적으로는 퍽 미안했다. 그러나 동네 사람들이 기다리고 있을 것을 생각하면 조바심이 나서 체면이나 교양 따위를 챙길 여유가 없었다. 사망진단서를 받아든 나는 90도 각도로 절을 올리고 높으신 분 곁을 물러났다. 동네에서는 다른 준비를 모두 끝내고 내가 오기만을 기다리고 있었다.

사망진단서를 내놓으니 식구들의 얼굴에서 염려하던 빛이 사라졌다. 동사무소로 매장허가서를 떼러 보내는 한편 관 짜는 일에 착수했다. 동네 사람들 의견으로는 짜놓은 관을 사면 가장 싼 게 3천 500원인데, 우리가 만들면 1천 500원이면 된다고 했다. 그러니 헌 나무를 사다가 짜겠다는 의견들이었다. 설왕설래 논의를 거쳐 그렇게 하기로 했다. 주민들이 모아온 성금이 4천 원이었다. 관을 짜고 남는 비용은 다른 데 보태기로 했다.

얼마 후 동사무소에서 매장허가서가 발급되고 관도 만들어졌다. 이제 영구차를 불러 화장터로 가는 일만 남았다. 그런데 문제는 영구차 비용이었다. 최소한 1만 3천 원은 있어야 하는데 6천 원밖에 없다는 것이었다.

나는 민 선교사를 찾아갔다. 얼마 전 그가 타는 차를 보았는데 뒤가 길어 짐을 싣기에 적당할 것 같았기 때문이다. 그를 만나 다짜고짜 말했다.

"선교사님, 내일 자동차 좀 씁시다."

"어디에 쓸 겁니까?"

"시체 싣고 화장터에 가야 합니다."

"죽은 사람을 승용차에 실을 수 있겠습니까?"

"사람이 타는 차인데, 죽은 사람도 사람이니 괜찮지 않겠습니까? 화장터가 가까우면 동네 사람들이 메고 가도 되는데, 벽제란 먼 곳에 있어 어쩔 수 없습니다. 영구차를 부를 돈은 없고, 선교사님 신세 좀 집시다."

그는 나를 바라보며 한참이나 생각하더니 내일 오후 한시까지 차를 동네로 보내겠노라고 약속했다. 나는 발걸음도 가볍게 동네로 돌아왔다.

다음날 한시에 붉은색 승용차가 도착했다. 시체를 싣기에는 너무나 날씬한 차였다. 가난한 장례 예배를 드린 후 화장터로 갔다.

화장하는 비용은 의외로 쌌다. 50원으로 일체의 수속이 끝났다. 서울시가 잘하는 일도 있구나 하는 생각이 들었다.

집에 오니 아내가 최씨 집에서 굶고 있다는 소식을 듣고 가보니 어른 아이 할것없이 모두들 일렬로 누워 있기에 쌀과 밀가루, 라면을 가져다주었노라고 했다. 푹푹 떠다 주면 좋겠지만 한 집에 그렇게 많이 주어버리면 곤란하지 않느냐고 아내에게 나무랐더니, 아내는 의외란 듯이 말했다.

"당신이 주는 것을 말릴 때도 있군요. 내일은 해가 서쪽에서 뜨겠네요. 이왕 주려면 많이 줘야지, 조금씩 주면 감질만 나지 않겠어요?"

그 집에 가보니 공장에서 갓 돌아온 열일곱 살 난 딸이 냄비째로 시래기죽을 먹고 있다가 나를 보고는 얼른 냄비를 감췄다. 추운데 왜 온돌을 깔지 않고 냉구들에 사느냐고 물었더니 철거반 등쌀에 온돌을 놓을 여유가 없노라고 그 집 어머니가 말했다. 여태껏 스물일곱 번이나 철거당했다고 한다.

뜯는 편이나 뜯기는 편이나 서로 필사적이었다. 우리 민족의 국민성이 은근과 끈기라더니, 그 말이 옳은가 보았다. 끈기 있게 철거하고, 끈기 있게 다시 짓곤 했다.

그 가정에서 일자리를 의논해왔다. 지금 나가고 있는 일터는 너무 늦게 끝나는데다 급여가 보잘것없어 좀더 조건이 좋은 곳으로 옮길 수 있었으면 했다. 일당이 고작 1백 80원이라 했다. 하루 1백 80원을 주고 지금까지 일을 시켰으니, 참으로 낯두꺼운 사람들이라 여겨졌다. 대우가 좀더 좋은 일자리를 함께 찾아보자 말하고는 집으로 왔다.

잠자리에 누우니 심신이 상쾌했다. 남을 위해 산다는 것이 이렇게 행복한 것인가 새삼 놀라지 않을 수 없었다. 영혼의 충족감이랄까, 만족감이랄까, 여하튼 내 영혼 깊은 곳으로부터 솟아오르는 기쁨에 넘쳐 잠을 청했다.

다음날 이른 아침, 한 젊은이가 상담을 하겠노라고 찾아왔다. 그는 차분히 자신의 내력을 이야기했다.

"제 이름은 박○○입니다. 호적은 박씨지만 실상은 최씨입니다. 경상남도 삼랑진 부근 시골 마을에서 자랐습니다. 박씨 성을 가진 아버지에게 어느 날 최씨 성을 가진 친구가 놀러왔었습니다. 그때 집에 아버지는 없고 어머니만 있다가 둘이서 정을 통했습니다. 그런 일이 있고 열 달 만에 제가 태어났습니다.

그런데 최씨는 아들이 없고 딸만 있었습니다. 그래서 잠자리를 같이한 지 열 달 만에 태어난 아기를 자신의 핏줄로 여기고는 찾아와야겠다고 생각했습니다. 며칠 후 아버지를 찾아와서 자초지종을 말하고 지금 낳은 아이는 자기 핏줄이니 달라고 했습니다.

그게 통할 리 있겠습니까? 아버지는 무슨 거지발싸개 같은 소리냐고 윽박지르고는 들어주지 않았습니다. 당연히 소리가 높아지고 주먹다짐이 오가다가 끝내 양쪽 집안다툼으로까지 번졌습니다. 온 마을에 소문이 나고 둘 다 웃음거리만 되었습니다.

아버지는 나를 최씨에게 보내지는 않고 기르면서도 수시로 구박을 했습니다. 방에 들며 날며 '이 새끼는 내 씨가 아냐' 하며 머리를 쥐어박곤 했지요. 제가 더욱 불행했던 것은 자라면서 최씨 성을 가진 아버지와 점점 닮아가기 시작했다는 것이었습니다.

이 일로 아버지와 어머니 사이에 불화가 잦고 말다툼이 그치지 않았습니다. 나는 영문도 모른 채 눈칫밥을 먹고 자랐습니다. 이제는 나이 들어 집을 나와 독립된 생활을 하고 있습니다. 그런데 늘 마음에 께름칙한 기분이 드는 것은 '나는 피가 더러운 몸이다' 라는 생각입니다. 그리고 그런 생각으로 그치는 게 아니라 '나는 피가 더러운 놈이니 고상하고 깨끗하게 살 것 없다. 그렇게 살려 해도 아무 소용 없다. 더러운 피를 지닌 사람이 어떻게 깨끗하게 살겠는가? 그러니 되는대로 더럽게 살자' 이런 생각으로 무절제한 생활을 하고 있습니다."

이런 이야기를 한 후 젊은이는 내게 심각한 얼굴로 물었다.

"선생님, 저같이 더러운 피를 타고난 사람도 사람 구실 할 길이 있을까요? 선생님같이 깨끗한 피를 가진 사람을 보면 부러운 생각이 듭니다."

"자신의 피가 더러운 피라고 생각하는 사정은 이해가 갑니다. 하지만 나는 피는 피지 더러운 피, 깨끗한 피가 따로 있다고 생각하지 않습니다. 그러나 본인이 그렇게 생각하고 있다면 문제가 있지요. 한 가지 해결책이 있습니다."

"예? 해결책이 있다구요? 무슨 해결책입니까?"

"피를 바꾸는 것이지요."

"피를 바꾼다구요? 저도 그 생각을 안해본 건 아닙니다. 그러나 의사의 말로는 사람의 피는 한꺼번에 삼분지일 이상을 바꾸면 살아나지 못한댔습니다. 피 바꾸고 나서 죽게 되면 바꾸나마나지요."

"그런 식으로 바꾸는 것이 아닙니다. 예수의 피로 바꾸는 것이지요. '예수 믿는 사람'이란 새로운 피를 받은 사람을 말합니다. 부모로부터 받은 피는 죽음으로 가는 피지만 예수의 피로 바꾸게 되면 생명으로 가는 피가 됩니다."

"예수를 믿는 것이 피를 바꾸는 것이란 말이지요? 그런 말은 처음 들어보네요. 예수를 믿으면 아버지께서 받은 피는 없어지고 예수의 피가 온몸에 흐르게 된다…….. 가슴에 닿는 말입니다. 앞으로 자주 와서 가르침을 받겠습니다."

그렇게 인사하고 간 후 그는 교회에 나오기 시작하더니 한 번도 거르지 않고 예배시간에 참석했다. 드디어 그가 세례받는 날이 되었다. 세례식을 마친 후 그는 내게 말했다.

"전도사님, 이제 저는 예수님의 피로 완전히 피갈음을 했습니다. 전도사님의 지도에 감사드립니다."

그가 변화해가는 과정을 지켜보면서 영적 세계의 신비를 느꼈다. 예수 그리스도의 영인 성령께서 친히 그를 변화시켜주시는 것이 아니라면 어느 의사, 어느 상담자가 그를 그렇게 변화시켜줄 수 있었겠는가?

이때쯤 우리 가정은 큰 어려움에 부딪혔다. 빈민촌에 들어갈 때 준비했던 약간의 예산이 완전히 바닥이 난 것이다. 외부 지원도 없이 집을 사서 예배처로 고치고 환자들과 끼니 없는 가정들을 돌보다보니 예상보다 빨리 경제공황이 온 것이다.

가난은 나라도 못 구한다는 말이 있듯이, 빈민촌에서 가난과 싸우는 것은 여간 어려운 일이 아니었다. 무엇보다 주민들이 돈

빌리러 올 때가 가장 난처했다. 알지도 못하는 처지에 아주 친한 사이라도 되듯 다정한 웃음을 띠고 돈 좀 꿔달라는 것이었다. 나는 난감해져서 물었다.

"아니, 내게 무슨 돈이 있을 것 같아서 꿔달라는 겁니까?"

그러면 의외란 듯 말하는 것이었다.

"아니, 김 선상, 이거 보시라요. 이제 보니 언행이 일치하지 않는 분이시구려. 밤중에 우리집에 찾아와설랑 무얼 도와드릴까요 하고 자기 입으로 그래놓구시렁, 우리집에 없는 기 현찰인디 잠시 좀 빌려달랬다고 그래 그렇게 오리발 내미시기요?"

그런 식으로 몰아세우는 것이었다. 나는 그이 체면이라도 세워줄 속셈으로 요청하는 금액을 다 꾸어줄 수는 없지만 얼마나마 꿔주었다. 그러나 그렇게 꿔준 돈치고 돌려받은 돈은 한 번도 없었다.

세상에는 어려운 일들도 많지만, 그 중 하나가 가난한 사람 도와주는 일이 아닌가 싶다. 예수께서 이르신 말씀에 뱀같이 지혜롭고 비둘기같이 순결하라는 말이 있지만, 가난한 사람 돕는 일에는 그 말이 백 퍼센트 합당한 말이다. 잘못되면 실컷 도와주고 오히려 욕만 먹게 되는 경우가 허다한 것이다.

가정방문을 하는 중이나 집에 찾아오는 사람들 중에 끼니가 없어 굶는 사람들에게는 밀가루 한 포를 가져다준다. 그것도 낮에 가져다주면 자존심을 상하게 할 우려도 있고 또 모두 가난한데 그 집만 도와주면 말썽이라도 생기기 쉬울 터이므로 밤 열두 시가 다 되어갈 무렵 가져다준다. 그러면 자식들과 함께 굶고 있다가 마치 하늘에서 천사라도 내려온 듯이 반가워한다. 부인들은 눈물을 글썽이기도 하고 아이들은 기뻐서 깡충깡충 뛰기도 한다. 그런 모습들을 보고 나는 보람을 느끼며 집으로 돌아와 잠자리에 든다.

그런데 그렇게 가져다준 지 열흘 정도가 지나면 그 집 주부가 교회로 나를 찾아온다. 다섯 식구가 22킬로그램짜리 밀가루 한 포로 수제비를 끓여먹으면 열흘 가량 걸린다. 그래서 열흘 정도 지나 밀가루가 떨어질 때쯤이면 나를 찾아오는 것이다. 와서 내게 말한다.

"선생님, 떨어졌심더."

나는 부인의 말에 고개를 갸웃거리며 생각한다. 무엇이 떨어졌다는 건지 짐작이 가지를 않는 거다. 연탄이 떨어졌다는 것인지, 아니면 약이 떨어졌다는 것인지 분별이 가지 않아 내가 묻는다.

"무엇이 떨어지셨는데요?"

"아이고, 잊어버리셨는가 보네예! 열흘 전에 밀가루 가져다주신 기 떨어진 기라예. 밤중에 가져다주셔서 잊으셨나 보네예!"

나는 그제야 열흘 전에 밀가루 가져다준 집의 주부인 줄 알고 묻는다.

"그래서요?"

"죄송시럽습니다만 한 포만 더 해주셔예. 신세는 살아가며 갚겠심더."

그런 말을 들으면 나는 수양이 덜 된 사람이라 속으로 짜증이 난다. 세상에, 밀가루 한 포를 받았으면 그간에 비닐을 줍든지 다니며 헌 병이나 종이를 주워 팔아서라도 스스로 살아갈 궁리를 세워야지, 앉은 채로 다 까먹고 떨어지니 또 교회당에 와서 달라는 건가 싶어 지겨운 생각이 든다. 그래도 그런 속마음을 비추지 않고 밀가루를 구해준다.

그런데 그렇게 교회의 도움을 계속 받은 사람들에게서 일어나는 정신적 후유증이 문제가 된다. 교회의 도움을 한두 번 받은 사람은 그런대로 고마움을 아는데, 네 번, 다섯 번 계속해서 도움받은 사람들은 고마움은 사라지고 이상한 의식이 싹트게 된다. 교회가 자신들을 돕는 것이 당연하고, 또 자신들에게 도움받을 권리가 있다는 생각을 지니게 되는 것이다. 도움을 계속 받으면서 그의 의식이 바뀌는 것이다. 도움을 받던 사람에게서 그런 반응을 보게 되면 도움을 주던 쪽은 섭섭함과 함께 어떤 배반감 같은 것을 지니게 되면서 그에 대한 인간적인 관심을 잃어간다. 그리고 도움받는 쪽에서는 기대하던 바가 충족되지 않으니까 나중에는 반발하게 되고, 몇 번 언짢은 대화가 오고 간 다음에는 적대감을 품게 된다.

이런 심리적 과정을 사회사업학이나 복지학에서는 다루지 않는 것 같다. 현장에서 느낌으로 알 따름이다. 그런 느낌에서 이론을 세우고 그런 이론에서 정책을 세워, 그런 정책이 국가의 복지 정책 수행에 적용되어야 할 것이라 생각한다.

나는 그런 경험이 쌓여 가며 고민에 젖어들었다. 가난한 이웃들을 돕긴 도와야겠는데, 어떻게 도와야 제대로 돕는 길일까 하는 고민이었다.

어느 주일예배 시간에 교회당 문 앞에서 누군가가 교회 안을 향해 소리를 지르며 욕을 해대기 시작했다.

"활빈교횐지 골빈교횐지 고만 해처먹어라. 이것들이 빈민 팔아 돈 모아서는 없는 사람들에겐 쥐꼬리만큼 주는 흉내만 내고 저그끼리 다 갈라먹는 녀석들이다. 이것들아, 예수 믿지 말고 봇장(마음)을 고쳐묵으라. 느그덜이 천당 가믄 내는 만당 갈 끼다."

내가 설교를 멈추고 창밖을 내다보니 밀가루 배달을 여러 번 해준 집의 아주머니였다. 계속 요구하기에 역정이 나서 "아줌마, 이제 그만 합시다. 그래도 사람이 염치가 있어야지, 어찌 교회에서 먹여살리기를 바라시는 거예요? 다른 집들도 좀 도와야지 그집만 계속 도울 수는 없는 거 아닙니까" 하고 잘랐던 집이다.

그 집 아주머니가 주일예배 시간을 이용하여 온 동리가 들으라고 욕을 퍼붓는 것이었다. 나는 그대로 무시하고 넘어가려 했으나 젊은이들은 그러지 못했다.

"하이고, 저것도 인간이라고……. 저걸 그냥 한강 물에 던져버려야 돼."

그러더니 우르르 밖으로 나가려 했다. 나는 그들을 말리려고 애를 썼으나 막무가내였다.

"전도사님, 저런 인생은 그냥 두면 안 됩니다. 그냥 두면 더 기올라서 안 됩니다. 손 좀 봐줘야 됩니다. 미친개한테는 몽둥이가 젤입니다."

젊은이들이 나가 차마 때리지는 못하고 뒤로 밀어버렸다. 뒤로 넘어져 엉덩방아를 찧은 그녀는 일어서면서 엉뚱하게 옆구리에 손을 대며 소리쳤다.

"아이구, 옆구리야, 야, 이눔들아, 내 옆구리 갈빗대가 나갔다. 아이구야, 아이구 옆구리야, 병원으로 가자, 이눔들아."

"아주머니, 몸이 불편하시면 병원으로 갑시다. 가서 엑스레이

사진도 찍어보고 어디 잘못된 데가 있는가 진찰해봅시다."

"쓸데없는 짓거리야. 현찰로 주라."

이런 식으로 생떼를 쓰기 일쑤였다. 이런 경험들을 쌓으면서 빈민선교에 대하여 고민하지 않을 수 없었다. 빈민선교를 구제 형식으로 하는 것에 문제가 있다는 결론에 이른 나는 좀더 성숙된 방법으로 바꾸어야겠다는 생각을 했다. 밥 굶는 집에 양식을 가져다주거나 병든 사람들에게 약 사다주는 방식이 아니라, 스스로 노력하여 자립할 수 있는 기반을 닦아주는 방식으로 바꾸어나가기로 했다. 그래서 빈민촌에 소문을 냈다.

"이제부터 활빈교회는 일하는 방법이 바뀐다. 장사하려는 사람들에게 장사 밑천을 빌려주거나, 기술이 없어 취직 못하고 있는 사람들이 기술을 배워 자격증을 딸 때까지 교육비를 빌려주는 일을 하겠다."

이런 소문이 퍼지자 어떤 주민이 찾아와 말했다.

"저를 좀 밀어주시라요. 저에게 니아까 한 대에 사과 열 접 값만 있으면 사과장사 해서 한번 일어서보겠습니다요."

나는 그에게 사과 열 접과 손수레 한 대에 얼마나 들겠느냐고 물은 후, 그 돈을 교회에서 마련해드릴 테니 이자는 안 붙이더라도 원금은 갚겠느냐고 확인했다. 그는 당연하다는 듯이 말했다.

"물론입죠. 그 돈이 어떤 돈이라고 떼먹겠습니까요. 이자를 왜 안 붙여요! 이자도 물어야지요. 그 돈을 안 물다가는 마른하늘에 벼락 맞을 일이지요."

나는 그의 다짐을 들은 뒤 대학 친구를 찾아갔다.

"너도 크리스천이니 무언가 하나님의 일에 참여해야 되지 않겠냐? 직장인이어서 다른 일은 못할 테니 물질로 해라. 그렇다고 월급쟁이에게 그냥 헌금하라고 하지는 않는다. 몇 달만 빌려주라. 이자는 못 내지만 원금만큼은 꼭 갚을게. 그 돈으로 없는 사람 장사시켜서 자립하게 하려는 거다."

내 말을 들은 친구가 말했다.

"네가 좋은 일 하고 있다는 말은 들었다. 너를 일컬어 친구들이 한국 교회의 양심이라고 하더구나. 주민들에게 장사를 시키기 위해 필요한 자금을 빌려달라고 했는데, 글쎄, 그 일이 잘될까? 내 생각에는 실패로 끝날 것 같은데."

"글쎄, 실패하더라도 해봐야 할 일인 것 같다. 일단은 주민들을 믿고 맡기는 수밖에 다른 도리가 없지 않겠냐."

"그래, 어쨌든 돈은 빌려줄 테니 네 생각대로, 믿음대로 되기를 바란다."

이렇게 친구와 친지들로부터 돈을 마련한 나는 일해서 자립해 보겠다는 주민을 불러 말했다.

"부탁하신 자립기금을 오늘 드리겠습니다. 그런데 말씀드린 대로 이자는 받지 않을 테니 원금은 꼭 갚아주십시오. 이 돈은 제 돈도, 교회 돈도 아니고, 아는 분들로부터 갚아드리겠다 하고 빌린 돈입니다."

"아이구, 그럼요. 암 갚구말구요. 여부가 있겠습니까? 목숨 걸고 갚겠습니다."

"목숨까지 걸 건 없구요, 신용만 지켜주시면 됩니다."

"신용에 대해서는 염려놓으십쇼. 이래도 동리에서 알아주는 신용갑니다."

나는 약속을 지키겠다는 표시로 서약서를 쓰게 했다.

〈서약서〉
나 ○○○는 활빈교회로부터 자립기금 ○○○원을 빌려 사
과장사를 하여 지금으로부터 여섯 달이 되는 ○월 ○일까지
갚겠음을 약속함.
1972년 ○월 ○일 이○○

그는 중고 손수레를 한 대 사고 사과 열 접을 사서 장사를 시
작했다. 그런 소식을 듣고 어떤 사람은 자전거 한 대와 밑천 얼마
만 있으면 고물장사를 하겠노라 했고, 어떤 이는 용접기술을 배
워 중동에 가겠노라고 신청했다. 우리는 한 사람 한 사람 신중히
살펴서 가능한 범위에서 지원해주었다. 나는 그렇게 장사를 시작
한 가게들을 수시로 방문해 고생스럽겠지만 열심히 살자고 격려
했다.

그런데 막상 갚을 때가 되자 문제가 생겼다. 어느 날 주민 한
분이 찾아와 말했다.

"선생님, 예배당 돈 대줘서 사과장사하게 한 사람이 이사간 걸
아십니까?"

"아뇨, 어제도 길에서 장사하고 있는 걸 보았는데요."

"아이고, 선상님, 순진도 하셔라. 어제 저녁에 집 권리금 받아
서 이사갔구만이라요. 밀어주실려면 나 같은 사람을 밀어주셔야
지, 그런 건달을 밀어주셔서 몽땅 당했구만요."

돈 갚을 때가 되었는데 모은 돈이 없자 다른 곳으로 떠나버린

것 같았다. 찾아와서 그런 사정을 말해주고 다시 시작하면 되련
만 애석하기 그지없었다. 이런 비슷한 경험들이 여러 건 반복되
자 내 고민은 깊어갔다. 이런 식으로는 경제자립도 선교도 아무
것도 되지 않을 것 같았다.

1971년, 아, 활빈교회

　그런 때에 교회협의회(NCC)측의 소개로 한 미국인이 빈민촌을 찾아왔다. 앨린스키(Saul Alinsky)라는 이름의 그 미국인은 대중운동가라고 자신을 소개하였다. 미국 시카고에서 CO운동(Community Organization Movement)을 하고 있으며, 그 방면에서는 세계적으로 알려진 대가였다.

　그는 청계천 빈민촌을 두루 살펴보더니 나에게 실무자들을 모아달라고 했다. 함께 일하는 핵심 일꾼들이 모이자 그가 말했다.

　"This is Hell(이것은 지옥이다). 세상에 이런 Slum(빈민촌)이 있는 줄 아느냐. 당신들 무얼 하고 있느냐? Please Agitate(선동하라), Organize(조직하라), 그리고 Demonstrate(데모하라). 서울시청에 몰려가서 시장실을 점령해라. 그러면 아파트 나온다. 부잣집에 쳐들어가라. 방도 많고 시설도 좋다. 그렇게 해서 문제를 일으켜라. 그렇게 해서 서민주택 프로젝트를 따내라. Power is in People(힘은 민중 속에 있는 거다)!"

나는 그의 말을 듣고 속이 탁 트이는 듯했다.

그래 맞아! 이 시대에 복음은 그렇게 전해야 하는 거다. 지금까지 내가 하던 것같이 밀가루 가져다주고 돈 꿔주고 약 사다주는 방식으로는 안 된다. 이런 방식은 빈민을 돕는다면서 오히려 해치는 꼴이 될 뿐이다. 이런 방식은 지난 시대의 낡은 방식이다. 예수께서 전한 복음이 그 자체는 시대를 초월하는 불변의 복음이로되 적용하는 원리와 전하는 방법은 시대에 따라 바뀌어야 한다. 앨린스키가 말하는 방법이 빈민들에게는 실속 있는 복음이다. 그 복음이야말로 「요한복음」과 「사도행전」 사이에 넣어야 하는 제5복음이다.

나는 지금까지 하던 선교방식을 지양하고 앨린스키가 지적하는 바대로 주민들이 뭉친 힘으로 그들의 문제를 스스로 해결해나가는 방식으로 바꾸기로 마음먹었다. 그날부터 나는 앨린스키의 제자가 되어 그의 이론을 배우기 시작했다. 앨린스키의 사상과 이론을 익히는 데는 박형규 목사님과 조승혁 목사님, 문동환 교수님이 도움을 주셨다. 특히 문동환 교수님은 앨린스키에 덧붙여 브라질 민중교육자 프레이리(Paulo Preire)의 교육방법론을 자상히 가르쳐주셨다.

『눌린 자들의 교육학』(Pedagogy of the Oppressed)으로 널리 알려진 프레이리는 브라질에서 문맹퇴치운동을 일으켰던 교육학자다. 그는 문자를 모르는 농민들 속에 들어가 문자를 깨우치는 운동을 펼쳤다. 그런데 문자를 배워 깨우쳐나가는 과정에서 농민들은 의식화가 동시에 이루어졌다. 그래서 그가 지나간 곳에는 의식화된 농민들이 자기 권리를 찾으려는 데모가 일어났다. 이로 인해 그는 민중 브라질 정부로부터 국외로 추방당하게 되었다.

나는 프레이리의 저서를 읽고 문동환 교수님께 프레이리가 농민들 속에서 의식화 작업을 어떻게 진행시켜나갔는지에 대한 강의를 들었다. 그리고 프레이리의 이론과 실천방법에 공감을 느낀 나는 청계천 빈민촌에서 이를 나름대로 적용해 실천해보기로 했다.

그로부터 나는 주민조직 사업에 착수했다. 물론 활빈교회 교회당이 모든 주민조직 활동의 본부가 되었다. 나는 교회당 양쪽 벽에 붉은 글씨로 다음의 구호를 크게 써붙였다.

"혼자서 넘어진 것 뭉쳐서 일어서자."

"앉아서 살기보다 서서 죽기를 택하자."

그리고 교회당 전면인 강대상 양옆에는 성경에서 뽑은 다음의 두 구절을 크게 써붙였다.

내가 세상에 불을 던지러 왔노니,

그 불이 이미 붙었으면 내가 무엇을 더 원하리요

• 신약성서 「누가복음」 12장 49절

너희는 담대하라!

내가 세상을 이기었노라!

• 「요한복음」 16장 33절

이와 같이 청계천 빈민촌 지역 주민조직 활동에 착수한 나는 청계천 지역 내 1만 1천 세대 중에서 3천 세대를 한 단위로 하여 네 지구로 구분해 조직하기로 계획을 세웠다. 그리고 각 단위마다 교회를 세워 교회당이 명실공히 주민조직 활동의 중심이 되게했다.

첫날은 송정동 74번지 지역부터 시작하여 청계천 판자촌 주민회를 결성했다. 주민들을 교회당에 모이게 하여 민주적 절차를 밟아 회장, 부회장, 총무를 선출하고 지역 내의 각종 문제들을 분류하여 다섯 분과위원회를 주민회의 기본 조직으로 결성했다.

5개 분과는 주민교육위원회, 주민건강관리위원회, 협동조합위원회, 소득증대사업위원회, 개발봉사단이었다. 그리고 이런 제반 활동을 총괄하는 지역센터로서 활빈교회를 확대하여 제2활빈교회를 답십리에, 제3활빈교회를 용답동에, 제4활빈교회를 마장동쪽에 세워나갔다.

이렇게 교회 개척과 주민조직 사업을 활발히 펼쳐나가자 교회와 지역사회는 활기를 띠기 시작했다. 아침부터 밤까지 주민들이 교회당에 들락거리게 되면서 교회당은 지역사회의 중심이 되어갔다.

나는 그런 결과에 만족스러워 진작에 이런 방식으로 선교활동을 했어야 하는 건데 몰라서 못했음을 아쉽게 여겼다.

그런데 4, 5개월 가량 지나면서 문제가 드러나기 시작했다. 제5복음에 독소가 내포되어 있음이 점차 드러난 것이었다. 주민조직의 중심인 판자촌주민회에 주류니 비주류니 하는 파벌이 생겨나더니, 간부들 사이에 다툼이 일어나고 서로가 입에 거품을 품고 비방하기 시작했다. 그러다가 급기야 주먹다짐까지 일어나기에 이르렀다. 이러하니 동네 분위기가 뒤숭숭해지고 교회마저도 은혜롭지 못한 영향을 받았다. 그렇게 되자 이웃 사람들이 원망하는 소리가 내 귀에까지 들려왔다.

"안 그래도 시끄러운 동네가 활빈교횐가 골빈교횐가 땜에 더 시끄럽구먼. 교회가 저 쌈패들 데리고 딴 곳으로 가버렸음 좋겠네."

동네 분위기가 예상밖으로 이렇게 흐르자 어느 날 나는 주민회의 핵심간부 30여 명을 교회당으로 소집했다. 교회당이래야 여전히 흙바닥에 가마니를 깔아놓고 예배드리고 있는 처지였다. 그 예배당 한가운데에 다라이 두 개 가득히 막걸리를 채우고 김치찌개를 안주로 삼아 분위기를 돋워두고는 좌중을 돌아보며 말했다.

"여러분, 도대체 어떻게 된 겁니까? 먹었다, 안 먹었다 쌈들을 해싸니 도대체 넘사시러버 못살겠시요. 오늘 이렇게 한자리에 모였으니 이 자리에서 탁 터놓고 이바구들 해봅시다. 모두들 좀 쫌사리로 놀지들 말고 사나이다워집시다. 깨놓고 시원시원하게 이야기들 해보시라구요."

먼저 비주류측에서 일어나 말했다.

"우리 입은 삐뚤어졌어도 말은 바로 하랬다고 바른 대로 말합시다요. 저 친구들, 순 사기꾼들이라구요. 예배당에서 대주는 돈 갖고 술이나 먹고 '손금이나 보는' (화투놀이) 순 엉터리들이라구요. 저 친구들이 사라져야 이곳이 사람 살 만한 동네가 됩니다요."

이 말을 듣고 주류측이 가만 있을 리 없다. 주류측 대표인 주민회 회장이 벌떡 일어나 혈기를 높여 말했다.

"뭐시라고, 내가 돈 먹었다고? 니가 내 돈 먹는 거 봤냐?"

"그래, 봤다. 만날 술 먹고 댕기던데 뭔 돈으로 먹노?"

"그래, 내가 술 먹으면 내 돈으로 먹지 공금으로 먹겠냐?"

"아따, 니가 뭔 돈이 있어 그렇게 해롱대고 다닐 끼고."

"그一으래, 내가 먹는 것 봤다 이거지. 분명히 봤겄다. 이누무 새끼들이 사람 잡을라고 작정들 했겄다."

그는 교회당 문을 열고는 휑하니 밖으로 나갔다. 나는 그가 분을 삭이느라 밖으로 나간 줄로만 알고 이런 자리에서는 상대방의 인격에 손상을 주는 자극적인 말을 삼가고 대화로 풀어나가야 한다고 말하고 있는데, 밖으로 나갔던 그가 큼직한 식칼을 들고 다시 뛰어들어왔다.

나는 질겁하여 일어서며 "어, 저 칼 뺏아라"고 소리지르는데, 그는 그 칼로 다른 사람을 해치는 것이 아니라 자기 상의를 걷어 올리더니 눈에 살기를 띠고 말했다.

"그래, 너그들 내가 돈 먹는 거 봤다고 했겄다. 어디 내 배때기 안에서 돈 나오는가 보자. 내가 돈을 먹었으면 분명히 내 창새기 속에 들어 있겄제."

그는 식칼로 자기 배를 죽 그었다. 마치 일본 사무라이들처럼 배 왼편에서 오른편으로 부욱 그으니 피가 사방으로 튀고 난리판 이 벌어졌다. 그는 고통으로 이를 악물며 악을 썼다.

"봐라, 이 새끼들아, 내 창새기에 돈 들었냐?"

나는 질겁을 해서 쓰러지는 그를 부축하며 말했다.

"누가 빨리 가서 택시 불러오세요!"

몇 사람이 후닥닥 택시를 부르러 밖으로 나갔다. 방으로 뛰어

들어가 흰 천을 가져다가 배에 동이고 몇 사람이 부축해 청계천 둑 위로 올라가는 동안에 택시가 도착했다. 얼른 태워 가까운 한양대 부속병원으로 갔다.

그야말로 하늘이 도우셔서 생명은 건지게 되었는데, 그 뒤가 문제였다. 치료될 때까지 병원에서 조용히 있다가 완치되면 퇴원해야 하는데 그렇게 하지 못했다. 동네일 하다가 누명을 쓰고 오죽이나 억울했으면 자기 배를 갈랐겠느냐는 동정이 일어 주민들이 병실을 방문해 머리맡에 500원도 두고 오고 1천 원도 두고 온 게 화근이었다.

그렇게 모인 돈이 제법 되자 밤늦게 간호원들이 한눈파는 사이에 병실을 나가 포장마차에 가서 소주를 홀짝홀짝 마셨다. 그렇게 해서 술기운이 돌아 기분이 거나해지면 그는 소독도 안 된 손으로 상처를 북북 긁으며 "아— 신라의 바아암 이이이여……" 하고 노래를 불러대며 병실로 되돌아왔다. 간호원이 그런 모습을 보고 질겁을 했다.

"그러시면 안 됩니다. 수술한 자리에 그렇게 상채기를 내면 감염되어 죽습니다."

"시끄러! 이 가시내야, 죽으면 내 죽지 니 죽냐?"

그렇게 호탕한 소리를 지르고는 꿰맨 상처 자리를 손톱으로 연방 북북 긁으며 침대로 올라갔다. 그러니 상처가 온전할 리 없었다. 아니나다를까, 상처가 악화된 그는 덜컥 죽고 말았다. 그가 시체로 변하자 동네 분위기는 심각해졌다.

나는 그를 염하여 벽제 화장터에 가서 화장하고는 조그만 잿봉지를 하나 만들어 교회당으로 왔다. 강대상 아래 그 잿봉지를 놓고는 꿇어앉았다. 앉은 채로 밤을 지새며 기도했다.

"하나님, 제가 빈민촌에 잘못 들어온 것입니까? 그만두고 나가야 할까요? 저는 빈민선교할 자격이 없지요? 사람 살리려고 들어왔다가 살리지는 못하고 죽게 했으니 어떻게 선교를 계속하겠습니까? 지금까지 하던 모든 일을 중단하고 이곳을 떠날까요?"

나는 너무나 상심하고 막막하여 같은 기도를 자꾸만 되풀이하며 앉아 있었다. 그런데 사흘째 되는 날 아침나절에 예수께서 40일 금식기도를 마치신 후 광야에서 시험받으시던 때의 말씀이 떠올랐다. 「마태복음」 4장의 말씀이다. 갈림길에 서 있는 지금의 내 모습이 마치 광야에서 홀로 시험받으시던 예수님의 모습과 흡사하겠거니 하는 생각이 들어 성경을 펼쳐 들었다.

그때에 예수께서…… 시험받으러 광야로 가사 사십 일을 밤낮으로 금식하신 후에 주리신지라. 시험하는 자가 예수께 나아와서 가로되 네가 만일 하나님의 아들이어든 명하여 이 돌들이 떡덩이가 되게 하라. 예수께서 대답하여 가라사대…… 사람이 떡으로만 살 것이 아니요, 하나님의 입으로 나오는 모든 말씀으로 살 것이라 하였느니라.

이 부분을 조용히 성찰하는 중에 깨달음이 왔다. 그리고 그 깨달음에 이어 다짐이 왔다. 그 깨달음이란 다름 아니라 내가 빈민선교를 그릇된 바탕에서 해왔다는 깨달음이었다. 예수의 말에 비추어 말한다면 빈민촌에 살고 있는 가난한 사람들에게 내가 전해주어야 할 바의 첫째는 '하나님 말씀'이어야 하는데, 나는 말씀은 빠뜨리고 떡만, 경제만 주려 하다가 말씀도 떡도 아무것도 주지 못하고 있다는 깨우침이었다.

예수님이 말씀하신 내용은 떡이, 경제가 필요 없다는 말은 아니었다. 떡은 꼭 있어야 하지만 그보다 먼저 있어야 할 것이 있다. 바로 하나님의 말씀이다. 인간에게 경제만 있어서는 인간 구실을 제대로 못한다. 하늘에서 임하는 말씀이 있고, 그 위에 경제가 있어야 하는 것이다.

그날 아침 나는 깊이 생각했다. 그리고 내가 빈민촌에서 행했던 선교 활동을 찬찬히 반성했다.

내가 빈민들을 돕겠다는 동기만큼은 순수했지만 그 내용에서는 과오를 범했구나. 빈민이든 부자든, 무식한 사람이든 유식한 사람이든, 그가 인간인 이상에는 인간에게 먼저 필요한 것이 있는데, 그것이 제대로 채워진 다음에 떡이, 물질이 의미가 있는 것이다. 내가 그 문제에 대해 스스로 바른 인식을 가지지 못했었구나. 그래서 이런 비극이 일어나게 된 것이로구나!

이 생각은 다짐으로 이어졌다. 빈민선교를 그만둘 것이 아니라 본질에 접근하는 방식으로 제대로 해야겠다는 다짐이었다. 제대로 한다는 것은 다름 아니라 '하나님의 입에서 나오는 말씀의 터전 위에 세워지는 떡의 경제'를 이룩해나가야겠다는 다짐이었다.

그래서 나는 각오를 새롭게 하고 다시 출발할 수 있었다.

이제 청계천에 들어간 후 나 자신이 먹을것이 떨어졌었던 때의 이야기를 해보겠다.

청계천에 들어갈 때 큰돈은 아니었지만 우리 가정이 마련할 수 있는 예산을 몽땅 들고 들어갔었다. 그 예산을 이리저리 다 쓰자 나 자신과 가족이 굶어야 할 처지에 이르게 되었다. 그때의 일기장을 보면 이렇게 적혀 있다.

1971년 11월 26일 맑음

이곳에 활빈교회 간판을 달고 창립예배를 드린 지도 50여 일이 지났다. 어제 저녁을 굶어서 그런지 새벽기도회에 일어날 마음이 생기지 않는다. 이불 속에서 "여호와 선하신 목자 되시고 나는 그 기르시는 어린 양……"을 부르다가 생각했다.

제2라운드의 고비를 어떻게 넘길까? 예상보다 훨씬 빨리 경제공황에 부딪히게 됐는데, 해결의 실마리가 잡히지 않는다. 며칠째 수제비로 살아온 터에 이제 동전 한푼 없게 됐으니 움치고 뛸 수가 없다.

윗목에 누웠던 영준이가 배가 너무 고파 뱃가죽이 당긴다고 해서 아내와 셋이 웃었다. 그래도 아내는 용하게 참는다. 아기 젖 물리고 며칠씩 굶어온 터에 불평 없이 웃을 수 있으니 대견한 마음이 든다. 하지만 퍽 미안하다. 평생 처음 겪는 시련일 텐데…….

아침 여덟시경이 되니 골치가 띵하고 속이 메슥메슥한 것이 빈혈증이 나는 것 같다. 배고픈 것이 가장 큰 설움이라고들 하더니, 이래서 하는 말인가 보다. 교회 재정을 위한 장기적인 대책이 있어야겠다. 애초에 자립자활을 목표로 외부의 보조를 거절한 것이 지나친 행동이었던가? 누군가가 나를 '돈 키호테다. 얼마 못 가 넘어질 것이다'라고 했다.

그러나 새로운 의미의 교회니 비록 배고프고 고달플지라도 한 발짝씩 다지며 스스로 쌓아야 한다. 하나님이 이 교회를 기뻐하신다면 틀림없이 길이 열릴 것이다. 그러나 배고픈 건 고픈 거다. 참기 힘들다. 우선 무얼 좀 먹어야겠는데…….

아내가 부엌에서 분유를 끓여왔다. 한 사발 들이켜니 한결 살 것 같았다. 문제는 우리가 굶는 것이 아니라, 우리가 배부르게 먹고 있던 지난날부터 이 동리의 여러 가정은 계속 굶어왔다는 사실이다.

그들은 어떻게 이렇듯 고통스러운 굶주림을 견뎌내고 있을까? 숙명으로 받아들이는 것일까? 기아의 신에 순종하고 있다고나 할까. 아무런 요구도, 아무런 항의도, 아무런 몸짓도 없이 찬방에 누워 있는 얼굴들을 보아왔다. 이제 내가 직접 당해보니 상상 이상으로 고통스럽다. 그런데 그들은 왜 이런 고통스러운 굶주림에서 뛰쳐나오지 못하고 있는 것일까?

습관이 됐기 때문일까? 사회제도 때문일까? 잘못된 정책 때문일까? 사회구조의 희생자들일까? 아니면 개인의 무능, 나태, 부패 때문일까? 한번 빈민촌에 떨어지면 일생을 벗어나지 못하는 원인이 어디에 있을까? 더러는 그들의 의식구조 탓이다. 그들은 가난하게 살 수밖에 없는 정신구조를 지니고 있다고 한다. 애초에 빈민이 될 수밖에 없는 인간 됨됨이라는 뜻이다. 그러나 그것은 잘못된 생각이다. 절대로 잘못된 생각이다.

지금 나 자신도 굶어 기운이 쇠진해지니 아무런 생각도 할 수 없게 되고 현실을 타개해나갈 기력이 없지 않은가. 그러니 무기력과 무능은 빈곤에서 오는 결과지 그 원인은 될 수 없다. 어쨌든 나는 오늘부터 남을 돕기 이전에 나 자신, 내 가족의 굶주림부터 해결해야 한다.

우선 나 자신부터 빈곤에서 해방될 수 있는 길을 찾아야 한다. 그래야 빈곤에서의 해방을 설교할 수 있을 것 아닌가? 그러나 구체적으로 어떻게 해결해나갈 것인가? 취직? 장사? 모금? 여러 가지로 생각해도 뾰족한 수가 떠오르지 않는다.

무엇보다 중요한 것은 이곳 주민들도 할 수 있는 수준에서 해결의 길을 찾아내는 일이다. 내가 교사가 되든지, 큰 교회의 보조를 받든지, 여타 외부의 보조를 받는 식으로 해결하는 것은 이곳 주민들이 따라 할 수 없는 방법이다. 주민들도 누구든지, 언제든지 마음만 먹으면 할 수 있는 방법으로 이 고비를 넘겨야 한다. 그래야 주민들이 나에게 "당신은 우리들과는 다른 특별한 사람이니 그렇게 할 수 있지, 우리같이 못 배우고 가난에 찌들어 살아온 처지에서야 그렇게 할 수 있나요?"라고 변명할 수 없을 것이다.

이곳 주민 대개는 농촌에서 무작정 상경한 이농민들인지라 기술도 재능도 없이 몸 하나만 가진 사람들인데, 이 삭막한 서울땅에서 무얼 해서 살아갈 수 있을 것인가? 이들이 할 수 있는 것으로 내가 할 수 있을 것이 무엇일까? 그렇다! 넝마주이다! 넝마주이가 되어 지금의 처지에서 한번 일어서봐야겠다.

그 주간 주일예배 때 허기가 들어 설교를 제대로 할 수가 없었다. 며칠 굶고 물만 한 사발 벌컥벌컥 들이켜고는 예배를 인도하려고 강대상 앞에 서 있는데 기력은 없고 웬일인지 구토증이 자꾸 일며 어질어질했다.

그런 중에도 성경을 읽어놓고 설교를 시작하려고 교인들을 내려다보노라니 교인들 얼굴이 제대로 보이지 않았다. 교인들 얼굴이 마치 밥그릇처럼 보였고 아이들 얼굴은 반찬접시로 보였다. 내가 먹지 않고는 설교도 못하겠구나 하고 생각하는 터에 나를 쳐다보고 있는 교인들 중에 넝마주이로 일하는 최군의 얼굴이 눈에 들어왔다.

그의 얼굴을 보자 문득 일기가 생각나서 예배 후에 대화를 나눠야겠다고 생각했다. 경황없는 중에 그런대로 예배를 끝낸 후 나는 최군과 이야기를 나누었다.

"자네 따라 넝마주이 나갈 수 있겠는가?"

"누가 나갈 건데요?"

"누구긴 누구야, 내가 나가는 거지."

"에이 전도사님, 농담 마십쇼."

"내가 농담을 하겠는가. 자네도 알다시피 활빈교회는 자립정신으로 세워진 교회 아닌가? 교인들과 이 동네 주민들에게 우리 교회의 자립정신을 가르쳐주려면 교회가 먼저 외부 보조 없이 자립하는 교회, 자립하는 신앙을 보여줘야 하지 않겠는가?

그러나 이상은 그런데, 교인들이 내는 헌금이래야 한 주일에 2, 3백 원에 지나지 못하네. 나도 먹고 살아야 할 것 아닌가? 그래서 며칠 동안 도대체 무얼 해야 살아갈 수 있을까 궁리하다가 자네와 같이 넝마주이를 하고픈 생각이 들었던 거라네. 자네 혹시 거절하지는 않겠지?"

"아니, 전도사님, 말씀은 이해하겠는데요, 그래도 어떻게 전도
사님이 넝마주이 같은 천한 일을 하겠습니까요?"

"자네, 무슨 말을 그렇게 하는 겐가? 설교시간에 설교를 제대
로 듣지 않는 게로구먼. 먹고 사는 일에는 귀하고 천하고가 따로
없는 법이야. 내가 이 동네에서 몇 달 살아보니 가장 천한 것은
처자식 굶기는 일이고, 그 다음 천한 것은 남의 도움 받고 사는
것이더라고……. 자기 힘으로 살겠다는 건 다 귀한 것이야. 그래
서 나도 넝마주이해서 내 힘으로 살겠다는 거야. 내 말 알아듣겠
나?"

"예, 전도사님, 잘 알아들었습니다. 참 멋진 생각인데요. 전도
사님 말씀을 듣고 있으려니 기분이 다 좋아집니다. 좋습니다! 한
번 해봅시다. 같이 한번 뛰어봅시다요."

이리하여 나는 넝마주이로 입문하게 되었다. 내 처지에 넝마
주이가 좋았던 것 중 하나는 다른 무엇보다 개업하기가 쉬웠다는
점이다. 망태 하나에 900원, 집게가 40원, 합하여 940원을 투자
하니 업자가 될 수 있었다. 필수품인 손수레는 최군이 쓰던 것을
당분간 같이 쓰기로 했다.

다음날 나는 신학교에 가서 동급생들에게 4천 원을 빌려왔다.
밀가루 한 포를 사고 3천 원은 깊숙이 넣어두었다. 넝마주이에
투자할 몫이었다.

다음날 새벽 나는 최군을 따라나섰다. 부지런해야 그 일도 할
수 있었다. 아침 늦게 나서면 청소차가 골목골목 다니며 휴지들
을 다 싣고 가버리기 때문에, 청소차가 오기 전 이른 시간에 골목

들을 누비며 쓰레기통을 뒤져야 했다. 나는 새벽기도회를 마치고 곧바로 일터로 나갔다. 인적 없는 새벽길을 걸으며 최군에게 물었다.

"넝마 일을 열심히 하면 하루 얼마씩이나 벌게 되는가?"

"그야 하기 나름이죠. 주인 없는 물건만 줍고 다니면 하루에 일이천 원 벌이가 될 거고, 주인 있는 물건들도 적당히 주워 담으면 오륙천 원 벌이는 됩니다요."

"아니, 이 사람아, 주인 있는 물건과 주인 없는 물건이라니, 도대체 무슨 말인가?"

"허, 전도사님도 그런 걸 꼭 물어야 하나요? 눈치껏 감을 잡으셔야지. 주인 있는 물건이란 남의 집에 들어가서 아직 쓰고 있는 세숫대야나 알루미늄 밥솥 따위를 들고 나오는 것이고, 주인 없는 물건이란 말 그대로 쓰레기통이나 길가에 버려진 물건들이지요. 밥솥이나 세숫대야 같은 것들을 주인이 안 볼 때 주워 담아 오면 수입이 오르는 거고 곧이곧대로 버려진 것만 주워 담으면 일당이 적다는 게지요."

"아니, 그럼, 넝마주이가 쓰레기통만 뒤지는 게 아니라 남의 집 세간살이도 주워 온다는 겐가?"

"옳은 말씀입니다요. 전도사님도 지금은 초보니까 그럴 수 있느냐고 생각하실지 모르겠습니다만, 그렇게 하지 않으면 일당도 제대로 건지지 못합니다. 전도사님, 성인(聖人)도 시세를 따르라는 말 아시지요? 좌우지간 전도사님도 이 판에서 한 달만 뒹굴고 나면 생각이 달라질 겁니다."

"그래? 그럼, 그 문제는 한 달 뒤에 생각하기로 하고 당장은 열심히 주워 담는 일부터 하세."

"좋습니다, 전도사님. 넝마주이에도 노하우란 게 있으니까 내 뒤를 바짝 따라붙으며 요령을 배우십쇼. 우선 종이에도 세 가지가 있습니다. 첫째는 '누렁이'라고 해서 밀가루 포대나 시멘트 포대, 박스 종이 같은 노란 종이들입니다. 종이들 중에서 가장 값이 나갑니다. 둘째는 신문집니다. 셋째는 '오색지'라 합니다. 누렁이가 가장 값나가고 신문지가 그 다음, 오색지는 제일 싸구렵니다. 넝마라고 아무거나 주워 담는 것이 아닙니다. 돈이 되는 물건들을 잘 골라 담아야 해요. 쓰레기에도 종류가 있고 그 종류에 따라 이름이 있는 겁니다."

첫날 최군을 따라다니며 이처럼 쓰레기 종류와 취급하는 요령도 익혔다. 종이는 오색지, 신문지, 하드롱이 있고 플라스틱, 비닐류는 알창이라 불렀다. 생각했던 것보다는 할 만한 일이었다.

그날 밤 열한시경에 동네 불량배들이 밤일을 마치고 돌아오는 소년 직공을 때리고 월급을 몽땅 빼앗은 일이 발생했다. 얻어맞은데다 돈까지 빼앗긴 소년은 코피를 흘리며 울고 있었다. 나는 소년을 교회당으로 데려와 피를 닦아주며 사정을 물었다.

소년의 집은 아버지가 돌아가신 후로 어머니와 두 동생 모두 네 식구가 살고 있었다. 어머니는 아버지가 돌아가신 후 심장병이 생겨 물도 못 길으신다고 했다. 받아오던 월급이 얼마였느냐고 물으니 5천 300원이라고 했다. 나는 주머니 속 깊이 넣어두었던 3천 원을 주었다.

매월 말일께 월급받는 날이 되면 불량배들이 길목을 지키고 있다가 지나가는 공원들의 월급봉투를 빼앗는 일이 종종 발생했다. 더구나 여자 공원들의 경우에는 몸에도 손을 대곤 했다. 늦은 밤에 "사람 살려주세요" "도와주세요" 하는 여자의 비명 소리가 들리곤 했다. 그런 비명 소리가 들려도 동네 사람들은 관심을 기울이려 하지 않고 못 들은 척하고만 있었다.

하루는 비명 소리가 유달리 크게 들리기에 손전등을 비추며 소리나는 쪽으로 뛰어갔다. 일부러 큰 소리로 "여기 사람들이 가요!" 하며 뛰어갔더니 둑 아래쪽에서 젊은이 셋이 내 쪽을 향해 험악한 눈길을 보내며 말했다.

"어떤 새끼야? 뒈지고 싶어 환장했냐? 이 칼로 확 그어버릴까 보다."

나는 손전등을 요란스레 흔들며 말했다.

"조금만 기다려요. 지금 도와주러 가고 있어요!"

그러자 셋 중 하나가 "야, 김샜다. 가자" 하며 돌아서 걸으니 다른 두 명도 못마땅한 듯 따라갔다. 한 명은 바지춤을 끌어올리며 뒤따르고 있었다.

그들이 있던 곳으로 가보았더니 스무 살 안팎의 처녀가 울고 있었다. 처녀의 얼굴을 보기가 민망하여 발치만 비추며 "다친 데는 없어요?" 하고 물었으나 처녀는 아무 대답도 없이 울며 가버렸다.

나는 동네 사람들과 의논하여 방범대를 조직해 주민들을 보호해야겠다고 생각했다. 경찰의 힘이 미치지 못하는 곳에서 힘없는 주민들이 당하고만 있으니 교회라도 이런 일에 관심을 기울여야겠다는 마음이 간절했다.

다음날 넝마주이를 나가려니 추링(망태)값 940원이 없었다.

걱정을 하고 있으니 아내가 1천 원을 주었다. 나는 의아해서 물었다.

"아니, 어디서 거금 천원이 나왔어요?"

"이럴 때 쓰려고 비상금으로 두었던 돈이에요."

"그럼, 지난번 굶을 때 어떻게 안 쓰고 있었어요?"

"굶을 때라도 양식 사먹는 건 소비니까 안 썼고, 사는 건 생산에 투자하는 것이니까 내놓는 거예요."

일터를 향해 집을 나서는데 아기를 업은 한 부인이 먼발치에서 우리 방을 넘겨다보고 있었다. 이른 시간에 그런 모습으로 서 있는 부인에게 무슨 사연이 있을 것 같아 다가가서 물었다.

"부인, 교회에 무슨 볼일이 있으신가요? 저는 이 교회 전도삽니다."

그러나 부인은 고개를 숙인 채 대답이 없었다. 아내를 불러 아내에게 사정을 말하게 했더니 그녀는 들릴락말락 기어드는 소리로 말했다.

"애기아빠는 술을 먹고 사람을 때려 감옥에 갔고, 저는 산달이 가까워 친정으로 가서 몸을 풀려고 합니다. 애기아빠는 6개월 형을 받아 이제 4개월 살고 2개월 남았는데……."

그녀는 여기까지만 이야기하고는 다시 침묵을 지켰다.

아내가 눈치채고 여비가 없느냐고 물으니 그녀는 고개만 끄덕였다. 친정이 어디며 여비는 얼마나 드느냐고 물으니, 전남 벌교가 친정이고 여비는 700원 정도 든다고 했다.

"그럼, 도중에 요기도 해야 하니 천원쯤 있어야겠네요."

아내는 그렇게 중얼거리더니 나를 보며 "여보, 아까 그 돈 천

원 줍시다" 하고 힘없이 말했다. 나는 추렁 사려던 돈 1천 원을 그녀에게 주었다. 그녀는 아무 말 없이 돌아서서 갔다. 숙였던 고개를 들어올릴 때 보니 그녀의 눈에 눈물이 어려 있었다.

나는 추렁을 마련하지 못한 채 이른 아침부터 최군 곁에 바짝 붙어다니며 넝마주이의 요령을 터득하고 다녔다. 한나절 가까이가 되어 시장기가 느껴질 즈음 어느 호화주택 앞에 있는 쓰레기통에서 최군은 비닐에 싸여 버려진 밥을 주워 추렁에 담았다. 그리고 다음 집 쓰레기통에서는 닭다리 몇 개를 주워 담았다. 나는 최군에게 물었다.

"이 사람아, 버린 밥이나 닭다리는 왜 주워 담는 겐가?"

"끓여서 점심할 겁니다."

"아니, 이 사람아. 그 더러운 음식을 우리가 먹겠다는 겐가?"

"전도사님, 넝마주이라는 일은 더럽다는 생각을 버리는 날부터 할 수 있습니다. 그냥 먹는 게 아니고 끓여서 먹으니깐 일 없습니다. 전도사님도 아직은 초짜니까 더럽다는 생각이 들지만, 며칠만 지나면 생각이 싹 바뀔 겁니다."

손수레 있는 곳에 이른 최군은 나무토막들을 주워 모아 불을 지피고는 주워 온 비락우유통을 들고 가까운 주택으로 달려가 물과 김치, 된장 등을 얻어왔다. 비닐에 싸인 밥을 비락통에 넣고 된장, 김치 등에 버무려서는 불 위에 얹은 다음 닭다리를 툭툭 털더니 불에 구워서는 내게 먹으라고 권했다.

나는 먹을 마음이 들지 않아 사양했다. 그는 아랑곳하지 않고 닭다리 대여섯 개를 단숨에 먹어치우고는 비락통으로 다가앉았다. 나는 속이 메슥거리는 것을 꾹 참으며 잡탕밥을 함께 먹었다.

어차피 넝마주이로 들어선 이상, 이 밥 저 밥 가릴 처지가 아니란 생각이 들어 억지로나마 먹었다.

최군은 밥을 먹으면서 넝마주이 생활의 편리함을 자랑했다. 넝마주이는 무엇이든 다 쓰레기통에서 조달해 쓸 수 있다. 쓰레기통이 우리들의 보급창이다. 재떨이, 비닐장판, 냄비, 이불, 석유곤로 등 생활에 필요한 모든 것이 쓰레기장으로 나온다. 그는 밥먹는 중에도 시종일관 '넝마주이 예찬론'에 열을 올렸다. 실제로 그의 방은 쓰레기장 출신 가구들로 장식돼 있었다.

오후에는 수도여자사범대학(현재 세종대학교) 뒤편을 돌다가 어느 쓰레기 집합장에서 죽은 개 한 마리를 보았다. 아마 쥐약 먹고 죽은 쥐를 먹다가 죽은 개 같았다. 그런데 최군은 죽은 개를 보더니 반색을 하며 다가가 추렁을 내리고는 시멘트 포대지로 개를 둘둘 말아 추렁 속에 넣었다. 그는 이빨이 드러나게 싱긋 웃으며 "오늘 전도사님과 함께 다니니 재수가 좋은데요!" 했다.

나는 그의 행동이 이해가 되지 않았다. 왜 약 먹고 죽은 개를 정성스레 싸서 추렁에 넣을까? 도무지 납득이 가질 않아 그에게 물었다.

"최군, 그 개 쥐약 먹은 것 같은데 왜 추렁에 담는 거지?"

"그렇지요. 쥐약 먹고 죽었더라도 창자를 훑어내고 요리하면 아무 일 없습니다요. 오늘 저녁에 제가 기똥차게 요리할 테니 우리집에서 쐬주 파티 한판 벌입시다."

"이 사람아, 사람 기절하게 하지 말게. 그 개 버리세. 자네 누굴 죽이려고 그러나?"

"아녜요, 전도사님. 이 개를 보신탕 집에 가져가면 당장 500원은 받습니다요. 우리가 보신탕 집에서 먹는 개고기가 어디 성한 개 잡은 고긴 줄 아세요? 우리 넝마주이들이 죽은 개를 주워다 팔면 그걸로 보신탕 끓이는 겁니다. 그러나 오늘은 500원에 팔기 아까우니 집에 가서 요리해 먹읍시다."

나는 더 이상 말하지 않았다.

아니나다를까, 그날 저녁 최군 집에서 소주 파티가 열리고 있었다. 큼직한 양동이에 개대가리가 얹혀 있고 진로 소주병 대여 섯 개가 준비돼 있었다. 동네 청년 대여섯 명이 최군을 중심으로 둘러앉아 주빈인 내가 오기를 기다리고 있었다.

그들은 차려진 개고깃상을 앞에 두고 내게 먼저 한 점 들라고 권했다. 귀한 음식이니 내가 먼저 시식을 해야 자기들이 먹겠다 는 표정이었다. 나는 심히 난처했다. 그 고기의 내력을 알고 있는 터여서 도저히 먼저 먹을 수가 없었다. 쥐약 먹고 죽은 개를 삶아 먹는다는 것은 상상도 할 수 없는 일이었다. 아무리 내장을 들어 냈다지만 그래도 몸 전체에 쥐약이 퍼져 있을 게 틀림없다. 그런 데 연장자를 대접한다며 먼저 시식을 하라니 난처하기 이를 데 없었다. 생각엔 그 고기를 먹으면 개의 몸에 퍼져 있던 쥐약이 금 방 내 몸에도 퍼질 것만 같았다. 나는 불안감을 겉으로 드러낼 수 없어 시치미를 떼고 말했다.

"아니, 이런 자리에 상하가 어디 있는가? 각자들 드세나."

"아뇨, 그런 법 없는 기라요. 소똥도 층계가 있는 기고 역전 앞 지게꾼도 순번이 있는 법이라요. 먼저 한 점 드시랑게요."

"이 사람들아, 요즘은 지게꾼은 다 없어지고 용달차 세상 아 닌가. 용달차는 빠른 놈이 일등인기여. 자, 체면차리지들 말고 어서들 들라니까."

내가 손을 저으며 뒤로 빠졌더니 성질 급한 최군이 "그래, 오래 기다렸으니 어서 시작하자구" 하며 고기를 뜯어 소금에 꾹꾹 찍어먹기 시작했다. 모두들 신나게 달려들어 먹으며 연방 소주잔을 비워댔다.

나는 내심 불안한 마음으로 젊은이들을 보고 있었다. 그러나 개다리 한쪽은 이미 뼈만 남고 갈비짝으로 손들이 옮겨갔어도 아무도 배가 아프다거나 어지럽다는 말을 하지 않았다. 나는 괜찮은 모양이로구나 판단하고 조금씩 먹기 시작했다.

이렇게 배운 후로는 넝마를 줍다가 죽은 개를 보면 주워다 으레 최군에게 주었고, 최군은 정성껏 요리해 밤에 파티를 열곤 했다. 어느덧 익숙해진 나는 누구에게 질세라 기세 좋게 고기를 먹어대게끔 발전했다.

집에 돌아와보니 친구가 보낸 3천 원이 와 있었다. '좋은 일에 고생하고 있다니 끝까지 견뎌 좋은 열매를 거두기 바란다. 적은 돈이지만 격려의 뜻으로 보낸다'는 편지가 동봉돼 있었다.

우리 부부는 아침에 차비 없던 부인에게 1천 원 주기를 잘했다고 서로 격려했다. 1천 원을 주었더니 세 배로 받은 것이라며 좋아했다. 그날 밤 개고기 파티에서 돌아온 나는 피곤에 지쳐 잠에 곯아떨어졌다. 잠결에 누군가가 깨우는지라 눈을 떠보니 손전등 불빛이 나를 비추고 있었다. 빛이 약해져 희미한 손전등이었다.

일어나 앉으며 살펴보니 주민 중 한 사람이 잭나이프를 내 코밑에 들이대고 있었다. 칼은 칼인데 아이들 장난감처럼 작은데다 녹슬고 날이 무뎌진 칼이었다. 나는 웬일인지 웃음이 나서 씩 웃으며 물었다.

"어르신네, 왜 그러세요. 웬 칼이에요? 병신도 가지가지라더니 칼도 가지가지구먼요. 들 거 같지도 않은 칼을 들고는 왜 이러십니까?"

"목사! 목사는 오른뺨을 때리면 왼뺨을 대준다지? 나 노름하다 판돈 떨어져 왔는데 돈 좀 꿔줘. 내 꼭 갚을게."

"돈 빌리러 오시면서 칼 들고 오셨어요? 누가 보면 강도 든 걸로 오해하겠습니다."

그는 무안한 듯 칼을 주머니에 넣고는 우거지상을 하고 사정조로 말했다.

"이 미친 애비가 자식새끼 월급 타다 논 걸로 노름을 했는데 몽땅 날렸소이다. 그 돈을 메워놔야 집구석에 들어가지, 빈손으로는 도저히 들어갈 수 없수다. 죽은 사람 살리는 셈치고 돈 좀 꿔주시라요."

"도대체 잃은 돈이 얼만데요? 얼마가 있어야 메우겠습니까?"

"얼마고 자시고 액수가 있나요? 형편 닿는 대로만 주심 내가 알아서 할 끼요."

나는 그를 도와주는 게 좋겠다는 생각이 들었다. 왜 그런 생각이 들었는지 모르겠으나 하여튼 도와줘야겠다는 생각이 들어 친구가 보낸 3천 원을 주며 말했다.

"이 돈은 어르신네의 노름돈으로 드리는 게 아닙니다. 아드님의 월급을 날리셨다니 그 금액을 메우는 데 다소나마 보태라고 드리는 겁니다. 좋게 쓰십시오."

그는 액수가 적어 다소 불만인 듯했으나 "어쨌든 고맙소이다"

하고는 나갔다.

다음날 꼭두새벽에 누가 찾아왔다며 아내가 잠을 깨우기에 눈을 비비면서 나갔더니 지난밤 밤손님으로 오셨던 그 어른이었다. 나는 다시 찾아온 것이 마땅치 않아 문간에서 이야기를 나누고 돌려보내려 했더니 그는 굳이 방으로 들어오겠다고 했다. 주인인 나보다 앞서서 방 안으로 들어오려 했다.

나는 그를 교회당으로 데려갔다. 교회당이래야 흙바닥에 가마니를 깔았고 창에는 창틀만 있었지 유리도 미처 끼우지 못한 터였다. 지붕은 비가 새어 밖에서 가랑비가 올 때 교회당 안에는 소나기가 오는 식이었다.

그는 내가 앉기도 전에 내 손을 덥석 잡으며 말했다.

"김 목사! 어젯밤엔 실례가 많았소이다."

나는 손이 잡힌 채로 앉으며 엉겁결에 대답했다.

"별말씀을 다 하십니다. 그 돈이 도움이 되셨는지요?"

그는 눈을 지그시 감은 채로 안주머니에서 돈을 한뭉치 끄집어냈다. 그가 3천 원을 가지고 가서 끗발을 올린 것이로구나 하는 생각이 들어 나는 덩달아 기분이 좋아졌다. 그는 돈뭉치 중에서 3천 원을 세어 내게 주며 "내가 빌린 돈은 일단 갚겠습니다" 하고는 심각하게 말했다.

"김 목사, 내가 이 교회에 헌금을 좀 하면 좋겠는데 이런 돈도 받아주시겠소?"

나는 답하기가 퍽이나 궁했다. 노름해서 딴 돈을 헌금하겠다니 받기도 어색하고, 그렇다고 거절하기도 어려워 참으로 난처했다. 나는 먼저 그에게 물었다.

"도대체 어떻게 된 영문입니까? 하룻밤 사이에 신수가 확 피었습니다그려?"

"뭐 물으나마나지요. 내가 노름판에 끼여든 지 십년이 넘는 세월인데 별기술은 없었어도 큰 봉변은 당하지 않았소이다. 그런데 어제 저녁에는 초판부터 판이 꼬이더니 밤중에 가서 몽땅 털리지 않았겠소. 눈앞이 캄캄해 여기까지 왔던 거인데, 거참 예배당 돈이 세긴 셉디다. 예배당 돈 갖고 가서 판을 펴자마자 나한테로 다 오더구먼요. 허허……. 다아 예수 선생 덕분이지요. 이 돈으로 헌금 좀 하고 나머지는 마누라 줄랍니다. 그라고 이 길에서 손씻을랍니다. 나도 이제부턴 예수 사람 되어볼 낀게 잘 지도해주시라요."

그렇게 말하는 그의 눈에는 핏발이 서 있었다. 나는 그의 말을 받아 말해주었다.

"고맙습니다. 그런데 헌금은 안하셔도 됩니다. 몽땅 집으로 가져가셔서 부인께 드리십시오."

그는 손을 저었다.

"아닙니다. 나 진심입니다. 받아주십시오."

꼭 헌금을 드리겠노라고 고집하기에 우리 교회는 헌금을 헌금함에 넣으니 원하면 헌금함에 손수 넣으시라고 일렀다. 그러자 그는 겸연쩍은 듯 "아 그러세요? 그런 줄도 모르고" 하며 교회당 입구에 놓인 헌금함으로 가서 헌금을 하고 발걸음도 당당하게 돌아갔다.

다음 주일예배 후 헌금함을 열어보니 7천 원이 들어 있었다. 그가 그날 밤에 딴 돈의 십일조가 7천 원이었다면 상당한 수입을 올렸을 것으로 짐작되었다.

나는 새벽기도회가 끝나는 대로 나가 오후 두세 시까지만 넝마주이를 하고 그 후에는 동네로 들어와 교회 일을 했다. 환자 방문, 직업 소개, 개인 상담, 좌담회, 싸움 말리기 등이 내 일과였다. 항상 바빴다. 이제는 동네에 영향력이 생겨 싸움이 일어나면 나를 데리러 왔다. 와서 싸움을 말려달라는 것이었다.

막바지 인생을 살고 있는 판자촌 주민들은 싸움이 잦았다. 그리고 싸움을 하면 무지막지하게 싸웠다. 툭하면 칼부림이었다. 희생자가 있으면 교회로 연락이 오곤 했다. 판자촌 젊은이들은 칼로 찌르고 감옥에 가는 것을 겁내지 않았다. 감옥 가는 것을 '국비 장학생'으로 간다고 하며 마치 사나이답게 사는 길인 양 으스대기까지 했다.

판자촌에서는 겨울나기가 문제였다. 봄에서 가을까지는 노동판을 찾아다니고 여자들은 행상이라도 해서 살아가지만, 겨울에는 마땅한 일거리가 없었다. 노동일은 겨울에는 시멘트가 얼어붙기 때문에 공사가 중단되었고 행상은 추운 날씨 때문에 집집이 문을 닫아걸고 있어 들어갈 수가 없었다. 길가에서 파는 노점들도 행인들이 종종걸음으로 집으로 들어가니 팔리지 않았다.

그래서 판자촌의 겨울은 잔인한 계절이다. 겨울이 들면 일부러 가벼운 절도나 폭력을 저질러 '국비 장학생'으로 감옥에서 의식주를 해결하고 나오는 사람들도 있었다.

어느 날 넝마주이 작업을 마치고 판자촌으로 돌아오니 주민들이 반색을 하며 맞았다. 나는 무슨 일이 있었으리라 짐작하고 물었다.

"왜 또 무슨 건수가 터졌나요?"

"말도 마십쇼. 지금 대판 쌈이 벌어져 전도사님을 몇 차례나 데리러 왔었습니다."

안내를 받아 큰 싸움판이 벌어졌다는 집으로 가니 온 이웃이 모여들어 둘러싸고 있어서 안으로 들어갈 수도 없을 지경이었다. 내가 나타나자 주민들이 안으로 들어갈 길을 터주었다. 길을 비집고 안으로 들어서려는데 교인 한 분이 내 소맷자락을 잡아당기며 말했다.

"전도사님, 위험합니다. 들어가지 마세요. 지금 칼로 찔러놓고 설랑 누구든 들어오기만 하면 또 찌르겠다고 벼르고 있는 판이에요. 지금 들어가지 마시고 기다렸다가 제풀에 기가 꺾이걸랑 들어가세요."

"그럼, 칼에 찔린 사람은 어떻게 되었나요? 병원으로 갔나요?"

"아이고, 병원엘 가다니요. 녀석이 시퍼런 칼을 들고 문간에 서서 아무도 들어가지도 나가지도 못하게 하는 판인데요. 죽었는지 살았는지 확인도 못하고 있는 판이에요."

때마침 방 안에서 우당탕 소리가 나더니 비명 소리가 들렸다.

"아이고……! 동네 사람들! 나 좀 살리시라요! 이놈이 사람을 죽이려고 작정을 한 눔이네……."

그러고 나서 다시 잠잠해졌다. 나는 제풀에 기가 죽을 때까지 기다릴 처지가 못 된다고 판단했다. 칼을 휘두르고 있는 녀석은 이 동네에서도 최고 악질로 이름난 녀석이었다. 악한 일에는 타의 추종을 불허하는 그야말로 악한 중의 악한이었다. 그의 손에 걸렸으니 목숨을 잃거나, 살아나더라도 불구자가 될 염려가 있었다. 빨리 구해내야 했다.

그는 얼마 전 자기 아내를 발가벗겨 밖에 끌어내놓고 동네 사람들이 보는 앞에서 사정없이 때린 적이 있었다. 매질에 견디다 못한 그의 아내는 어린 딸을 남겨둔 채 약을 먹고 자살했다. 그의 아내가 약 기운에 비명을 지르다가 피를 토하는데도 그는 곁에서 눈썹 하나 까딱 않고 "뒈져라, 이년아" 하며 지켜보고 있었다. 악해도 정도를 벗어난 병적인 사람이었다. 곁에서 보기에도 자기 인격으로 움직이는 것이 아니라 악한 영에 사로잡혀 움직이는 사람 같았다.

나는 방으로 들어가 그를 진정시키고 칼에 찔린 사람을 병원으로 실어가야겠다고 생각했다. 문 앞으로 가서 안을 들여다보니 미스터 악질은 부엌칼을 손에 쥔 채 입구에 서 있었고, 뒤쪽에 피해자가 쓰러져 있었다.

피해자는 배를 움켜쥐고 거칠게 숨을 쉬고 있었는데 피가 옷 밖으로 배어나오고 있었다. 나는 한 청년에게 큰길로 나가 택시를 잡아오라 이르고는 방 안으로 들어갔다. 두려움에 가슴이 약간 떨렸지만 겉으로는 태연하게 문지방을 넘었다. 누군가가 뒤에서 소리질렀다.

"예배당 선생님이 들어간다! 이때 남자들 몇이 우 하고 들어가 덮쳐야 한다."

그러나 나는 뒤따라오지 말라는 표시로 손을 흔들었다. 그는 나를 보자 칼 쥔 손을 움직여 찌르려는 태세를 취했다. 조용히 그의 눈을 바라보았다. 독기 서린 눈이었다. 마귀가 사람의 모습으로 나타나면 저런 눈을 하고 있겠거니 생각되었다. 나는 떨려서 속으로 기도했다.

주님, 주님께서 그의 악함을 불쌍히 여기시옵소서.

나는 예수께서 간음한 여인을 보셨을 때의 눈을 연상했다. 그리고 예수의 눈과 같이 해야겠다고 생각했다. 그리고 당신의 마음을 넉넉히 이해하고 있다는 마음이 표정에 나타나기를 바라며 말했다.

"화가 많이 나셨군요. 그래도 화 때문에 자신을 괴롭히고 남을 괴롭히는 일은 그만두셔야지요."

그렇게 말하고는 눈을 돌려 찔린 사람을 바라보았다. 그의 눈도 내 눈을 따라 찔린 사람을 보았다. 그 틈에 방 안으로 들어가 그의 곁에 섰다. 한순간이 지났으나 그는 아무런 동작도 취하지 않았다.

무슨 말이라도 해야겠다고 생각했으나 아무런 말도 떠오르지 않았다. 나는 미소를 지으며 그에게로 다가서서 손을 내밀었다. 그의 칼끝이 아래로 내려갔다. 내가 손을 다시 내밀자 그는 칼을 내게 주었다. 그러고는 횡하니 나가버렸다.

나는 밖을 향하여 "두 분 안으로 들어오세요" 하고 소리지르며 찔린 사람에게로 다가갔다. 그는 거칠게 숨을 헐떡이며 "배가, 배가……" 하며 고통을 호소하고 있었다. 장정 둘에게 그를 언덕 위 택시가 들어올 수 있는 곳으로 데려가게 했다. 다행히 생명에는 지장이 없을 듯했다.

미스터 악질은 그날은 그것으로 끝났으나, 며칠 지나지 않아 다시 큰일을 저질렀다. 그에게 찔린 사람은 피를 펑펑 쏟다가 그

자리에서 숨졌다. 그래서 결국 20년 국비 장학생이 되고 말았다. 감옥 안에는 찌를 식칼도 없을 텐데. 지금은 어떻게 지내고 있는지…….

그가 찌른 이유는 별게 아니었다. 동네 입구에 있는 대폿집에서 술을 마시고 있는데 지나가는 청년이 길 가운데 버려져 있는 연탄재를 발로 찼다. 차인 재가 술을 마시고 있는 자리까지 튕겨와 미스터 악질의 옷에 떨어졌다. 지나가던 청년이 연탄재를 찬 건 대폿집 강아지가 심하게 짖었기 때문이었다. 연탄재가 옷에 묻으니까 미스터 악질은 고개를 내밀고 고함을 질렀다.

"개새꺄! 죽을 때가 됐냐? 어따 발길질이냐, 발질이."

지나가던 청년도 듣고만 있지 않았다. 그도 청계천 사람이고, 청계천 뚝방촌의 깡으로 살아가는 사람이었다. 그냥 있을 리 없었다. 대폿집을 향하여 야지(야유)를 놓았다.

"아따 성님, 소리가 노프요-잉, 목에 힘 빼시소이-잉."

그렇게 야지놓는 소리에 열받은 미스터 악질은 벌떡 일어나 조리대에 놓인 식칼을 들고 뛰쳐나갔다. 주위에서 "어- 어- 저 칼! 저 칼!" 소리지르는 사이에 벌써 아이쿠 하는 소리가 나며 칼은 청년의 아랫배에 꽂혀 있었다. 찔린 이는 화장터의 한줌 재로 변했고, 찌른 이는 수갑이 채워져 끌려가 20년 국비 장학생이 된 것이었다.

지옥이 따로 있는 것이 아니었다. 인간은 자기 속에 스스로 지옥을 만들고 스스로 지옥살이를 하고 있다. 세상 법률이 하는 일은 흩어진 지옥들을 한곳에 모아 큰 지옥을 만드는 일에 지나지 않았다. 그렇게 만들어진 지옥을 우리는 교도소라 부르고 있다.

판자촌에 살면서 주민들이 같은 처지에 살고 있는 이웃을 이해하는 마음이 얕고, 작은 일에 서로 싸움질하며 지내는 것이 딱하게 여겨졌다. 가난한 사람들이 서로 이해하고 의논하고 뭉치면 좋은 일이 생길 것도 같은데 그러지 못하고 사는 모습이 못내 안타까웠다.

내가 넝마주이로 생계를 해결하며 DDT 작전과 TLC 요법을 실시해나가는 중에 활빈교회는 번창했다. 예배 때 앉을 자리가 없어 뒤에 서서 예배를 드리거나 되돌아가는 사람들도 있을 정도였다. 우리 가정의 살림방으로 쓰던 방까지 헐어서 집회 장소를 넓혔다.

어느덧 성탄절이 왔다. 빈민촌에서 맞는 첫 성탄절에 온 동네 잔치를 벌였다. 교회학교 어린이들은 찬송과 율동으로 주민들을 기쁘게 해주었고 청년들은 연극을 공연했다.

연극은 주민들이 힘을 합해 철거반을 물리치는 내용이었다. 시나리오를 쓰는 일에서 감독, 연출까지 내가 맡았다. 연극은 대성황을 이루었다. 연극의 한 장면 중에 주민들이 철거반을 물리칠 때는 관람하던 주민들이 열이 올라 "그놈들 쥑여라" "다리를 분질러라" "작살내라"고 고함지르고 손뼉치고 발을 구르며 열광했다. 나는 주민들이 살아가는 삶의 현장에서 연극의 소재를 찾는다는 취지에서 철거반 이야기를 시나리오로 썼던 것인데, 주민들의 반응을 보고는 크게 깨우쳤다.

이렇게 해서 대중문화가 형성되는 것이로구나!

민중의 문화는 이론과 형태를 갖춘 데에서 탄생하고 성장하는 것이 아니라 민중의 삶 속에서 그들의 가장 절실한 문제들이 언어화되고 행동화되어 표현될 때 이루어진다. 민중의 공감대가 이루어지고 그러한 공감대를 통해 그들의 내면에 타고 있던 생명 에너지가 밖으로 뿜어져 나와 하나의 흐름을 이룬다. 그 흐름이 땅 속으로 스며들어 문화라는 씨앗을 싹틔우고 자라게 하여 끝내 열매를 거두는 것이다.

빈민촌에는 빈민들이 만들어내는 문화가 있었다. 그러한 빈민 문화의 내용에 대해 좋다 나쁘다 말하는 것 자체가 의미없는 일이었다. 그냥 있는 그대로를 인정해야 했다. 교회는 빈민들에게 너희는 왜 이런 저질 문화를 이루고 살고 있느냐고 꾸짖을 아무런 권리도 없다. 다만 교회는 그들 속으로 들어가 그들을 사랑하고 함께 숨쉬어야 할 의무만 가진다.

하나님이 죄에 빠진 인간들을 오직 사랑하여 인간 세상 속으로 오셨듯이, 교회는 배고픈 설움, 아픈 설움, 낙오자가 된 설움 속에서 한(恨)을 먹고 살아가는 빈민촌 주민들을 사랑하고 함께 살아야 한다. 이들과 함께 나누는 삶 속에서 그들과 한을 공유하는 데에서부터 선교는 시작된다.

첫 성탄절 행사는 동네 전체의 잔치로 바뀌었다. 신명이 나자 동네 구멍가게는 건빵을 공짜로 돌렸고, 대폿집은 막걸리를 독째 골목에 내놓고는 누구든 공술을 마시라고 했다.

나는 내가 시작한 빈민선교가 그냥 교회 없는 동네에 교회당 하나를 세우는 식의 단순한 선교 활동이 아님을 알게 되었다. 활빈선교가 제대로 발전하면 가난에 젖어 살아가는 주민들 의식이 바뀔 수 있고, 그 잠재된 에너지가 있음을 나는 느꼈다.

성탄절 이후 빈민촌에 눈에 띄게 변화가 나타났다. "여자가 더 좋아"류의 노랫가락을 부르던 동네 코흘리개들이 "새 나라의 어린이는 일찍 일어납니다……" "참 아름다워라, 주님의 세계는……" 등 교회에서 배운 노래를 부르고 다녔다. 동네에 싸움이 줄고 어머니들이 자식에게 악담을 퍼붓는 일도 줄어들었다. 그리고 "남묘호랑갱교……"를 외던 창가학회 신도들이 이제는 거의 활빈교회를 다니게 되었다.

모름지기 종교는 인간 삶에 가치를 부여하고 더 성숙한 인간성을 실현토록 해야 한다. 그런 점에서 나는 어느 종교나 존중하고 싶다. 그러나 일본에서 들어왔다는 창가학회는 싫었다. 그들은 대중을 속인다. 치병기복(治病祈福)을 내세워 가난한 사람들을 기만한다. 그들은 가난한 사람들의 약점과 무지를 이용했다. 마르크스가 '종교는 민중의 아편이다'라고 말한 것처럼 창가학회는 가난한 사람들 속에서 아편 구실을 했다. 물론 기독교 내에서도 일부 지도자들의 경우 창가학회보다 한술 더 뜨는 자들도 있다. 이런 자들은 마땅히 매도되어야 할 지도자들이다. 나는 '인간이 인간답게 되는 길', '인간이 자기 가치를 지니고 존경받으며 사는 길'에 도움을 주지 못하는 교회나 신앙은 예수 그리스도와는 관계없는 것들이라고 생각한다.

1971년의 마지막 날이 왔다. 온 교인이 밤 열한시에 교회로 모였다. 1971년 12월 31일 23시 30분에서 1972년 1월 1일 0시 30분 사이에 활빈 가족은 단합대회를 열었다. 비록 쌀이 없어 밀가루 반죽을 떡가래처럼 만들어 빚은 밀떡국이긴 했지만 행복한 잔치였다.

나는 「고린도전서」 13장을 읽고 설교를 했다.

"하나님 나라는 어떤 곳이냐? 사랑으로 다스려지는 나라다. 잘사는 나라가 하나님 나라가 아니다. 사랑으로 사는 나라가 하나님의 나라다. 판자촌이 없고 철거반이 없다고 해서 하나님 나라가 아니다. 사람이 사람 대접 받고 사는 나라, 모두가 더불어 함께 사는 나라가 하나님 나라다. 우리들 활빈 가족들은 당장 부자는 될 수 없어도 하나님 나라 백성은 될 수 있다. 예수 안에서 사랑하는 사람이 되면 하나님 나라 백성이 되는 것이다."

예배가 끝난 후 우리는 밀떡국을 먹고 합창을 했다. 연이어 노래자랑이 나오고 장기대회가 뒤따랐다. 모두들 행복했다. 일년간 쌓인 피로가 일순에 풀리는 듯했다.

우리는 밝아오는 새해 1972년에도 예수께서 섬기라고 명하신 청계천 빈민촌에서 최선을 다할 것을·다짐하며 헤어졌다.

김진홍목사 자전소설

황무지가 장미꽃같이 1

지은이 • 김진홍
펴낸이 • 김언호
펴낸곳 • 도서출판 한길사

등록 • 1976년 12월 24일 제74호
주소 • (413-830) 경기도 파주시 교하읍 산남리 파주출판문화정보산업단지 17-7
www.hangilsa.co.kr
E-mail: hangilsa@hangilsa.co.kr
전화 • 031-955-2000
팩스 • 031-955-2005

제1판 제 1 쇄 1999년 10월 10일
제1판 제14쇄 2003년 8월 30일

ⓒ 김진홍 1999

값 8,000원

ISBN 89-356-5205-9 04810
ISBN 89-356-5208-3 (전3권)

* 잘못된 책은 구입하신 서점에서 바꿔드립니다.